EL LEON TRIUNFANTE

VICTORIA HOLT

escribiendo como
PHILIPPA CARR

El León
Triunfante

javier vergara editor
Buenos Aires/Madrid/México/Santiago de Chile

Título original
THE LION TRIUMPHANT

Edición original
Collins - London

Traducción
Ariel Bignami

ISBN 950-15-0530-8

Impreso en la Argentina/Printed in Argentine.
Depositado de acuerdo a la Ley 11.723.

Esta edición terminó de imprimirse en
VERLAP S.A. - Producciones Gráficas
Vieytes 1534 - Buenos Aires - Argentina
en el mes de enero de 1990.

INDICE

EL GALEON ESPAÑOL

Desde mi ventana en el torreón lograba divisar los grandes navíos que penetraban en el puerto de Plymouth. A veces solía levantarme de noche y la visión de una majestuosa nave en las aguas iluminadas por la luna me levantaba el ánimo. En la oscuridad trataba a veces de ver luces en el mar que me indicaran la presencia de un barco, y me preguntaba: ¿qué tipo de barco? ¿Una delicada carabela, una bélica galeaza, una carraca de tres mástiles o un imponente galeón? Y pensando en eso volvía a mi lecho e imaginaba qué clase de hombres navegarían en ese barco; y por un rato dejaba de llorar a Carey y mi perdido amor.

Por la mañana, al despertar, mi primer pensamiento no era para Carey (como tan poco tiempo atrás me lo había prometido para cada momento de los días venideros), sino para los marinos que llegaban de sus viajes.

Solía ir sola al puerto, aunque se suponía que no debía hacerlo, pues se consideraba indecoroso que una joven señora de diecisiete años fuera adonde rudos marineros

9

podían empujarla. Si insistía en ir, debía llevar conmigo dos criadas. Aunque nunca había sido de las que aceptan dócilmente la autoridad, no lograba hacerles entender que únicamente estando sola podía captar la magia del puerto. Si llevaba conmigo a Jennet o a Susan, se lo pasarían mirando a los marineros y soltando risitas, contándose una a otra lo que le había pasado a alguna amiga suya que había confiado en un marinero. Todo eso ya lo había oído yo. Quería estar sola.

Por eso buscaba una ocasión para escabullirme hasta el puerto y allí encontrar mi nave nocturna. Veía entonces hombres cuya piel se había quemado hasta quedar del color de la caoba, cuyos ojos vivos escrutaban a las muchachas, evaluando sus encantos, que según imaginaba yo, dependían en gran medida de su accesibilidad, ya que la estadía de un marinero en tierra era breve y no le quedaba mucho tiempo para desperdiciarlo en cortejar. Sus rostros diferían de los de aquellos hombres que no salían a navegar. Acaso esto se debiera a las exóticas escenas que habían presenciado, a las penurias que habían soportado, a su mezcla de devoción, adoración, temor y odio hacia ese otro amante: el bello, alocado, indómito e imprevisible mar.

Me gustaba ver cómo se cargaban provisiones: sacos de harina, carne salada y fríjoles; soñaba con el sitio adonde eran llevados los cargamentos de lienzo y los fardos de algodón. Todo era trajín y excitación. No era el lugar adecuado para una muchacha joven de exquisita crianza, pero era irresistible.

Parecía inevitable que tarde o temprano sucediera algo excitante, y así fue. En el puerto vi por primera vez a Jake Pennylon.

Jake era alto y corpulento, sólido e invencible. Eso fue lo que me impresionó de inmediato. Estaba bronceado por la intemperie, aunque solo tenía unos veintiocho años cuando lo vi por primera vez, hacía ocho que navegaba en el mar. Ya en el momento de nuestro primer encuentro comandaba su propia nave, lo cual explicaba ese aire suyo de autoridad. De inmediato advertí cómo al verlo se iluminaban los ojos de las mujeres de todas las edades. Al compararlo con Carey (como hacía con todos los hombres), lo hallé tosco, falto de educación.

Aunque, por supuesto, no tenía en ese momento idea de su identidad, sabía que era alguien importante. Los hombres se tocaban la frente, una o dos muchachas le hicieron reverencias. Alguien gritó:

—Muy buen día, capitán León.

En cierto modo, el nombre le convenía. El sol daba a su cabello rubio oscuro un matiz leonado. Se contoneaba levemente, como hacen los marineros al pisar tierra, como si no estuvieran todavía habituados a la inmovilidad de esta y siguieran bamboleándose con la nave. El Rey de los Animales, pensé yo.

Y entonces supe que percibía mi presencia, ya que se había detenido. Fue un momento extraño; por un instante pareció interrumpirse el bullicio del puerto. Los hombres habían dejado de cargar; el marinero y las dos muchachas con quienes hablaba evidenciaron mirarnos a nosotros en lugar de mirarse entre ellos; hasta el loro que un viejo marinero canoso trataba de vender a un agricultor de blusa de pana cesó de chillar.

—Buenos días, señora —dijo Jake Pennylon, inclinándose con una exagerada humildad que sugería burla.

Sentí un repentino estremecimiento de consternación; evidentemente debía pensar que, por estar yo sola allí, era correcto interpelarme. Las jóvenes señoras de buena familia no andaban por tales lugares sin compañía, y la que lo hiciese, bien podía estar aguardando una ocasión de cerrar algún trato con marineros ávidos de mujeres. ¿Acaso no era precisamente por ese motivo que se esperaba de mí que no estuviera sola en ese sitio?

Fingiendo no darme cuenta de que se dirigía a mí, clavé la vista detrás de él, en la nave alrededor de la cual se meneaban los botecitos. Sin embargo, mi tez había enrojecido y eso le indicó que me había turbado.

—Creo que no nos hemos visto antes —continuó él—. No estaba usted aquí dos años atrás.

Algo en él hacía imposible ignorarlo. Le contesté:

—Hace apenas unas semanas que estoy aquí.

—Ah, no es nacida en Devon.

—No —repuse.

—Lo sabía. Pues tan linda señora no podía andar cerca sin que yo la olfateara.

—Habla como si fuese yo algún animal para perseguir —repliqué.

—No solo a los animales se los caza.

Sus azules ojos eran penetrantes; parecían ver de mí más de lo que era cómodo o decoroso; eran los ojos azules más asombrosos que había visto o que vería. Los años transcurridos en el océano les habían dado ese color azul profundo. Eran vivos, sagaces, atractivos en cierto modo y sin embargo repelentes. Evidentemente él me tomaba por alguna criada que había acudido a la llegada de un barco en busca de un marinero. Fríamente dije:

—Creo, señor, que comete un error.

—Pues eso es algo que pocas veces hago en ocasiones como esta, porque si bien a veces soy temerario, mi criterio es infalible cuando de elegir mis amigos se trata.

—Repito que se equivoca al dirigirme la palabra —insistí—. Y ahora debo irme.

—¿No me permitiría que la acompañe?

—No tengo que ir lejos. Hasta Trewynd Grange, a decir verdad.

Busqué en él al menos algún indicio de inquietud. Debía saber que no podía tratar con impunidad a quien era huésped de Trewynd.

—Debo visitarla en un momento que le convenga.

—Confío en que esperará a ser invitado —repliqué; él se inclinó una vez más—. En cuyo caso —agregué al marcharme—, es posible que espere mucho tiempo.

Mucho deseaba alejarme. Había en él un algo de demasiado atrevido. Podía creerlo capaz de cualquier indiscreción. Parecía un pirata, pero claro está que tantos marineros eran precisamente eso.

Me encaminé de prisa hacia la Granja, temerosa al principio de que él me siguiera hasta allá, y tal vez levemente decepcionada porque no lo hizo. Subí directamente al torreón donde tenía mi habitación y me asomé. El barco —su barco— se destacaba con nitidez en un mar que estaba sereno y quieto. Debía ser de unas setecientas toneladas, con altos castillos de proa y de popa. Llevaba baterías de cañones. Aunque no era nave de guerra, estaba equipada para protegerse, y acaso para atacar a otras. Era un navío de orgulloso aspecto, del cual emanaba dignidad. Supe que era el suyo.

No quise volver al puerto hasta que esa nave zarpara. Todos los días miraba, en la esperanza de que cuando despertara por la mañana siguiente, se hubiese ido. Después empecé a pensar en Carey . . . el hermoso Carey, con quien solía disputar siendo niña hasta ese maravilloso día en que ambos comprendimos que nos amábamos. La congoja me inundó y volví a revivirlo todo; la inexplicable cólera de la madre de Carey —que era prima de mi propia madre— cuando había declarado que nada la induciría a aceptar nuestro casamiento. Y mi querida madre, que al principio no había entendido, hasta aquel terrible día en que me tomó en sus brazos, lloró conmigo y me explicó que los hijos cargaban con los pecados de los padres, y mi sueño feliz de una vida compartida con Carey quedó destrozado para siempre.

¿Por qué todo eso volvía tan vívidamente a causa de un encuentro en el puerto con aquel marinero insolente?

Debo explicar ahora cómo llegué a Plymouth —este rincón al suroeste de Inglaterra— cuando mi hogar se encontraba en el sureste, a pocos kilómetros apenas del mismo Londres.

Nací en la Abadía de San Bruno... extraño lugar de nacimiento; cuando rememoro mis comienzos, veo que evidentemente fueron muy poco ortodoxos. Era yo alegre, despreocupada, en lo más mínimo seria como Honey, a quien siempre había considerado mi hermana. Allí vivíamos en nuestra infancia, en un monasterio que no lo era, rodeadas por ese ambiente de misticismo. Si no percibimos esto en nuestros primeros años, se debió a mi madre, que era tan normal, serena, consoladora... todo lo que una madre debe ser. Una vez dije a Carey que cuando tuviéramos hijos, yo sería para ellos lo que mi madre había sido para mí.

Pero al crecer advertí la tensión entre mis padres. A veces pienso que se odiaban. Intuí que mi madre deseaba un marido bondadoso y común, algo así como el tío de Carey, Rupert, que nunca se había casado y que, según sospeché, la amaba. En cuanto a mi padre, yo no lo comprendía para nada, aunque sí creía que a veces odiaba a mi madre. Para esto había algún motivo que yo no podía entender. Tal vez fuese porque él era culpable. La nuestra era una familia intranquila, pero yo no lo percibía tanto como Honey. Para ella era fácil; sus emociones eran menos complicadas que las mías. Sentía celos por creer que mi madre me quería más a mí que a ella, lo cual era natural, siendo yo su propia hija. Honey amaba a mi madre posesivamente; no quería compartirla, y odiaba a mi padre. Sabía con exactitud en quién depositaba su lealtad. Para mí

14

no era tan fácil. Me pregunté si Honey sería tan vehemente-
temente posesiva con su marido Edward como antes con
mi madre. Tal vez con un marido fuese distinto. Yo tenía
la certeza de que habría anhelado igualmente que todo el
amor y los pensamientos de Carey fuesen para mí.

Honey había realizado un excelente matrimonio —para
asombro de todos—, aunque todos admitían sin vacilar
que ella era el ser más hermoso que hubieran visto en su
vida. Yo siempre me había sentido fea en comparación
con ella. Honey tenía hermosos ojos de color azul oscuro,
casi violetas, notables por sus largas y espesas pestañas
negras; también su cabello era oscuro, rizado y vital. Se
advertía su presencia inmediatamente, dondequiera que
fuese. Yo siempre me sentí insignificante a su lado, aunque en ausencia de ella era muy atractiva con mi cabello
semicastaño y mis ojos verdes, que según solía decir mi
madre, cuadraban con mi nombre. "Eres por cierto una
gatita, con esos ojos verdes y ese rostro en forma de corazón", le gustaba señalar. Yo sabía que a sus ojos era tan
bella como Honey, pero porque era una madre contemplando a su querida hija. El caso es que Edward Ennis,
hijo y heredero de lord Calperton, se había enamorado de
Honey y la desposó al cumplir ella diecisiete años, con
ocasión de su primera presentación en sociedad. Su oscuro
y humilde origen no influyó en nada. Honey había logrado en forma triunfal lo que tantas jóvenes ricamente dota-
das de bienes mundanos no consiguieron.

Grande fue la satisfacción de mi madre, quien debe
haber temido que fuese difícil encontrar marido para Honey. Había previsto que lord Calperton suscitara toda clase de objeciones, pero la madre de Carey —a quien yo
llamaba tía Kate— barrió con todos los obstáculos. Era
una mujer de las que suelen imponer su voluntad porque,
aunque debe haber tenido unos treinta y siete años, poseía
cierto encanto indestructible; por eso los hombres se

enamoraban de ella y lord Calperton no fue la excepción.

En noviembre del glorioso año 1558 había fallecido la anciana reina, y en todas partes reinaba gran regocijo porque en Inglaterra había nacido una nueva esperanza. Habíamos sufrido durante el reinado de María la Sanguinaria; como la Abadía se hallaba no lejos del río y a dos o tres kilómetros de la Capital, la mortaja de humo proveniente de Smithfield flotaba hacia nosotros cuando el viento soplaba en cierta dirección. Mi madre, que sufría descomposturas al verlo, cerraba las ventanas y se negaba a salir.

Cuando ya no se veía humo, mi madre iba al jardín, juntaba flores, frutas o hierbas, según la temporada, y me enviaba a llevarlas a casa de mi abuela, que lindaba con la Abadía.

El padrastro de mi madre había muerto quemado en la hoguera como herético durante el reinado de la reina Mary; por eso los fuegos de Smithfield nos acongojaban de manera especial. Pero no creo que mi abuela siguiera sufriendo tanto como pensaba mi madre. Siempre se interesaba mucho por lo que yo le llevaba, y llamaba a los mellizos para que hablasen conmigo. Peter y Paul, un año mayores que yo, eran hermanastros de mi madre y, por consiguiente, tíos míos. Eramos una familia complicada. Resultaba extraño tener tíos un año mayores que una misma, de modo que nunca teníamos en cuenta la relación. Yo sentía afecto hacia los dos; eran mellizos idénticos: siempre juntos y tan parecidos que pocos podían distinguirlos. Peter quería hacerce a la mar, y como Paul lo seguía en todo, también quería ir.

Cuando llegaba tía Kate a la Abadía, yo subía a mi habitación, me encerraba en ella y allí me quedaba hasta que venía mi madre a convencerme de que bajara. Entonces yo lo hacía, nada más que para complacerla. Sentada junto a mi ventana, contemplaba la vieja iglesia de la Abadía y el aposento de los monjes, que mi madre siempre hablaba de convertir en despensa. Recordaba cómo Honey solía decirme que quien escuchaba en plena noche, oía cantar a los monjes que habían vivido allí mucho antes, y los alaridos de los que habían sido torturados y ahorcados en el portal cuando llegaron los hombres del rey Enrique para disolver el monasterio. Solía contarme esas historias para asustarme porque estaba celosa debido a qué yo era hija de mi madre. Yo me desquité, empero, cuando oí rumores acerca de Honey.

—Eres una bastarda —le dije— y tu madre fue una criada y tu padre un asesino de monjes.

Esto fue una crueldad mía, ya que perturbó a Honey más que cualquier otra cosa. No le importaba tanto ser bastarda como no ser hija de mi madre. En esa época, su primer cariño posesivo giraba alrededor de mi madre.

En mí era natural dejar que estallara la cólera, hacer los comentarios más hirientes que se me ocurrieran y después, muy pronto, reprocharme por haberlos hecho y empeñarme en corregir mi crueldad. Entonces decía a Honey:

—No es más que un cuento. No es cierto. Y de todos modos eres tan bella que no importaría si tu padre hubiese sido el diablo; todos te querrían igual.

Honey no perdonaba con facilidad; se quedaba rumiando los insultos; sabía que su madre había sido sirvienta y que su bisabuela había tenido fama de bruja. Esto último no le importaba nada. Tener una bruja por abuela le otorgaba cierto poder especial. Siempre se interesaba por las hierbas y su posible uso.

Honey llegó a la Abadía para la coronación. Cuando pregunté a mi madre si mi padre estaría entonces en casa, su rostro se volvió una máscara y fue imposible saber qué sentía.

—No volverá —dijo.

—Qué segura pareces —repuse.

—Sí, lo estoy —respondió ella con firmeza.

Fuimos a Londres para ver cómo entraba la reina en su Capital a fin de tomar posesión de la Torre de Londres. Entusiasmaba verla en su carruaje mientras lord Robert Dudley, uno de los hombres más guapos que he visto jamás, cabalgaba a su lado. Él era su caballerizo mayor y según oí decir, se habían conocido estando prisioneros en la Torre, durante el reinado de Mary, hermana de la reina. Emocionaba oír el estampido de los cañones de la Torre y escuchar los leales vítores que recibía a su paso la joven reina. Nos habíamos situado cerca de la Torre y la vimos con claridad al entrar.

Era joven, de unos veinticinco años, con mejillas frescas, coloridas, y cabello rojizo; centelleaba de vitalidad, aunque poseía una gran solemnidad que le sentaba muy bien y que el pueblo admiraba mucho.

Todos nos conmovimos al oírla hablar cuando se disponía a entrar en la Torre.

—Algunos han caído —dijo— de ser príncipes de esta tierra, a ser prisioneros en este sitio; yo me elevo de ser prisionera en este sitio a ser princesa de esta tierra. Esa humillación fue obra de la justicia de Dios; este adelanto es obra de su misericordia; tal como ellos debieron ofrendar paciencia por aquella, así debo yo mostrarme agradecida a Dios y misericordiosa con los hombres por esto.

Fue este un discurso sabio, modesto y decidido, sumamente aplaudido por todos aquellos que lo oyeron.

Estuve pensativa mientras regresábamos a la Abadía, pensando en la reina Isabel —no mucho mayor que yo— que ahora sobrellevaba una enorme responsabilidad. Había en ella algo que emocionaba, y me puse a pensar en su comentario sobre el encarcelamiento que había sufrido, y la misericordia de Dios que la había conducido desde sus penurias hasta la grandeza. La imaginaba entrando prisionera en la Torre a través de la Puerta de los Traidores, y preguntándose —como sin duda lo habría hecho— cuándo sería llevada a la Torre Verde, como antes su madre, y obligada a poner la cabeza en el tajo. ¿Qué sentiría alguien tan joven ante la muerte inminente? Esa mujer joven y vivaz, que ardía de entusiasmo por su gran misión, ¿se habría sentido tan desdichada ante la perspectiva de perder la vida, como yo al perder a Carey?

Pero ella había superado sus penurias. Dios había sido misericordioso; ella había salido de la sombra enorme de la Torre para volver como señora de todos y de cuanto existía en el país.

Presenciar la entrada de la nueva reina en su Capital me había levantado el ánimo.

Durante la cena escuché la conversación, que fue conducida por Kate. Ella rutilaba y yo, pese a odiarla, tuve que admitir su innegable hechizo. En la mesa fue el centro de atracción. Parloteaba sin cesar indiscretamente, pues quién podía saber con certeza lo que traería consigo el nuevo reinado y qué informarían los sirvientes que escuchaban. Al menos eso habían hecho durante el reinado de María. ¿Qué motivo teníamos todos para pensar que el de Isabel sería tan distinto?

—De modo que al fin llegó al trono sana y salva —decía Kate—. ¡La hija de Ana Bolena! Fíjense bien, tiene un aire a su regio padre. Viva de genio como él. Se le nota en el color del cabello, que es casi idéntico. Una vez bailé con Su Majestad el rey, su padre, y saben, en verdad creo que si en esa época no hubiera estado absorto en los encantos de Katherine Howard, habría puesto sus ojos en mí. ¡Qué distinto habría podido ser todo si lo hubiese hecho!

Mi madre sugirió:

—Quizá tu cabeza y tus hombros se habrían separado ya, Kate. Te preferimos entera.

—Siempre fui afortunada. ¡Pobre Katherine Howard!

Perdió la cabeza en mi lugar. Con qué rapidez se libraba de sus esposas ese hombre.

—Hablas con demasiada franqueza, Kate —intervino su hermano Rupert.

Kate bajó la voz con aire conspirativo, diciendo:

—Debemos recordar que esta es la hija de Harry... Harry y Ana Bolena, ¡vaya combinación!

—Nuestra anterior reina también era hija de él —intercaló el hijo de Kate, Nicholas, a quien llamábamos Colás.

—Ah, pero entonces —repuso Kate— lo único que importaba era que se fuese buen católico.

Procurando cambiar de tema, mi madre preguntó a mi abuela por unas hierbas que necesitaba. Mi abuela estaba muy informada acerca de todo lo vegetal, y no tardó en iniciar una discusión hortícola con mi madre, pero la voz de Kate no tardó en elevarse por sobre las de ambas. Hablaba de los peligros que había sobrellevado la nueva reina, de cómo se había visto amenazado su futuro al ir su madre al patíbulo, de cuándo se la había declarado ilegítima y de cómo, al morir Jane Seymour, las tres últimas reinas del rey la habían tratado bondadosamente, permitiéndole vivir en la Casa de las Viudas con la reina Katherine Parr una vez muerto el rey.

—Y yo pienso —agregó Kate con picardía— que sería imprudente referirse a lo que allí ocurrió. ¡Pobre Thomas Seymour! Yo lo conocía. ¡Qué hombre fascinante! No es de extrañar que nuestra princesita... pero claro está que esas son habladurías. Por supuesto que ella jamás le permitió entrar en su dormitorio. Eran puras habladurías eso de que la princesa haya parido un hijo. ¡Quién puede creer semejante desatinos... ahora! Vaya, quienes perpetraron tan malignas versiones deberían ser ahorcados, descuartizados y desmembrados. Repetirlas ahora sería traición. Imagínense cuando le llevaron la noticia de que él había muerto en el tajo. "Hoy ha muerto un hombre de gran ingenio y muy escaso criterio", dijo ella. Y lo dijo con toda calma, como si él fuese un mero conocido. ¡Como si hubiera podido haber algo más profundo entre ambos! —rió Kate, y sus ojos chispearon—. Quién sabe cómo será ahora en la Corte. Habrá más alegría que con María, eso es seguro. Nuestra Benigna Señora estará tan ansiosa por mostrar su gratitud a Dios, a su pueblo y al destino por haberla preservado para esta alta finalidad. Querrá estar alegre. Querrá olvidar las alarmas del pasado. Protéjame Dios, si tras la rebelión de Wyatt estuvo tan cerca del hacha como yo ahora de ustedes.

—Todo eso ya pasó —se apresuró a decir mi madre.

—Del pasado no se escapa, Damask —replicó Kate—. Nos sigue siempre como una sombra.

Pero, pensé yo, *tus* míseros pecados han ensombrecido mi vida sin que tú mires nunca atrás para ver la sombra que te sigue.

—Vaya —continuó Kate—, ¿no vieron a lord Robert a su lado? Dicen que ella lo idolatra.

—Habladurías habrá siempre —declaró Rupert.

—Qué pronto saltó a la montura —rió Kate—. Y ¿qué se podía esperar del hijo de Northumberland?

Yo observaba a tía Kate con creciente resentimiento. ¡Qué atolondrada era, qué frívola! Podía causar molestias a nuestra familia con su charla descuidada. Y ella, sin duda, saldría librada indemne. Cualquier cosa que se dijese me recordaba mi tragedia.

Cuando Kate y Colás partieron hacia el Castillo de Remus, me sentí mejor... no contenta, por supuesto, sólo aliviada de que Kate se hubiese marchado.

Como era noviembre, poco había que hacer en el jardín. Yo seguía indiferente. La Abadía me parecía un sitio lúgubre. La casa propiamente dicha (construida como un castillo semejante al de Remus, que ahora era de Carey) se estaba pareciendo gradualmente cada vez más a un hogar desde la partida de mi padre; parecía más extraña cuando, al mirar por las ventanas, se veían las dependencias accesorias, los refectorios, los dos aposentos y los estanques con peces.

Mi madre fijaba ahora su interés en mí. Lo que más ansiaba era poner fin a mi desdicha y mostrarme un nuevo modo de vivir. Para complacerla, yo solía fingir que me estaba sobreponiendo, pero ella me quería demasiado para dejarse engañar. Procuró interesarme en los usos de las hierbas que había aprendido de su madre, en bordados y tapices. Cuando comprobó que yo no podía ocupar mi espíritu en esas cosas, decidió revelarme sus ansiedades. Esa era la mayor ayuda que podía brindarme.

Me hallaba yo en mi habitación cuando entró ella, muy seria. Cuando me levanté alarmada, dijo:

—Siéntate, Cat. Vine a hablar contigo.

—Ya lo veo, madre. ¿Por qué estás inquieta?

—Por el futuro... Oí decir hoy que el obispo de Winchester ha sido arrestado.

—¿Por qué motivo?

—Es de suponer que los conflictos religiosos continuarán. Él apoya al Papa. Es el forcejeo de siempre... Dios mío, tenía la esperanza de que aquellos malos tiempos hubieran quedado atrás.

—Dicen que la nueva reina será tolerante, madre.

—Los monarcas no suelen serlo cuando peligran sus tronos. Hombres ambiciosos los rodean. En nuestra familia hubo mucha tragedia, Cat. Mi padre perdió la cabeza por proteger a un sacerdote; mi padrastro fue quemado en Smithfield por acatar la Fe Reformada. Ya sabes que Edward es católico. Al casarse con él, Honey hizo suya su religión. En el reinado anterior eso no era peligroso, pero ahora otra reina ocupa el trono.

—Así que te preocupa Honey.

—Durante toda mi vida hubo estas persecuciones. Temo que continúen. Al enterarme de que el obispo de Winchester había sido arrestado, pensé en Honey.

—¿Crees que la nueva reina empezará a perseguir a los católicos?

—Creo muy posible que sus ministros lo hagan. Y entonces tendremos de vuelta todos los antiguos miedos.

Después hablamos de Honey y de lo afortunada que había sido en su matrimonio, y el temor de mi madre se calmó al pensar en la felicidad de Honey.

Eso ayudó un poco.

Llegada la Navidad, la celebramos en el vasto salón de la Abadía. El olor a hornada llenaba la casa, y mi madre dijo que sería una alegre Navidad para celebrar no solo el nacimiento de nuestro Señor, sino la llegada al trono de nuestra nueva reina. Según creo, pensaba que obrando como si tuviera la certeza de que todo sería maravilloso, lo sería.

Mi padre estaba ausente desde tanto tiempo atrás, que ya no esperábamos su regreso. Casi todos nuestros criados habían sido monjes y lo conocían desde que era niño. Estaban convencidos de que había en él algo de místico y no cuestionaban su desaparición. Nadie lo lloraba como a una persona muerta; nunca lo habían hecho. Por lo tanto, no había motivos para que no celebráramos Navidad con todo el regocijo habitual.

El festival duraría los doce días de Navidad, y lo que agradó a mi madre fue que Honey y su marido estarían junto a nosotros.

Llegaron pocos días antes de Navidad. Cada vez que veía a Honey tras una ausencia, su belleza me causaba una gran impresión. La vi de pie en la sala; nevaba un poco y algunos copos diminutos centelleaban sobre su caperuza de piel. Tenía las mejillas algo enrojecidas y brillaban sus ojos violetas.

Yo la abracé con cariño. A veces había entre nosotras gran afecto, y ella, ahora que tenía a su arrobado Edward, ya no sentía celos del especial amor de mi madre hacia su propia hija. Se llamaba Honeysuckle. Su madre, que la había confiado al cuidado de la mía, dijo que al concebir a su bebé había sentido olor a madreselva.

Mi madre, que la había oído llegar, corrió de prisa a la sala; Honey se arrojó en sus brazos y se miraron largo rato. Sí, pensé yo; Honey la sigue queriendo apasionadamente. Seguirá teniendo celos de mí. Como si tuviera motivos para ello, con su belleza resplandeciente y su enamorado esposo, mientras yo he perdido para siempre a Carey.

Tras ella estaba Edward, más bien tímido, dulce; sería un buen marido.

Mi madre estaba diciendo que debían ocupar la antigua habitación de Honey, ya que sin duda allí querrían estar, y Honey le contestó que sí, que eso sería magnífico. Tomó a mi madre por el brazo y juntas subieron la amplia escalinata.

Fue una alegre Navidad para todos, salvo para mí, aunque hasta yo, a veces, me encontré bailando y cantando junto a los demás. Llegó Kate con Colás, y Rupert vino también; mi abuela y los mellizos, por supuesto, estaban con nosotros. Pasamos el día en casa de mi abuela, adonde se podía llegar a pie desde la Abadía. Ella se envanecía bastante de ser buena cocinera, ya que en la cocina se destacaba. Había asado cerdos y pavos, grandes pasteles y tartas, todo sazonado con sus hierbas especiales que tanto la enorgullecían. Abuela había perdido a dos maridos, ambos asesinados por el Estado, pero allí estaba, enrojecida, resoplando y ronroneando al llegar de la cocina donde había estado regañando a sus criadas. Nadie habría supuesto jamás que hubiera habido alguna tragedia en su vida.

¿Sería yo así algún día? Oh, no, mi abuela nada sabría del amor tal como yo lo conocía.

Hubo los habituales ritos navideños; adornamos las salas con muérdago y hiedra; en Año Nuevo hicimos regalos, y en víspera de Reyes, Colás encontró la moneda en la torta y fue rey por esa noche; los hombres lo llevaron en andas y él trazó cruces con tiza en las vigas de nuestra sala. Se suponía que eso era una protección contra el mal.

Al notar la mirada con que lo observaba mi madre, supuse que pensaba en el catolicismo de Honey y mi desdicha por Carey, y que en secreto rezaba por las dos.

Kate y Honey se quedaron en nuestra casa para la coronación, que tendría lugar el 15 de enero.

Kate, por ser lady Remus, y Edward como heredero de lord Calperton, tenían derecho a ir en la procesión de la reina, y Honey me invitó a que la acompañara, de modo que fui. Nos reunimos en la Torre, adonde la reina llegaría desde el Palacio de Westminster en barcaza. Fue un espectáculo maravilloso, que levantaba el ánimo pese al frío aire invernal. Allí estaba el alcalde de Londres para presentar sus leales salutaciones, y con él las compañías de la ciudad. Vimos a la reina cuando desembarcó en la escalera privada del muelle de la Torre.

Después de eso volvimos a casa, y pocos días más tarde la reina llegó al centro para recibir los homenajes de sus súbditos antes de su coronación. Las representaciones públicas eran muy interesantes, y cada día se hacía más manifiesto un cambio. Nadie mencionaba que Isabel era bastarda, como se había hecho sin tapujos durante el reinado anterior. Decir semejante cosa podía costar la vida a cualquiera. En las representaciones públicas se elogiaba a la Casa de Tudor. Por primera vez se exhibían efigies de la reina madre, Ana Bolena, junto a las de Enrique VIII. A Isabel de York, madre de Enrique VIII, se la representaba adornada con rosas blancas, y entregaba la rosa blanca de

York a su marido Enrique VII, que le ofrecía la rosa roja de Lancaster. Todo a lo largo de Cornhill y del Chepe se ofrecían representaciones públicas; y los niños entonaban canciones y recitaban versos alabando a la reina.

Su coronación fue emocionante. Yo no estuve en la Abadía, pero sí Kate, que era paresa y nos la describió. Con qué claridad había hablado la reina, con qué firmeza había cumplido la ceremonia, aunque lamentándose de que el aceite con que fue ungida era grasa y olía mal; pero había estado imponente en sus mantos de coronación y las trompetas habían sido magníficas. Kate no dudaba de que los más destacados nobles habían estado prontos y dispuestos a besarle la mano y jurarle acatamiento... en particular su guapo caballerizo mayor, Robert Dudley.

—Hay rumores de que se casará con él. Es evidente que le tiene cariño. Sus ojos nunca se apartan de él. No olviden lo que les digo: pronto tendremos boda real. Ojalá sus afectos no sean tan fugaces como los de su padre.

—Dinos cómo vestía —se apresuró a decir mi madre.

Entonces Kate describió el vestido en detalle y todos se mostraron tan contentos como en víspera de Reyes.

Mi madre, sin embargo, quedó ansiosa al enterarse de que el Papa Pablo había declarado públicamente que no podía entender los derechos hereditarios de alguien no nacido de un legítimo matrimonio. Se asustó muchísimo. En su declaración, decía luego el Papa que la reina de Escocia, que estaba casada con el delfín de Francia, era la más próxima descendiente legítima de Enrique VII, y sugería que se estableciera un tribunal arbitrado por él para determinar si eran justas las pretensiones de Isabel y María al trono de Inglaterra.

Naturalmente, Isabel rechazó esto con altanería.

Pero la ansiedad de mi madre aumentó. Me dijo:

—Temo que de nuevo haya un conflicto entre protestantes y católicos, donde la reina de Escocia represente a los católicos e Isabel a los protestantes. Disensión en las familias... eso es lo que me espanta. La he visto en demasía.

—No reñiremos con Honey porque sea católica —la tranquilicé yo—. Estoy convencida de que llegó a serlo únicamente porque deseaba casarse con Edward.

—Ruego que no haya problemas —insistió mi madre.

Visitó a Honey durante una semana, y al volver parecía más animada. Había hablado con lord Calperton.

Éste había dicho que era viejo y de hábitos arraigados, pero que enviaría al joven Edward a las campiñas del oeste. Tenía una finca cerca de Plymouth. Edward era más vehemente en sus convicciones que su padre, y si iba a hablar temerariamente —como era muy posible que hiciera— era preferible que fuese lo más lejos posible de la Corte.

Aunque apenada al pensar que no vería a Honey con tanta frecuencia, mi madre coincidió con lord Calperton en que era menos peligroso estar lejos del centro del conflicto.

Por eso, durante todo el verano, se hicieron planes para que Honey y su marido partieran rumbo a Trewynd Grange, en Devonshire, y yo debía ir con ellos.

—Te sentirás sola sin ninguna de las dos —dije a mi madre.

Ella me tomó la cara entre las manos y repuso:

—Pero tú serás más feliz allá por un tiempo... solo por un tiempo, Cat. Tienes que recobrarte y empezar de nuevo.

No me gustaba separarme de ella, pero comprendí que tenía razón.

En junio, alrededor de un mes antes de la fecha fijada para nuestra partida, el rey de Francia, Enrique II, fue muerto en un torneo caballeresco, y su hijo Francisco pasó a ser rey. María de Escocia era su esposa, de modo que se convirtió en reina de Francia. Dijo mi madre:

—Así el peligro aumenta, ya que María ha tomado el título de reina de Inglaterra.

Rupert, que en ese momento se encontraba allí (como a menudo en esa época), dijo que mientras ella estuviera en Francia no había mucho peligro. Lo habría si alguna vez venía a Escocia, cosa improbable siendo reina de Francia.

Yo permanecía indiferente; poco me importaba ir a Devon o quedarme en la Abadía. Deseaba quedarme por mi madre; por otro lado, pensaba que sería mejor no tener que ver a tía Kate con tanta frecuencia y alejarme del escenario de tantos recuerdos amargos. Pero me prometí estar de vuelta en uno o dos meses.

El trayecto fue largo y cansador. Cuando llegué a Trewynd Grange, estaba finalizando el verano. Creo que desde que vi Trewynd Grange me sentí un poco más lejos de mi tragedia; la casa era más cómoda que la Abadía. Hecha de piedra gris, tenía dos siglos de antigüedad y placenteros jardines. Se alzaba alrededor de un atrio y cada extremo era un torreón. Desde esas ventanas se divisaba un magnífico paisaje hasta el mar, por sobre el puerto, lo cual me resultó interesante. Según los cánones de la Abadía y del castillo de Remus, la sala no era grande, pero tenía un algo de acogedora pese a las dos rendijas en lo alto de la pared, a través de las cuales alguien situado en los pequeños gabinetes de arriba podía espiar sin ser visto a quien estuviera abajo. La capilla era húmeda, fría y más bien repelente. Tal vez yo hubiese llegado a temer un poco a las capillas debido a los conflictos en nuestra familia... y por cierto, en todo el país. Los pasos de gente muerta mucho tiempo atrás habían gastado las losas de piedra del suelo; el altar se alzaba en un rincón oscuro y la celda de los leprosos era usada ahora por los criados que sufrían algún mal contagioso y no podían alternar con los demás residentes. La casa era más larga y extensa que alta, y su grandeza residía verdaderamente en sus cuatro torreones.

Me hizo gracia ver a Honey castellana en su propia casa. El matrimonio la había cambiado, como es natural. Resplandecía de satisfacción interior. Edward la idolatraba y Honey era una persona de las que reclaman amor. Sin él era desdichada; quería ser aquella a quien se amaba y protegía más que a otras. Debería haber estado satisfecha, pues nunca vi a un hombre más devoto de su esposa... excepto lord Remus en vida, respecto de Kate.

Yo podía hablar francamente con Honey. Sabía que ella odiaba a mi padre como a nadie más. Nunca le había perdonado no quererla en la familia y no haberle hecho caso cuando era niña.

Quería hablar sobre mi padre, pero yo no la quise escuchar, porque no estaba segura de lo que sentía hacia él. Ahora sabía que era no solo mi padre, sino también el de Carey, y por eso no podíamos casarnos; sabía que él, mientras se hacía pasar por un santo cuya llegada había sido un milagro, en realidad se introducía de noche en la cama de Kate —o ella en la suya— en la misma casa donde dormía mi madre. Y entre tanto, Kate fingía ser la amiga y prima querida de mi madre.

Creo que mi madre había dado instrucciones a Honey para que me tratase con cuidado, y Honey siempre procuraba complacer a mi madre. Quizás esta le hubiese dado otros consejos acerca de mí; me inclinaba a pensar que era así, ya que desde mi llegada a Trewynd Grange, Honey había ofrecido varios banquetes, invitando a los terratenientes locales.

El día siguiente a aquel inquietante coloquio en el puerto, me dijo:

—Mañana cenarán con nosotros sir Penn Pennylon y

su hijo. Son vecinos no muy lejanos. Sir Penn es un hombre poderoso en estas regiones. Posee varios barcos, y su padre fue comerciante antes que él.

—Esa nave que llegó hace unos días . . . —dije.

—Sí —repuso Honey—. Es el *León Rampante*. Todos sus navíos son *Leones*. Está el *León Combatiente*, el *Viejo León* y el *Joven León*. Cuando veas un barco llamado *León*, sabrás que pertenece a los Pennylon.

—En el puerto vi un hombre a quien oí llamar capitán León.

—Debe ser el capitán Pennylon. No lo conozco, aunque sé que está en casa. Estuvo más de un año en el mar.

— ¡De modo que vienen aquí! —comenté.

—Edward opina que debemos ser amables. Su residencia queda cerca. Se la ve desde el torreón del oeste.

Aproveché la primera oportunidad para subir al torreón del oeste. Desde allí pude ver una casa grande, que se alzaba en el acantilado, frente al mar.

Me pregunté qué diría cuando advirtiese que la joven a quien había insultado —porque yo insistía en que eso había hecho— era huésped de los Ennis. Esperaba el encuentro con cierta impaciencia.

Era otoño y aún florecía la valeriana y el estático: el verano había sido templado y yo me había estado imaginando cómo sería el invierno en Trewynd Grange. No podía regresar a Londres hasta la primavera. Pensar en esto me deprimía; estaba intranquila e inquieta; quería volver a casa; deseaba estar junto a mi madre, hablarle incesantemente de mis penas y recibir su compasión. No creo que realmente quisiera olvidar. Había cierta voluptuosidad en ser desdichada y recordar constantemente lo que había perdido.

Y porque aquel hombre venía a cenar, dejé de pensar en Carey por un tiempo . . . tal como antes, en el puerto.

¿Qué me pondré? , me preguntaba. Honey había llevado consigo muchos magníficos vestidos, porque era cuidadosa de su belleza. En cambio, yo había juntado mis prendas con cierta indiferencia; ahora lo lamentaba en secreto. Escogí un vestido de terciopelo que fluía desde mis hombros con elegancia. No era de muy buen tono, pues el año anterior todos habían empezado a ponerse corsés y fajas que a mí me parecían no sólo ridículos, sino bastante feos, y no soportaba estar ceñida como empezaba a ser la moda. En vez de peinarse el cabello en ondulantes bucles, ahora mujeres elegantes se lo rizaban y ponían en él toda clase de ornamentos.

Pero allí no estábamos en los círculos cortesanos, y por eso quizá estuviera permitido darse el lujo de no estar a la moda. La misma Honey se vestía siempre con lo que mejor sentaba a su belleza. La tenía muy en cuenta y parecía rendirle un secreto homenaje. También ella había rechazado los rizos y los corsés.

Poco antes de las seis llegaron nuestros invitados. Honey y Edward se encontraban en la sala, esperando recibirlos; yo los acompañaba, y al oír la llegada de los caballos al atrio sentí que mi corazón empezaba a latir más rápido.

Un hombre corpulento y carirrojo entró en la sala a grandes zancadas. Se parecía un poco al otro que venía detrás suyo, un hombre altísimo, de anchos hombros cuadrados y voz resonante. Todo en sir Penn Pennylon era grande. Me concentré en él porque no estaba dispuesta a evidenciar el menor interés por su hijo.

—Bienvenido —dijo Edward, que parecía delicado y pálido ante esos gigantes.

Sir Penn paseaba por todos lados sus centelleantes ojos azules; sus anfitriones parecían divertirlo.

—¡Cuernos! —exclamó mientras tomaba a Honey por una mano, la atraía hacia él y le daba un sonoro beso en los labios—; si no es esta la más bonita dama de Devon me

31

comeré el *León Rampante*, sí pues, con escaramujo y todo.

Honey se ruborizó atractivamente y respondió:

—Sir Penn, quiero presentarle a mi hermana.

Hice una reverencia. Los ojos azules se posaron en mí.

—Otra belleza, eh —comentó—. Otra belleza. Dos de las damas más bonitas de Devon.

—Es muy amable al decírmelo, señor —declaré—. Pero no le pediré que se trague su barco si resulta estar equivocado.

Él lanzó una vociferante carcajada, mientras se palmeaba los muslos. Pensé que no era poco grosero.

Y detrás de él se hallaba su hijo, que ahora saludaba a Honey antes de que llegara mi turno de verme cara a cara con él.

Me reconoció de modo instantáneo. Tomándome la mano, la besó diciendo:

—Somos antiguos amigos.

Pensé despectivamente: en treinta años será exactamente igual a su padre.

Honey evidenciaba sorpresa.

—Vi al capitán Pennylon cuando estuve en el puerto —dije con frialdad, sin mirarlo.

—Los buques fascinan a mi hermana —afirmó Honey.

—¡Bien! —exclamó sir Penn, que me miraba con aprobación—. Sabe reconocer lo bueno. Jovencita, sólo sé de una cosa más bella que un barco: una mujer bonita. Y Jake concuerda conmigo —agregó, dando un codazo a su hijo.

—Queremos que nos cuenten algo sobre su viaje —dijo cortésmente Honey—. Vamos a la sala de las bebidas. La cena será servida pronto.

Y abrió la marcha subiendo los tres escalones de piedra, pasando frente al comedor para llegar a la sala de las bebidas, donde nos sentamos mientras los criados de Edward nos traían malvasía para beber. Mucho enorgullecían a Honey sus magníficas copas venecianas, que eran de muy buen tono y que había llevado consigo. Imaginé que los Pennylon jamás habían visto algo tan magnífico.

Nos sentamos un poco tiesos en nuestras sillas, cuyos respaldos y asientos tapizados habían sido bordados por la tía abuela de Edward. Pensé que la silla se rompería bajo sir Penn, ya que este se sentó sin tener muy en cuenta su fragilidad. Honey me lanzó una mirada como diciendo: debemos habituarnos a los modales rústicos.

Sir Penn dijo que era excelente tener vecinos de alcurnia, que traían sus bellas copas venecianas para beber en ellas. Al hablar le chispeaban los ojos, como si se riera de nosotros y, en cierto modo, nos despreciara... salvo a Honey, por supuesto, y tal vez a mí. Ambos —padre e hijo— tenían un aire insolente que sugería que estaban evaluando nuestros atributos personales de un modo un poco inquietante.

—¿Y cuánto tiempo se quedarán aquí? —preguntó a Edward.

Este respondió evasivamente que mucho dependía de las circunstancias. Su padre había querido que viniera y vigilara por un tiempo la propiedad. Dependería de lo que pasara en la finca de Surrey.

—Ah — exclamó sir Penn—, las familias nobles como la vuestra tienen residencia en todas las partes del reino. Vaya, joven señor, a veces debe preguntarse si es usted hombre de Surrey o de Devon, o acaso de alguna otra región que lo reclame.

—Mi padre tiene propiedades en el norte —respondió Edward.

—¡Cuernos! Pero si tiene un pie en cada parte de los dominios de la reina, jovencito.

—De ningún modo —replicó Edward—. Y tal vez pueda

yo decir que sus barcos navegan por todas las partes conocidas del océano.

—Puede usted decirlo, señor, puede usted decirlo. Y Jake le dirá que así es. Acaba de volver de un largo viaje, pero tan impresionado está con la compañía que no puede hablar.

—La compañía me encanta, como ven —dijo Jake, y me miraba directamente, burlándose porque allí estaba él y yo había dicho que no era probable que se lo invitase—. Pero confirmo que es cierto que hace poco regresé de un viaje.

—Mi hermana se entusiamó al ver llegar su barco. Ve llegar las naves desde su ventana y nunca parece cansarse de ello.

Jake había acercado su silla a la mía. No tenían los modales que esperábamos encontrar en los demás. Esa gente carecía de sutileza en su comportamiento; eran más francos que nosotros, y también más groseros.

—Así que le agradó mi barco —dijo.

—Todos los barcos me gustan.

—Ese es el talante adecuado —respondió—. Y hasta ahora nunca tuvo usted ocasión de verlos.

—Vivíamos cerca del río. Con frecuencia veía pasar embarcaciones.

Rió desdeñosamente, diciendo:

—Chalanas y remolcadores . . .

—Y barcazas reales. Vi a la reina cuando se dirigía a su coronación.

—Y ahora ha visto al rey de los navíos.

—¿El rey? —pregunté.

—Nada menos que el *León Rampante*.

—¿Así que ese es el rey?

—La llevaré a él. Se lo mostraré. Entonces lo verá con sus propios ojos —insistió, inclinándose hacia mí. Yo me

aparté y lo miré fríamente, lo cual pareció regocijarlo—.
¿Cuándo vendrá? —preguntó.

—Dudo de que lo haga jamás.

Elevó unas cejas algo más oscuras que su cabello, que
hacían más sorprendentes sus ojos azules.

—Nunca pensó que me vería aquí, y sin embargo aquí
estoy. Y ahora me dice que nunca vendrá a bordo de mi
barco. Yo garantizo que será mi huésped en él antes de
una semana. Vamos, se lo apuesto.

—No hago apuestas.

—Pero vendrá igual.

Se inclinaba tanto hacia mí, que su cara estaba cerca
de la mía. Intenté mirarlo con indiferencia, pero no fui
muy convincente. Él, al menos, percibió el efecto que ejercía en mí. Me aparté y su mirada fue burlona.

—Sí, en mi barco —agregó—. Dentro de menos de una
semana a partir de hoy. Se lo apuesto.

—Ya le he dicho que no hago apuestas.

—Más tarde discutiremos los términos.

Pensé que no me gustaría estar sola con un hombre
así en su barco.

Nos interrumpió la llegada de otra invitada, la señorita
Crocombe, una mujer madura de tonta sonrisa. Cuando
hubo compartido con nosotros la malvasía, un criado
anunció que la cena estaba lista y bajamos las escaleras
rumbo al comedor.

Era una hermosa habitación; yo la consideraba una de
las mejores de esa residencia. A través de las ventanas se
veía el atrio; en las paredes colgaban tapices con escenas
de la Guerra de las Rosas; en la mesa, servida con buen
gusto, se veían más copas venecianas y reluciente vajilla de
plata. Honey había hecho un centro de mesa con diversas
hierbas que cultivaba en su huerto, y el efecto era elegante.

Edward ocupó la cabecera y Honey el extremo opuesto. A la derecha de Honey estaba Sir Penn, y a su izquierda, Jake; yo quedé a la derecha de Edward y la señora Crocombe a su izquierda, de modo que yo estaba sentada junto a Jake, y la señora Crocombe al lado de su padre.

Me pregunté si acaso ese capitán Pennylon me era presentado como otro posible pretendiente mío. La idea me encolerizó. ¿Creían que iban a lograr que olvidara a Carey presentándome una serie de hombres que solo podían recordármelo debido a las diferencias con él?

Por cierto que Honey tenía algunos cocineros excelentes. La comida fue muy bien servida; había carne de vaca y de cordero, además de lechón, una cabeza de jabalí y un pastel enorme. Honey se había tomado la molestia de introducir esa agradable costumbre de celebrar a los invitados que seguíamos en casa. Un pastel tenía forma de barco, y en él se habían inscripto con finas capas de pasta las palabras *"El León Rampante"*. Al ver esto, el deleite de los Pennylon fue casi infantil; rieron y comieron grandes tajadas del pastel. Nunca había visto yo un apetito como el de esos dos hombres. La comida era regada —a menudo ruidosamente— con moscatel y malvasía, esos vinos que provenían de Italia y del Levante y que se estaban poniendo tan de moda.

También hablaban, dominando la conversación. Evidentemente la señorita Crocombe adoraba a sir Penn, cosa extraña teniendo en cuenta que ella era una solterona un poco remilgada, casi cuarentona y cuyo tipo no podía atraer a un hombre como él, cuyo apetito suponía yo voraz en todos los aspectos. Observaba a Honey de un modo que me pareció muy lascivo, echándome a veces una mirada burlona, medio pesarosa, que yo interpreté en el sentido de que me dejaba a la atención de su hijo. Sus modales me parecieron imperdonables. No parecía importarle nada que Honey fuese la esposa de su anfitrión.

Honey, en cambio, no parecía advertirlo, o acaso estuviese tan habituada a una franca admiración que la aceptaba como normal.

Pregunté a Jake adónde lo había llevado su más reciente viaje.

—A la costa de Berbería —respondió—. ¡Qué viaje! Tuvimos algunos problemas. Ventiscas y marejadas como para volcarnos, y tan dañado el barco que en una ocasión creímos que tendríamos qu regresar como pudiéramos. Pero nos arriesgamos, llegamos a puerto y nos aparejamos para continuar como nos lo proponíamos.

—Sin duda enfrentará la muerte mil veces durante un solo viaje —comenté.

—Mil veces, es cierto, señora. Por eso amamos tanto la vida. Y ¿acaso usted no enfrenta de vez en cuando la muerte en tierra?

Quedé seria. Pensando en el ansioso rostro de mi madre, recordé que mi abuelo había perdido la cabeza por el solo motivo de haber cobijado a un amigo, y que el segundo marido de mi abuela había muerto en la hoguera por sostener determinadas opiniones.

—Es verdad —repuse—. Nadie puede tener la total seguridad de vivir hasta el día siguiente.

Se inclinó hacia mí.

—Por consiguiente, debemos disfrutar de cada día tal como se presenta, y al diablo con el día siguiente.

—De modo que esa es su filosofía. ¿Nunca hace planes para el futuro?

Sus audaces ojos se clavaron en los míos.

—Oh... a menudo. Entonces me aseguro de que ocurra lo que deseo.

—Está muy seguro de usted mismo.

—Un marino debe estar siempre seguro de sí mismo. Y otra cosa le diré: siempre tiene prisa. Es que; ¿sabe?, el tiempo es algo que no puede darse el lujo de malgastar. ¿Cuándo irá a ver mi nave?

—Debe preguntar a mi hermana y a su marido si quieren efectuar esa inspección.

—Es que la invitaba a usted.

—Me gustaría saber de sus aventuras.

—¿En la costa de Berbería? No constituyen un relato agradable.

—No pensé que lo fuesen —repuse.

Miré a la señorita Crocombe, que del otro lado de la mesa rogaba zalameramente a sir Penn que le contara *sus* aventuras en alta mar. Él empezó a relatar unas historias fantásticas, con las cuales sin duda se proponía escandalizarnos. Había peleado con monstruos marinos y combatido con salvajes; había desembarcado en la costa y llevado nativos a tierra para trabajar en sus galeras; había ahogado un motín, enfrentado una tempestad; al parecer, no había nada que no hubiese hecho, y cuanto decía estaba cargado de insinuaciones. Cuando encabezando un pequeño grupo de sus hombres penetró en un villorrio africano, vi a esos hombres apoderándose de las mujeres, sometiéndolas a indignidades, saqueando, robando.

La señorita Crocombe se tapó los ojos espantada, ruborizándose. Era una mujer muy tonta, cuyos designios respecto de sir Penn se trasparentaban en exceso. ¿Suponía realmente que él iba a casarse con ella? Observarlos juntos me resultaba embarazoso.

Se mencionó Tenerife. Era la mayor de las Islas del Perro, así llamadas por haber encontrado tantos perros allí al ser descubiertas. Ahora se las denominaba Canarias.

Tenerife se encontraba en manos de los españoles.

—¡Perros españoles! —gruñó sir Penn—. Yo los echaría a golpes del océano, lo haría y lo haré, sí... Yo y unos cuantos como yo. —De pronto se puso violento dejando de lado toda broma. Vi un resplandor de crueldad en sus ojos—. ¡Muerte de Dios! —gritó, golpeando la mesa con el puño de modo que las copas venecianas temblaron—. Esos perros serán barridos de los mares, porque les digo esto, amigos míos: o nosotros o ellos. No hay espacio para unos y otros.

—Los océanos son vastos —dije, porque algo en esos hombres me llevaba a querer contradecirlos y demostrar que se equivocaban, si era posible— y tal vez quede mucho por descubrir todavía.

Me miró con enojo, entrecerrando los ojos como puntitos de fuego azul entre las arrugas causadas por la intemperie.

—Entonces lo descubriremos *nosotros*, señora mía. No ellos. Y yo, cada vez que los vea sacaré los cañones; los expulsaré del mar; les quitaré sus barcos cargados de riquezas y los llevaré donde deben estar.

—¿Riquezas que ellos encontraron? —pregunté.

—¡Riquezas! —intervino Jake, a mi lado—. En el mundo hay oro... sólo falta traerlo aquí.

—¿O robárselo a quienes ya lo encontraron?

Honey y Edward me miraban consternados. No me importó. Sentí que un ímpetu enorme se adueñaba de mí. Tenía que luchar contra esos hombres, padre e hijo, bandidos y piratas ambos, ya que eso eran; y hablando con ellos me entusiasmaba, me sentía más viva que nunca desde que perdí a Carey.

—Por Dios, se diría que esta dama es amiga de los hispanos —comentó sir Penn.

—Jamás he visto a ninguno.

—Demonios morenos. Yo les arrancaría el hígado y los ojos. Los enviaría al fondo del mar, porque allí es donde deberían estar. No se ponga de parte de los españoles, niña, o contrariará lo que es natural.

—No me ponía del lado de nadie —repliqué—. Decía que si ellos encontraran riqueza, sería suya, tal como si la encontraran ustedes sería suya.

—Vamos, esto nada tiene que ver con la lógica escolar,

querida mía. Cuando se trata de oro español, encontrarlo no quiere decir guardárselo. No; las riquezas deben estar en un solo sitio: en un barco inglés, y expulsaremos a los españoles del mar con todos nuestros recursos.

—Son muchos y tengo entendido que han hecho grandes hallazgos.

—Son muchos, es cierto, y ya nos ocuparemos de que no sean tantos, les quitaremos sus hallazgos.

—¿Por qué no logran algunos ustedes en cambio?

—¡En cambio! Los lograremos, no tema; los lograremos y los tomaremos... Porque una cosa le digo, jovencita: el mar nos pertenece y ningún hispano pustulento nos quitará una sola braza de él.

Sir Penn se reclinó en su silla con la cara enrojecida, casi furioso conmigo. La señorita Crocombe demostró cierto temor. Yo sentí que las mejillas se me teñían de rubor; Honey me hacía señales con los ojos, pidiéndome que callara.

Jake dijo:

—La vieja reina murió a tiempo. Nuestra soberana señora Isabel es de otro temple.

—Sí, por Dios —exclamó sir Penn—. La defenderemos en la tierra y en el mar. Y si algún pustulento hispano vuelve el hocico hacia estas costas... por Dios, va a desear no haberlo hecho jamás.

—Es de suponer lo que habría ocurrido si María viviera aún —continuó Jake—. Tendríamos aquí la Inquisición.

—Eso jamás. Gracias a Dios, hay en Cornwall y Devon hombres que se habrían unido para ímpedirlo —declaró sir Penn—. Y alabado sea Dios, tenemos una nueva reina, que bien sabe que el pueblo de esta tierra rechaza a los papistas. María quemó en la hoguera a nuestros mártires protestantes. Y por Dios, yo quemaría vivos a los papistas que intentaran traer el papismo de nuevo a Inglaterra.

Edward había palidecido. Por un instante creí que iba

a protestar. Honey fijaba en su esposo una mirada de advertencia y ruego. Ten cuidado, le estaba diciendo; y en verdad él debía tenerlo. Me pregunté qué ocurriría si esos hombres tan violentos se enteraban de que sus anfitriones eran miembros de esa religión que ellos aborrecían.

Me oí decir con voz un tanto aguda:

—El padrastro de mi madre fue uno de esos mártires.

La tensión se aflojó entonces. Habíamos sufrido una muerte así en la familia; eso sugería que todos compartíamos las mismas convicciones.

Sir Penn elevó su copa diciendo:

—A nuestra soberana señora, que ha puesto en claro sus intenciones.

Todos podíamos brindar por la reina, y así lo hicimos. La ecuanimidad quedó restaurada.

Hablamos de la coronación y esos dos hombres se avinieron a escuchar durante unos minutos; después pasamos a hablar de asuntos locales, de la región y de las perspectivas para la caza del gamo, y se nos invitó a visitar Lyon Court.

Era entrada la tarde cuando los Pennylon partieron. Cuando estuve en mi habitación, comprobé que no tenía sueño, de modo que me senté junto a mi ventana del torreón, sabiendo que tratar de dormir sería inútil.

Llamaron a mi puerta y entró Honey. Vestía una larga bata de dormir azul, y tenía la hermosa cabellera suelta sobre los hombros.

—¿Así que no te has acostado? —preguntó, sentándose y mirándome—. ¿Qué te parecieron?

—Groseros —repuse.

—Están lejos de Londres y de la Corte. Son distintos, por supuesto.

—No se trata sólo de sus malos modales. Son arrogantes.

—Son hombres que comandan a rudos marineros. Para ellos debe ser necesario mostrar autoridad.

—E intolerantes —agregué—. Qué violento se puso el padre al hablar de los españoles. Qué estúpidos son. Como si el mundo no fuera lo bastante grande para que todos tengan lo que desean.

—La gente siempre codicia lo que tienen otros. Es una ley de la naturaleza.

—De la naturaleza, no —repliqué—. Es una costumbre establecida por los hombres y que solamente los tontos adoptan.

—El capitán quedó impresionado contigo, Catharine.

—Nada me importa eso.

—Es un sujeto inquietante . . . los dos lo son.

—El padre parecía capaz de llevarte consigo ante las narices de Edward.

—Ni siquiera él llegaría tan lejos.

—Creo que él llegaría lo más lejos posible . . . y su hijo también. Yo no confiaría en ninguno de los dos.

—Pues son nuestros vecinos. El padre de Edward nos pidió que fuéramos amables, en especial con los Pennylon, que son una potencia en estas regiones.

—Ojalá no volvamos a verlos pronto.

—Eso me sorprendería. Pienso que quizás el capitán venga a cortejarte, Catharine.

Reí desdeñosamente.

—Más le conviene no acercarse. Honey, tú preparaste esto.

—Mi querida Catharine, ¿acaso quieres llorar eternamente?

—No se trata de lo que quiero, Honey, sino de lo que debo hacer.

—Si te casaras y tuvieras hijos, olvidarías a Carey.

—Eso nunca.

—¿Qué te propones hacer entonces? ¿Llorar toda tu vida?

—Lo que me propongo hacer es pedirte que no hagas desfilar a estos patanes del campo para que me inspeccionen. Por favor, Honey, basta de eso.

—Ya cambiarás. Lo que ocurre es que todavía no conociste al hombre adecuado.

—Esta noche no, por cierto. ¿Cómo pudiste imaginar que semejante hombre podía suscitar en mí otro deseo que el de alejarme de él lo más posible?

—Es buen mozo, poderoso, rico... al menos así lo imagino. Mucho podrías buscar antes de hallar una pareja más adecuada.

—Ahora habla la astuta matrona. Honey, volveré a la Abadía si de nuevo intentas encontrarme marido.

—Prometo no hacerlo.

—Supongo que mi madre te sugirió que lo hicieras.

—Ella se conduele por ti, Catharine.

—Ya lo sé. Y no es culpa suya, bendita sea su alma. Oh, no hablemos de mis desdichas. ¿De veras tendremos que visitar Lyon Court? Qué obsesionados parecen por su conexión con ese animal.

—Han adoptado como emblema la figura del león. Dicen que en todas sus naves hay un león. Son una familia notable. Se han hecho muy poderosos en la segunda y tercera generaciones. Oí decir que el padre de sir Penn fue un humilde pescador que ejercía su oficio en una pequeña aldea pesquera de Cornwall. Después construyó varias embarcaciones y llegó a ser una especie de rey de esa aldea. Cruzó el Tamar y estableció allí su negocio. Sir Penn creció como príncipe de la corona, podría decirse; adquirió más naves, abandonó el oficio de pescador y recorrió el mundo. Lo ordenó caballero Enrique VIII, que también amaba los barcos y previó que aventureros como los Pennylon podían beneficiar a Inglaterra.

Bostecé.

—¿Estás cansada? —preguntó Honey.

—Cansada de esos Pennylon.

—Dudo de que pase mucho tiempo antes de que se hagan a la mar, por lo menos el hijo.

—No verlo será un placer.

Honey se incorporó y reveló entonces el verdadero motivo de su visita.

—Habrás advertido que son fanáticos de sus convicciones religiosas.

—Así es... y lo que me asombró fue que las tuvieran.

—Tendremos que cuidarnos. No sería prudente que se enteraran que celebramos misa en esta casa.

—Qué harta estoy de estos conflictos —le aseguré—. Puedes confiar en que nada diré al respecto.

—Se diría que hay un alejamiento respecto de la verdadera religión —comentó Honey.

—¿Cuál es la verdadera? —exclamé con ira—. Tú dices que el camino a Roma es el correcto porque Edward así lo cree y fue necesario que tú lo creyeras también para casarte con él. Sabemos que hay miembros de nuestra propia familia que adoptan el punto de vista protestante. ¿Quién está en lo cierto?

—Por supuesto que Edward está en lo cierto... *nosotros* estamos en lo cierto.

—Parece que en cuestiones religiosas, todos creen que tienen razón y que quienes discrepan con ellos no la tienen. Precisamente por esto me niego a tomar partido por unos u otros.

—Entonces no tienes religión.

—Creo que puedo ser mejor cristiana si no odio a quienes discrepan conmigo. No me interesan las doctrinas, Honey. Traen demasiado sufrimiento. No aceptaré ninguna. Ahora estoy cansada y no tengo ganas de discusiones teológicas esta noche.

Se puso de pie diciendo:

—Lo único que te imploro, Cath, es que tengas cuidado....

—Puedes confiar en mí.

Me besó levemente la mejilla y salió. Yo pensé qué afortunada era con su marido que la adoraba, su asombrosa belleza y su certeza de haber encontrado la verdadera fe.

Pero inmediatamente volví a pensar en nuestros visitantes. Al mirar el mar, vi el barco de Jake, anclado. Pensé que pronto lo vería zarpar desde esa ventana. Y lo imaginé en cubierta, gritando órdenes, con las piernas abiertas, desafiando a todos a desobedecerlo; lo vi con un alfanje en la mano abordando un navío español; vi chorrear sangre del alfanje; oí su risa triunfal y lo vi con las monedas de oro en las manos, dejándolas correr entre sus dedos mientras sus ojos relucían tan codiciosamente como al posarse antes en mí.

Me estremecí. Fui a la cama, sintiéndome vagamente irritada por no poder olvidarme de ese hombre.

Desperté. La luz de la luna colmaba mi habitación. No sabía con certeza cuánto tiempo hacía que dormía. Me quedé muy quieta escuchando los ruidos de la campiña: el súbito roce de las hojas, el ulular de un buho. ¿Por qué yo, que solía dormir tan profundamente, me había despertado así? ¿Acaso algo me había alarmado?

Cerré los ojos disponiéndome a reanudar el sueño cuando oí que el reloj de la torre daba las tres. Era un reloj poco común, y todos los que visitaban la casa iban al atrio a contemplarlo. Lo adornaba la figura de un hombre parecido al difunto rey Enrique VIII, padre de nuestro soberano; esa figura anunciaba la hora tañendo una campana. Era aquí un objeto bastante curioso, aunque en casa teníamos uno o dos relojes insólitos.

Las tres... Me levanté y me puse mi abrigo ribeteado en piel. Acercándome a la ventana, me asomé. Dirigí enseguida la mirada al *León Rampante*, mas no la detuve allí, ya que más lejos se veía un magnífico espectáculo: un navío como nunca había visto otro. Encumbrado sobre el agua, era majestuoso. Aunque poco sabía de barcos, salvo lo que había aprendido desde mi llegada allí, noté que el castillo de proa, en lugar de proyectarse sobre la proa, se elevaba derecho desde la saliente bodega de proa.

Jamás había visto nave tan imponente. A su lado el *León Rampante* parecía pequeño e insignificante.

Permanecí un rato sentada, contemplando aquel hermoso barco. Entonces vi brillar en él una luz que subía y bajaba, y luego, en el agua, una mancha oscura, que desapareció y volvió a reaparecer. Se acercaba. La miré: era una pequeña embarcación que llegaba a la costa impulsada con remos.

Volví a mirar al *León Rampante*, pensando: ojalá él viese este bello navío. Ojalá pudiera comparar con ese su preciado *León*.

Vi con suma claridad el botecito que se agitaba en el agua. Después desapareció y ya no pude verlo más; en vano lo busqué con la mirada. La nave grande seguía estando allí; observé y esperé, pero nada más ocurrió.

Oí que el reloj del atrio daba las cuatro y me di cuenta de que tenía frío.

La nave seguía en el mismo sitio, pero de la embarcación pequeña no se veían señales. Volví a mi cama; no lograba calentarme los pies. Por fin lo conseguí y entonces me dormí. Cuando desperté era tarde. Enseguida recordé y me dirigí a la ventana. No se veían señales del barco ni del bote. El *León Rampante* cabalgaba orgullosamente sobre las olas porque ningún majestuoso navío desconocido lo empequeñecía.

¡Qué barco había sido aquel! Nunca había visto otro parecido, y mirando las aguas me pregunté: ¿Vi realmente esa gloriosa nave o la imaginé?

No. Había despertado durante la noche. ¿Qué me había despertado? ¿Algún instinto? ¿Alguna premonición? Y después, al mirar, había visto ese barco.

¿O acaso lo había soñado? Tanto se había hablado sobre barcos la noche anterior; esos hombres —y en particular el joven— habían penetrado en mi mente de tal modo, que no podía olvidarlos. Tal vez habría sido un sueño. Aunque, por supuesto, había despertado. Había visto el barco. Pero ¿las imágenes conjuradas en mi mente por esos hombres habían hecho que pareciera tan imponente y grandioso?

Por supuesto, sabía lo que había visto, pero no pensaba mencionarlo. Honey y Edward pensarían que los Pennylon me habían impresionado en exceso, y eso no estaba dispuesta a admitirlo.

En Trewynd montaba yo una yegua pequeña y retozona. Cabalgaba con total seguridad desde mi infancia. A todos se nos enseñó a montar a temprana edad, ya que quien confiaba sólo en sus propias piernas nunca llegaría muy lejos.

Me gustaba pasear a caballo todos los días y sola. Detestaba ser acompañada por un caballerizo, como quizá debía haberlo sido. Mi pequeña Marigold me conocía bien; había viajado conmigo desde la Abadía; nos entendíamos y el sonido de mi voz podía tranquilizarla y también dominarla.

La mañana siguiente a la visita de los Pennylon salí a caballo, pero cuando me alejaba de los establos oí la resonante voz de Jake Pennylon. De modo que ya había venido... Me felicité por haberlo eludido. Adoraba la campiña, que era distinta de la que circundaba la Abadía. Aquí había empinadas colinas, sinuosas sendas, bosques de pinos, y el follaje era más frondoso, porque hacía más calor que en el sureste y llovía mucho más a menudo. Imaginé las flores que habría en primavera, y ya presentía la llegada de esa estación cuando me pregunté si pensaba quedarme tanto tiempo lejos de casa.

Así meditaba cuando oí detrás de mí ruido de cascos, y al volver la cabeza vi a Jake Pennylon que se acercaba al galope de un potente caballo blanco.

—Oh —exclamé en tono desabrido.

—Como me dijeron que había salido, la seguí.

—¿Por qué hizo eso?

—Para hablar con usted, por supuesto.

—Hablamos anoche mismo.

—Pero tenemos mucho que decirnos...

—A *mí* no me pareció así.

—Pues quizá sea yo quien tenga muchas cosas que decirle.

—Tal vez en otra ocasión —repuse apretando con los talones los ijares de Marigold, que apresuró el paso, pero él ya estaba a mi lado; enseguida comprendí que Marigold nunca podría dejar atrás a su vigoroso corcel.

—Un marinero no puede permitirse andar con rodeos. Si hay algo que le falta... es tiempo.

Advirtiendo que no podría eludirlo, disminuí la velocidad.

—Y bien, le ruego que diga de qué se trata y continuaré con mi paseo.

—Podemos conversar cómodamente mientras continuamos *nuestro* paseo.

—No le invité a que me acompañara.

—¿Y eso qué importa? Me invité yo.

—¿No vacila en imponer su compañía aunque tal vez no sea deseada?

—No vacilo cuando he decidido que quiero algo.

—¿Y qué quiere ahora, dígame?

—A usted.

Lancé una breve risa.

—Extraños deseos tiene.

—Muy normales se lo aseguro de veras.

—Apenas si lo conozco. Nos hemos visto una sola vez.

—Dos —me corrigió—. ¿Acaso olvidó nuestro encuentro en el puerto? Fue entonces cuando todo empezó.

—No tenía idea de que hubiese empezado algo.

Asió la brida de Marigold. Su expresión fue de pronto severa, cruel.

—No debe negarme la verdad, señora —dijo—. Usted sabe qué ha empezado.

—Y usted parece saber más de mí que yo misma... al menos, eso pretende hacerme creer. No soy una de sus amigas, que acude a una señal suya y jadea de júbilo cuando la llama con un silbido como a su perro.

—A usted la llamaría por su nombre, y siempre podría ocupar en mi estima un sitial más alto que el que reservo a mis perros.

—¿Cuándo zarpará? —pregunté.

—Dentro de dos meses.

—¿Tanto tiempo?

—Tan poco —replicó él—. Mucho queda por hacer en esos dos meses. Tengo que aprovisionar mi barco, reacondicionarlo, prepararlo para navegar, reunir mi tripulación y conquistar a una dama . . . todo al mismo tiempo.

—Le deseo buena suerte —repuse mientras encaminaba a Marigold hacia la finca Trewynd—. Y ahora me despido de usted, ya que no voy hacia el mismo lado.

—Por cierto que sí, ya que iré adonde usted vaya.

—Regreso a los establos.

—Acaba de salir.

—No obstante, regreso —contesté.

—Quédese y hable conmigo.

—Debo despedirme ya.

—Tiene miedo de mí.

Lo miré desdeñosamente.

—Si no —agregó él—, ¿por qué no se queda a hablar conmigo?

—Por cierto que no le temo, capitán Pennylon. Pero le ruego que diga lo que quiere decir, luego me iré.

—Quedé prendado de usted la primera vez que la vi, y no creo que no me haya notado.

—Hay varias maneras de notar.

—Y usted me notó en muchas.

—Me pareció insolente... arrogante...

—Por favor, no tenga miramientos conmigo —se burló él.

—El tipo de persona que no tengo grandes deseos de conocer.

—Y a quien, con todo, no puede resistirse.

—Capitán Pennylon —dije—, tiene una opinión demasiado alta de usted mismo y su barco.

—Mi barco, al menos, es el mejor que haya surcado los mares.

—Anoche vi uno mejor —declaré, aguijoneada.

—¿Dónde?

—En la bahía.

—Vio al *León Rampante*.

—Allí estaba, pero también había otro que lo empequeñecía y que lo superaba en magnificencia.

—Puede mofarse de mí, pero no de mi barco.

—No me mofo de nadie. Me limito a exponer un hecho. Al mirar por mi ventana, vi la nave más bella que haya visto en mi vida.

—La nave más bella que ha visto en su vida es el *León Rampante*.

—No; esta otra era de veras más majestuosa y bella. Era tan alta y encumbrada... como un castillo flotante.

Él me miraba con fijeza.

—¿Vio cuántos mástiles tenía?

—Cuatro, me parece.

—Y sus cubiertas... ¿eran altas?

—Pues sí, eso creo. Era tan alto... no sabía que hubiera barcos tan altos.

Parecía haber olvidado todo su interés por mí. La nave nocturna había desplazado de su mente todo otro pensamiento.

Me interrogó con avidez. Yo le contesté lo mejor que pude, pero poco sabía de embarcaciones. Cuando al paso de mi yegua emprendí el regreso hacia los establos de Trewynd él no protestó, sino que se limitó a seguirme, sin dejar de lanzarme preguntas, exasperado porque yo no podía describir en detalle el barco que había visto.

De pronto estalló:

—Es imposible. Pero, por la muerte de Dios, parecería estar describiendo un galeón español.

Yo no había advertido cuán ferviente era Edward en su religión. En la Abadía, mi madre nunca me había infundido una doctrina en lugar de otra. Su ideal era la tolerancia, y como yo sabía, ella opinaba que el tipo de culto importaba menos que vivir del modo más cristiano posible. En una ocasión me había dicho: "Percibimos la religión de la gente en sus acciones hacia sus semejantes. ¿Qué virtud hay en alabar a Dios si se es cruel hacia sus criaturas?"

Pocos estaban de acuerdo con ella. La anterior reina y sus ministros habían quemado gente en la hoguera, no por haber robado ni asesinado, sino porque sus convicciones no se ajustaban a las de Roma.

Y ahora habíamos girado en redondo: las leyes religiosas existentes durante el reinado de María eran abolidas, y restauradas las de la época de su predecesor. La religión protestante estaba en ascenso, y aunque tal vez no reapareciesen las hogueras de Smithfield, era peligroso contradecir el predominio espiritual impuesto por la reina.

Ignoraba yo si nuestra reina era firme en sus opiniones o no. Ella recordaría los años peligrosos en que había estado a punto de perder la cabeza; entonces había disimulado, aunque quizá se inclinara hacia la Religión Reformada. Y en verdad que de no haberlo hecho, quizá no hubiese llegado al trono.

Claro está que ahora tenía una razón política muy válida para abrigar con firmeza creencias protestantes. Del otro lado del Canal se encontraba una reina de Francia que era además reina de Escocia, y que según opinaban muchos, era también la auténtica reina de Inglaterra: María Estuardo, nieta de Margarita, la hija de nuestro difunto rey Enrique VII. Por eso muchos decían que era ella la heredera directa del trono de Inglaterra, mientras que Isabel (cuyo padre había rechazado a su verdadera esposa, Catalina de Aragón, para casarse con la madre de Isabel, Ana Bolena) era bastarda y no tenía derecho a él, en realidad.

Por ser católica, María Estuardo era el testaferro de quienes ansiaban ver a Inglaterra de vuelta en el redil papal. Isabel, por consiguiente, debía presentarse como líder del protestantismo. Tenía yo la certeza de que los motivos de nuestra reina estaban inspirados no tanto por la religión como por la política.

Pero esta política existía, y quienes celebraban misa y sostenían el culto católico eran enemigos potenciales de la reina, ya que desearían conducir al país de vuelta hacia

Roma ... y si esto sucedía, María Estuardo sería aceptada como reina de Inglaterra en lugar de Isabel Tudor.

Por lo tanto, practicar la religión como lo hacían Edward y Honey era peligroso.

Yo sabía que se efectuaban ceremonias religiosas en la capilla, a puertas cerradas. Sabía que bajo el paño del altar había una puerta oculta, y suponía que tras esa puerta habría imágenes y todo cuanto se utilizaba para celebrar misa.

No participaba en esto, pero sabía que varios moradores de la casa lo hacían. No había pensado mucho en ello hasta esa noche en que los Pennylon se refirieron con tanta violencia a los hispanos. Pensé qué intolerantes serían hacia quienes no opinaban como ellos, y también peligrosos.

Después de aquella noche, no pude pasar cerca de la capilla sin sentir una punzada de alarma.

Jennet —la muchacha que yo había traído conmigo desde la Abadía— estaba guardando mis ropas, alisando la tela de una capa de terciopelo con una especie de éxtasis.

Jennet, que tenía alrededor de un año menos que yo, era pequeña y ágil, con oscuros rizos densos y enmarañados. Habiendo notado que uno o dos criados la seguían con la mirada, creí necesario prevenirla.

Viendo que le chispeaban los ojos al trabajar, le pregunté si era feliz en aquel nuevo ambiente.

—Oh, sí, señorita Catharine —repuso con fervor.

—¿Entonces te gusta más que la Abadía?

Se estremeció un poco.

—Oh, sí, señorita. Es más abierto, ¿sabe? En la Abadía había fantasmas ... todos lo decían. Y nunca se sabía qué iba a pasar después.

Jennet era muy chismosa; la había oído parlotear con

las criadas; si le daba una oportunidad, podría decirme muchas cosas.

—¿Te parece entonces que aquí es distinto?

—Oh, sí, señorita, vaya, si en la Abadía... de noche solía quedarme temblando en mi jergón aunque las demás estuvieran presentes. Mary juraba haber visto monjes que entraban en la iglesia al crepúsculo, un día... dijo que vestían largas túnicas y como que canturreaban. Dijo que allí habían sucedido cosas terribles, y donde pasan cosas terribles siempre hay fantasmas.

—Pero tú nunca *viste* realmente un fantasma, Jennet.

—No, señorita, pero los sentía cerca y es lo mismo. Esta es más como debe ser una casa grande. Tal vez haya fantasmas, ya que casi todas las casas los tienen, pero aquí sería un fantasma como los demás... una pobre señora contrariada en el amor, o un caballero que perdió su herencia y se arrojó desde la torre, por ejemplo... algo que siempre han hecho los fantasmas... pero en la Abadía los fantasmas eran terribles. Monjes y maldad... Oh, allí sí que había maldad. Mi abuela recuerda cuando llegaron los hombres, y lo que hicieron... Aquí, en cambio, es distinto. Además hay barcos. Oh, cómo me gusta ver los barcos —rió Jennet—. Y ese capitán Pennylon, señorita. Dije a Mary: "Nunca vi un caballero más magnífico", y Mary dice lo mismo, señorita.

De pronto me encolericé. Así que las criadas lo estaban discutiendo. Lo imaginé pasar frente a ellas contoneándose, confiriendo acaso un beso a la más linda, señalándola como posible presa. Ese hombre me asqueaba.

¡Y qué hacía yo charlando con Jennet!

—Guarda rápido eso, Jennet —dije—. No charles tanto. ¿Acaso te sobra tiempo?

Jennet, naturalmente un poco desconcertada por mi brusco cambio de actitud, bajó la cabeza y se ruborizó levemente. Tuve la esperanza de haber trasmitido con firmeza mi indiferencia hacia el capitán Pennylon.

Jennet había interrumpido su tarea y miraba al atrio desde la ventana.

—¿Qué ocurre, Jennet? —le pregunté.

—Es un joven, señorita.

Me acerqué a su lado. En efecto, había un joven; lucía un jubón de color canela, con calzas verdes; tenía el oscuro cabello alisado sobre la cabeza y mientras lo mirábamos alzó la vista.

Hizo una aparatosa reverencia. Yo le pregunté:

—¿Quién es?

—Señora mía —replicó—, si es la dueña de casa, quisiera hablar con usted.

—¡Ay, qué guapo es! —susurró Jennet.

—No soy la dueña de casa, pero bajaré a recibirlo —contesté.

Bajé a la sala, con Jennet a los talones, y abrí la puerta con tachones de hierro.

El joven hizo una nueva reverencia muy respetuosa.

—Creo que la dueña de casa no está. Tal vez podría decirme qué lo trae aquí.

—Busco trabajo, señora mía.

—¿Trabajo? —exclamé—. ¿Qué clase de trabajo?

—No soy exigente al respecto. Agradecería cualquier cosa que se me ofreciese.

—La administración de la casa no está en mis manos... Soy huésped aquí.

—¿Quiere que vaya en busca del amo? —inquirió Jennet ansiosa, que se ruborizó agradablemente al lanzarle él una mirada de agradecimiento.

—Por favor —dijo el joven.

Jennet se marchó corriendo y yo dije al visitante:

—¿Cómo se llama?

—Richard Rackell.

—¿Y de dónde viene?

—Vine del norte. Pensé que en el sur progresaría con más facilidad que en la región donde nací.

—¿Y ahora desea trabajar aquí un tiempo y luego partir en busca de nuevas aventuras?

—Eso dependería. Siempre busco un lugar donde establecerme.

A menudo venían hombres buscando trabajo, especialmente a fines del verano, en la fiesta de San Miguel. Había trabajo en los campos: trillar, aventar, salar la carne de animales a los que no se podía alimentar en invierno. Pero en ese joven había algo que lo diferenciaba de los que solían venir.

Cuando le pregunté si había tenido alguna experiencia en cosechar, contestó que no, pero que era hábil con los caballos y tenía la esperanza de que hubiera un puesto para él en los establos.

Ya había llegado Edward, que entró a caballo en el atrio. Era un hombre elegante que parecía haberse vuelto más delgado y delicado en los últimos días. Supongo que yo lo estaba comparando con los Pennylon.

—Edward, este joven busca trabajo —dije.

Edward siempre era cortés, y creo que ansiaba hacer el bien. Era popular entre los trabajadores, aunque supongo que lo despreciaban un poco. No estaban habituados a tanta cordialidad.

Invitó al joven a pasar al salón de invierno y pidió que trajeran un jarro de cerveza para que se refrescara. No eran muchos los patrones en perspectiva que trataban así a los trabajadores, pero Edward era una especie de visionario. No creía que su fortuna lo situara por encima de otros; sabía que era más docto, más culto, mejor educado que los jornaleros rurales, pero si alguien tenía buenos modales y alguna educación, él no lo consideraba su inferior por ser, por ejemplo, hijo de un médico o de un abogado mientras que Edward era hijo de un lord. Honey me había dicho con frecuencia: "Edward es un buen hombre".

Tenía razón.

Naturalmente, no los acompañé al salón de invierno, sino que volví a mi dormitorio, donde Jennet había reanudado su tarea de guardar mis ropas.

—Oh, señorita Catharine, ¿cree que el amo le encontrará un puesto? —preguntó.

—No me parece apto para trabajos duros en el campo, y eso es lo que se requiere en esta época del año.

—Es cierto que parecía un caballero —repuso Jennet mientras alisaba mi esclavina—. Qué hombres guapos hacen en el norte.

—Te interesan demasiado los hombres, Jennet —dije con severidad.

—Oh, señorita, pero es que son interesantes.

—Tengo que prevenirte. Bien sabes lo que ocurre a las muchachas que no se cuidan bien.

—Oh, señorita, está pensando en los marineros. Esos que hoy están y mañana se fueron. Si este joven Richard Rackell viene, es para quedarse, y por lo que haga tendrá que responder.

—Jennet, he notado que sueles atraer la atención.

—Oh, señorita —exclamó ruborizándose y lanzando una risita.

Continué severamente:

—Y si este joven tiene la suerte de que se le dé trabajo aquí, bien harías en esperar a que muestre interés en ti, antes de delatar el tuyo en él.

—No es más que un muchacho, señorita —respondió Jennet, con ojos chispeantes.

Y yo me enfurecí con ella porque comprendí que estaba comparando al joven Richard Rackell con el capitán Pennylon.

Fue típico de Edward encontrar un puesto para Richard Rackell en la casa. Entró en la solana donde nos encontrábamos Honey y yo, ella bordando, yo mirándola ociosamente, y se sentó a nuestro lado.

—Lo asigné a los establos —anunció—. Necesitan un caballerizo más, aunque no sé si se adaptará. No tiene aspecto de caballerizo, pero lo cierto es que sabe manejar caballos. A su tiempo le encontraremos otra cosa. Opino que será un excelente amanuense, pero no necesito un amanuense.

Por encima del tejido, Honey sonrió a su esposo. Siempre era tierna y dulce con él; él, por supuesto, la adoraba. Estaba hermosísima así, con la aguja levantada y una tranquila y soñadora expresión de satisfacción en el rostro.

—Pues que trabaje en los establos —declaró Honey—. Y si surge alguna otra cosa, allí estará para aceptarla.

—Es un joven simpático —agregó Edward—. Con cierta educación, me parece.

—Habla con acento extraño —intervine yo.

—Eso se debe a que viene del norte. Su habla suele ser tan distinta de la nuestra, que a veces resulta difícil entenderla.

—A Richard se le entiende bastante bien.

—Ah, sí, pero ese joven no carece de educación . . . no es del tipo que habitualmente llama a la puerta implorando trabajo.

—Es reticente, según me dice Jennet, que no ha perdido tiempo en trabar conocimiento con él.

Edward se despejó la garganta antes de anunciar:

—A fines de semana nos visitará Thomas Elders.

Honey se detuvo un instante con la aguja en alto. Advertí que ese comentario la había intranquilizado un poco.

Habría querido decirles a los dos que de mí nada debían temer. No revelaría lo que ya sabía: que Thomas

Elders era un sacerdote que viajaba de una morada católica a la otra, que llegaba como invitado, de quien se decía que era antiguo amigo de algún miembro de la familia, y que durante su permanencia en la casa escuchaba confesiones y celebraba misa. Y que al mismo tiempo corría el riesgo de incurrir en el desagrado de la reina hacia sí mismo y hacia los moradores de la casa que visitaba.

Ya había estado allí una vez. Entonces no había pensado mucho en su llegada, si bien había deducido rápidamente su finalidad.

Todos preveían que en el nuevo reinado habría una actitud más tolerante hacia la religión —y por cierto que no podía ser más severo que el anterior—, pero esa tolerancia extrema no había llegado aún; la reina tenía sus motivos y sus ministros también. Era imprudente —o algo peor— recibir sacerdotes en casa.

Cuando recordé la vehemente actitud de los Pennylon, sentí temor.

Cambié el tema refiriéndome al recién llegado Richard Rackell.

—En verdad, sus modales son airosos —comenté—. Conocí alguien del norte que una vez fue a visitar a mi padre. No hablaba ni se conducía como este joven.

—La gente nunca responde a un molde —dijo tranquilamente Honey.

Luego comenzó a hablar de sus vecinos y yo, temerosa de que esto condujera a los Pennylon, me levanté y los dejé juntos.

Jake Pennylon venía a diario. No tenía nada de sutil; era evidente que venía a verme.

En una ocasión advirtió la presencia de Richard Rackell y dijo:

—He visto antes a ese individuo. Lo recuerdo. Fue a Lyon Court pidiendo trabajo.

—Y no tenían nada para él.

—No me agrada su aspecto. Parece más muchacha que muchacho.

—¿Espera acaso que todos rujan como leones?

—Reservo para mí ese privilegio.

—O que rebuznen como asnos —agregué.

—Eso lo dejo para otros, pero no aceptaría un león ni un asno como criado. Vino con algún cuento diciendo que era del norte.

—¿Por qué va a ser un cuento? Edward le creyó.

—Edward es capaz de creer cualquier cosa. Tiene la errónea idea de que todos se atienen como él a una excelente conducta.

—Tal vez sea mejor creer lo mejor que lo peor de alguien, antes de que se haya demostrado nada contra él.

—Tonterías. Conviene estar preparado para lo peor.

—Como de costumbre, discrepo con usted.

—Y eso me encanta. Temo que algún día estemos en total acuerdo.

No había duda de que él disfrutaba con nuestras batallas verbales. Para asombro mío, yo también.

Un día en que tardó en llegar me encontré junto a la ventana, aguardando su llegada, anhelante. Me repetía sin cesar que no vendría, pero no pude contener la excitación que sentí cuando vi su caballo blanco en la entrada del establo y oí su sonora voz gritando a los caballerizos.

Visitamos Lyon Court, esa mansión que había sido construida para el padre de sir Penn. A cada lado del pórtico había estatuas de feroces leones, y una cabeza de león esculpida sobre el pórtico. Era una casa más reciente que Trewynd, y su sala gótica se extendía todo a lo alto de la casa. El bloque central de Lyon Court se alzaba alrededor de un atrio, con un ala al este y otra al oeste, donde se hallaban los dormitorios y habitaciones. En el bloque central estaba la sala y la escalinata principal, que conducía a la galería. Era imponente y más bien ostentoso: lo que se podía esperar de semejante familia, me dije Los Pennylon no siempre habían sido ricos; por consiguiente, les parecía adecuado jactarse de esa riqueza. La familia de Edward la poseía desde hacía muchos años, y a él se le había enseñado a aceptarla como un don natural.

Con todo, no pude evitar que se me contagiara el entusiasmo de sir Penn y de Jake Pennylon por su magnífica residencia. En la Galería Larga había un retrato del fundador de la fortuna de ambos, el padre de sir Penn —sentado muy incómodo en sus elegantes ropajes—; sir Penn, muy seguro de sí mismo; su esposa, una dama de aspecto algo frágil y de expresión perpleja, y de Jake Pennylon, gallardo, arrogante. Sus ojos azules eran el rasgo más notable en el cuadro, tal como en carne y hueso.

Los jardines eran bellísimos. Sir Penn tenía innumerables jardineros que se ocupaban de que su propiedad fuese la más destacada de la zona; las sendas cubiertas de guijo eran simétricas, e inmaculados los canteros, aunque menos coloridos que en pleno verano. Empero, aún había rosas en el rosedal, y un jardín de hierbas que interesó especialmente a Honey. Dije a sir Penn que mi abuela era algo así como una autoridad en cuanto a plantas y hierbas.

—En la aldea había una bruja —agregué—. Mi abuela trabó amistad con ella, que antes de morir le dio varias recetas.

—¡Brujas! —espetó sir Penn—. Yo las quemaría vivas, engendros del demonio.

—Bueno, creo que esta bruja era buena. Curaba a la gente.

—Mi estimada jovencita, no hay brujas buenas. Están malditas y su finalidad es arrastrar a otros a la perdición.

Si alguna bruja aparece por aquí, será colgada del flaco cuello, se lo aseguro.

—Yo no reclamaría el cumplimiento de esa promesa —respondí, preguntándome por qué me resultaba imposible no reñir con esos Pennylon.

—Vamos, no empiece ahora a elogiar a las brujas, querida mía. Más de una mujer cayó en desgracia por tomar partido.

—Según veo, el único modo de protegerse es tomar el partido correcto, que por supuesto es el suyo —comenté.

Pero con sir Penn eran inútiles las ironías.

Se nos mostraron las estatuas que se habían erigido; los relojes de sol y las fuentes, los tejos recortados en formas fantásticas. Sir Penn se enorgullecía mucho de su jardín.

Fue durante esa visita que Jake nos invitó a todos a bordo del *León Rampante.* Yo quise negarme, pero fue imposible una vez que Honey y Edward aceptaron la invitación.

Pocos días después de aquella visita, salí por la tarde a dar mi paseo a caballo. Cuando volví, Jennet me aguardaba en los establos.

—Oh, señorita Catharine —exclamó—. Ha sucedido algo terrible. La señora se cayó, se lastimó un pie y quiere que vaya enseguida a verla. Debo llevarla a su lado.

—¿Adónde está?

—A bordo del *León Rampante.*

—Imposible.

—Pero, señorita, allí está. Fue de visita.

—¿Y el amo?

—Pues no pudo ir. Dijo "ve tú sola, querida mía", y la señora fue.

—¡Sola a bordo del *León Rampante*!

—Es que el capitán los había invitado y los esperaba. Fue todo más bien repentino.

—Pero si yo también debía ir.

—Pues dijeron que irían sin usted, señorita. Y entonces... el amo tuvo que ir a otro lado y fue la señora.

De pronto me encolericé. ¿En qué estaba pensando Honey, yendo sola a un barco donde quien mandaba era un hombre semejante?

—Después tropezó y se lastimó una pierna. El capitán envió un mensajero y yo debo llevarla allá sin demora.

Entonces pensé en Honey. En realidad, jamás la había comprendido. A menudo me había parecido que ocultaba secretos. ¿Era posible acaso que ese bucanero fanfarrón la hubiese atraído de algún modo, induciéndola a ser infiel a Edward?

No podía ser. Pero si ella estaba sola en el barco de él, y si había enviado en mi busca para pedirme que fingiera haber ido con ella . . .

Eso tenía su lógica.

Pensando en el sensitivo rostro de Edward, me dominó un gran deseo de protegerlo de cualquier verdad desagradable.

—Enseguida voy, Jennet —dije.

Ella evidenció gran alivio. Bajamos de prisa la calzada y casi corriendo llegamos al puerto donde esperaba un botecito para llevarnos al *León Rampante*. Mientras el mar nos sacudía, miré a tierra y pude ver el torreón de Trewynd donde con tanta frecuencia me había sentado a contemplar las naves.

Jake estaba de pie en la cubierta, evidentemente esperándonos. Así la escala de soga y él me levantó en sus brazos.

—Ya sabía que vendría —dijo riendo.

—Será mejor que me lleve junto a mi hermana —respondí.

—Venga por aquí —repuso él, sosteniéndome del brazo como para conducirme por la cubierta. Yo le dije:

—¿Por qué vino ella aquí sin Edward? No lo entiendo.

—Quería ver mi nave.

—Debió haber esperado a que viniésemos todos. Tendremos que llevarla a tierra. No será fácil si se ha lastimado un pie. ¿Es muy grave? Dios mío, ojalá no tenga ningún hueso roto.

Conduciéndome siempre, subió una escalera y abrió una puerta de un tirón.

—Mi camarote —anunció.

Supongo que sería espacioso para ser un camarote. Un tapiz cubría lo que yo luego aprendería a llamar el mamparo. Había un estante con libros y una repisa con instrumentos; y sobre una mesa, un globo giratorio que reproducía la superficie terrestre. En la pared había un astrolabio de metal, un compás, relojes de arena y una ballesta.

Noté vagamente estas cosas mientras buscaba con la mirada a Honey.

Cuando vi que no estaba allí, experimenté punzadas de alarma que en parte era excitado anhelo.

— ¿Dónde está mi hermana? —inquirí.

Él rió. Había cerrado la puerta y se apoyaba en ella.

—Tal vez en su jardín. En su tranquila habitación ... ocupada en esas tareas que son la alegría y el deber de toda ama de casa.

— ¡En el jardín! Pero se me dio a entender que ...

Rió de nuevo.

— ¿No le dije que vendría a bordo de mi nave antes de que transcurriese una semana?

—Es que entendí que mi hermana estaba aquí.

—No creyó eso en realidad, ¿o sí?

—Pero ...

—Oh, vamos, quería aceptar mi invitación, ¿verdad? Y yo quería que lo hiciera. Entonces, ¿por qué inquietarnos en cuanto a los medios utilizados para provocar este feliz desenlace?

—No me inquieto —repuse.

—Debería inquietarse, si de veras le preocupa lo que pretende ser.

—Me parece que ha enloquecido.

—Jamás permitiré que me abandone la cordura.

—Quiero irme —anuncié.

—Pero yo quiero que se quede. Soy el capitán de esta nave. Aquí todos obedecen mis órdenes.

—Tal vez lo hagan esos pobres seres que lo sirven. Ellos, pobres desdichados, están a su merced.

— ¿Y cree que usted no?

—Ya estoy harta de este desatino.

—Y yo jamás podría hartarme de él —replicó.

Y acercándose a mí, me ciñó con sus brazos, sujetando los míos de modo que quedé firmemente atrapada.

—Capitán Pennylon, no hay duda de que está loco. ¿Se da cuenta de que mi familia jamás le perdonará este insulto?

Jake Pennylon rió. Advertí que tenía los ojos algo oblicuos en las puntas y que sus cejas seguían la misma inclinación hacia arriba. Esto le infundía una expresión traviesa y satánica al mismo tiempo. Intenté zafarme.

—Suélteme —grité, tratando de darle puntapiés en las canillas, pero él me sujetaba de tal modo que me fue imposible hacerlo.

"A cuántas mujeres habrá sujetado así", pensé, imaginando sus incursiones en lejanos villorrios y aldeas, y el trato que él y sus hombres dispensarían a las mujeres que capturasen.

—No puede escapar, así que intentarlo es inútil —se mofó—. Está a mi merced.

—Y bien, ¿qué quiere de mí?

—No dudo que lo sabe.

—Si acierto en mi presunción . . .

—Seguramente acierta . . .

—Le diré que sus modales me parecen brutales; lo hallo grosero, muy `distinto de ...

—De los primorosos caballeros a quienes ha tenido la mala suerte de conocer antes. Pues bien, niña mía, ahora ha conocido a un hombre que gusta de usted y el que pese a su falta de educación, le resulta irresistible.

Dicho esto, dejó de ceñirme con sus brazos y sujetándome la cabeza, la echó atrás, y su boca cubrió la mía ... caliente, repugnante, me dije con firmeza. Traté de protestar, pero en vano. No podía escapar de su fogoso abrazo.

Cuando me soltó, yo temblaba ... de furia, volví a recordarme.

—Cómo se atreve a conducirse así ... yo nunca ... —dije.

—Claro que nunca ha sido besada así hasta ahora. Pero no se agite, no será la última vez.

Yo empezaba a sentir alarma. Estaba sola en su nave. Había sido engañada. A bordo había hombres, pero eran sus esclavos.

—La excita, ¿eh? Está a mi merced. No puede irse a menos que yo así lo desee.

No pude sino repetir:

—No se atrevería a tocarme.

—Ahora que la sé tan ansiosa como yo... pero yo, que soy sincero, no disimulo mis deseos, mientras que usted, como es hipócrita, oculta los suyos fingiendo renuencia.

—¡Jamás oí tales disparates! Es un pirata aborrecible, mal educado, y lo odio.

—Protesta demasiado —comentó él.

—Por esto será ahorcado. Mi familia ...

—Ah, sí, es una joven de buena familia. Hemos tenido en cuenta esta cuestión ...

—¿Quiénes la han tomado en cuenta?

—Mi padre y yo, y sin duda sabrá para qué.

—Me niego a discutir este desagradable tema.

—Es un tema fascinante. Mi padre me dijo: "Es hora de que te cases, Jake. Necesitamos más Pennylons. Esa muchacha será buena reproductora. Es tiempo de que te acuestes con ella. Pero esta vez, que sea legal. Quiero que haya nietos".

—Me niego a permanecer aquí para ser insultada. Tendrá que buscar en otra parte su buena reproductora.

—¿Para qué, si ya la he hallado?

—Según creo, habría que obtener su consentimiento.

—Eso no será imposible.

—¿Acaso se toma por un dios llegado del Olimpo?

—Quizás otros me tomen por eso. Yo sé que soy un hombre que sabe bien lo que quiere y lo consigue.

—No siempre —le recordé—. No, si yo estoy incluida en esos deseos.

—Siempre hay medios. ¿Quiere que se lo explique con claridad?

Al ver su rostro cerca del mío, sentí que se me cerraba la garganta. Habría querido que el corazón no me latiera con tanta fuerza. Podría delatar mi temor o lo que fuese que él suscitaba en mí.

—Es repugnante. Si no me deja ir enseguida, le prometo que mi familia lo llevará ante los tribunales por esto.

—Ah, esa buena familia —dijo él—. Vamos, mi elegante dama, una oferta de matrimonio nada tiene de insultante.

—Lo es cuando proviene de usted.

—No me provoque demasiado, tengo muy mal genio.

—Permítame decirle que yo también.

—Sabía que éramos bien avenidos. Qué hijos varones tendremos. Empecemos... ya. Más tarde vendrán los votos matrimoniales.

—Ya le dije que busque a su reproductora en otra parte.

—La he hallado y he jurado por Dios que usted parirá mis hijos.

—Retírese y abra esa puerta —dije.

—Con una condición.

—¿Cuál?

—Que me dé su palabra de casarse conmigo... sin demora, y de quedar embarazada antes de mi partida.

—¿Y si me niego?

—No me deja alternativa.

Guardé silencio y él, con rudo ademán, me arrojó en su litera. Horrorizada lo miré quitarse la chaqueta.

Me puse de pie; él se reía de mí.

—Debe comprender, mi preciosa virgen... al menos supongo que es virgen. Lo es. Las reconozco. Tienen algo en la mirada...

—Me insulta.

—En verdad, la honro. Escojo sólo a las que son dignas de mi virilidad.

—¿Realmente dice que si no prometo casarme con usted me forzará como si fuese cualquier... cualquier...?

—Cualquier moza sin importancia —asintió él—. Aunque le diré que a veces hubo elegantes damas... Es inútil que me mire con esos ojazos incrédulos. Sabe que cumplo mi palabra. ¿No le prometí acaso que vendría a mi barco antes de que trascurriese una semana? Y bien, ¿qué contesta? Ya le dije que los marinos no tenemos tiempo que perder.

—Déjeme salir de aquí. Me engañó. Vine sólo porque...

—Porque quería venir.

—Es lo que menos quería.

—No lo crea. La conozco mejor que usted misma.

—Jennet me dijo...

—Vamos, no culpe a esa muchacha. Ella sabe cuándo hacer lo que se le ordena.

—¡Jennet! —exclamé—. ¿Sabía ella que se me engañaba?

—¡Que se la engañaba! Mi querida señorita, le estaba dando una excusa para que viniera. No me distingo por mi paciencia.

—Debo irme de aquí —declaré.

—Esa es su respuesta —dijo mientras se ponía deliberadamente la chaqueta.

Abrió la puerta y me guió por un tramo de escaleras. Abajo me esperaba Jennet. Acercándome a ella, le dije:

—Mentiste, Jennet. Me dijiste que la señora Ennis estaba aquí. Bien sabías que no.

—Señorita Catharine, yo... yo... —tartamudeó, mirando a Jake Pennylon.

—¡Grandísima ramera! —exclamé.

Imaginé cómo la miraría él, cómo la tocaría. Para ella no hacían faltas las bellas promesas: accedería con presteza. Conocía a Jennet y, para vergüenza mía, había hallado en él ese fuerte poder.

Jake Pennylon lanzó una risa grave y burlona. Yo dije:

—Lléveme a tierra enseguida.

Al bajar la escala, temblaba. No miré atrás.

Durante el trayecto de regreso en bote, Jennet permaneció con la cabeza gacha, las manos visiblemente temblorosas. Tan pronto como se me ayudó a bajar a tierra, me encaminé hacia Trewynd adelantándome a ella.

Una vez en mi habitación, me sentí tan furiosa que necesité desahogar en alguien mi cólera. Hice llamar a Jennet, que llegó temblando.

Hasta entonces, siempre había sido bastante suave con los sirvientes; Honey los trataba con mucha más altanería que yo. Pero no logrando olvidar los ojos burlones de aquel hombre, quería lastimar a alguien, y esta muchacha, a quien se tenía por mi fiel doncella, me había traicionado.

Volviéndome hacia ella, grité:

—Veamos ahora, muchacha. Mejor será que te expliques.

Jennet se echó a llorar.

Asiéndola por los hombros, la sacudí. Entonces balbuceó:

—No quise perjudicar a nadie, señotita. El caballero me pidió... me habló, ¿sabe?

—¿Sabe? —la remedé—. ¿Qué quieres que sepa?

—Pues me habló amablemente, me dijo que yo parecía una buena muchacha...

—Y te besó y te acarició como ningún hombre debe acariciar a una joven virgen.

El rubor que rápidamente inundó su cara me indicó que así era. Entonces la abofeteé. No abofeteaba el rostro de la pobre Jennet, sino el de él. Cómo lo odiaba por haberme engañado, por haber intentado tratarme igual que a Jennet.

—Me mentiste. Me dijiste que la señora Ennis se encontraba en el *León Rampante*. Se supone que eres servidora *mía* y lo olvidas porque este libertino te besó...

Jennet se desplomó al suelo, cubriéndose el rostro con una mano, y estalló en fuertes sollozos. Desde la puerta, una voz dijo:

—Catharine, ¿qué ha ocurrido?

Allí estaba Honey, serena y bella. Nada contesté; ella entró en la habitación y miró a la sollozante Jennet.

—Pero, Catharine, eras tan buena con los sirvientes...

Esas palabras, pronunciadas de esa manera, me recordaron tanto a mi madre que la demencia de mi furia se extinguió de pronto, dejándome muy avergonzada de mí misma, de la facilidad con que había sido engañada y de mi incontrolable cólera contra la pequeña Jennet, pobre tonta.

—Ya puedes irte —dije a Jennet, que se incorporó de prisa y huyó.

—¿A qué se debía todo eso? —inquirió Honey con extrañeza.

—Es por ese hombre, ese Pennylon...

Le conté lo sucedido, Honey rió.

—Debiste saber que yo no habría ido sola al barco. ¿Cómo pudiste ser tan estúpida de creer lo contrario?

—Me sorprendí.

—¡Y sin embargo lo creíste! ¿Crees acaso que él tiene tan fatal fascinación sobre todas las mujeres?

—A Jennet le resultó irresistible.

—Jennet es una virgen lujuriosa. Será víctima del primer galanteador que se cruce en su camino.

—¿Crees que ya habrá sido víctima de él?

—Eso no me sorprendería. Pero tienes una alta opinión de su irresistibilidad si crees que yo habría ido sola a visitarlo.

—Discúlpame; fui una tonta. No puedo culpar a otro más que a mí misma.

—Bueno, al menos escapaste indemne. Eso te enseñará a cuidarte de él en el futuro.

—Nunca volveré a verlo, si es que puedo evitarlo. En cuanto a Jennet, me enferma. Tomaré como doncella a cualquier otra. Ella tal vez pueda trabajar en la cocina.

—Como quieras. Toma a Luce. Esa muchacha no te causará ansiedades ni ofrecerá mucha tentación a ningún hombre.

—No te dije cómo escapé —repuse.

—¿Y bien?

—Dijo que si no le prometía casarme con él, me haría suya allí mismo.

—En qué malas compañías andas —se burló Honey.

—Lo conocí en tu casa —le recordé.

—Ah, pero ya se habían visto antes de que él viniera

—respondió Honey, que sin duda advirtió mi turbación, ya que continuó en tono tranquilizador— ¡Qué te ha sucedido! No puede obligarte a que te cases con él ni se atrevería a hacerte daño... eres hija de una vecina y miembro de nuestra familia. Vaya, los tribunales lo enviarían a la horca. Fueron meras bravatas.

—He oído que a estas las llaman "las tierras de Pennylon".

—No des crédito a todo lo que oyes. Edward tiene cierto poder en esta región, ya sabes. Nuestras propiedades son más grandes que las de los Pennylon y hace más tiempo que estamos aquí. ¿Quiénes son ellos, sino advenedizos llegados desde el otro lado del mar?

—Me tranquilizas, Honey.

—Me alegro. Y ahora deja que te cuente mis novedades. Voy a tener un hijo.

—¡Honey! —exclamé mientras me acercaba para besarla—. ¡Eso es maravilloso! Y tú eres feliz. Lo noto. Has cambiado. Tienes serenidad maternal. Mamá quedará encantada... Querrá que vayas a tener tu hijo allá. Sí, debes hacerlo. Ella y la abuela te mimarán. No confiarán tu cuidado a nadie más. Y ¿Edward está complacido?

—Edward está encantado, y esta vez no pienso decepcionarlo —repuso ella, refiriéndose al aborto que había tenido en su primer año de matrimonio.

—Debemos tomar muchas precauciones —dije, y entusiasmada con el futuro bebé olvidé el desagradable incidente del barco.

No se me permitió olvidarlo por mucho tiempo.

Ese día llegó Thomas Elders. Cuando venía, se quedaba a pasar la noche, al día siguiente oficiaba misa en la capilla y luego probablemente se quedaba otra noche más antes de partir hacia la siguiente morada católica.

No venía como sacerdote, sino como amigo de Edward; comía con nosotros y en la mesa nunca se conversaba sobre asuntos religiosos. Al día siguiente se celebraba misa, y los sirvientes de confianza que deseaban concurrir lo hacían. Los demás nada sabían de lo que pasaba. La capilla estaba siempre cerrada, de modo que el hecho de que lo estuviera durante el oficio de la misa no provocaba comentarios.

Yo, por supuesto, no concurría, aunque estaba enterada de lo que pasaba, y recordando tan bien el pasado y las ansiedades sufridas por mi padre, siempre me sentía inquieta cuando Thomas Elders se hallaba en la casa.

De mañana salí a pasear a caballo. Mitigado ya el entusiasmo por las novedades de Honey, pensaba sin cesar en los vergonzosos momentos pasados en el camarote del capitán, a bordo del *León Rampante*. Cuando al volver de mi paseo llevé a Marigold al establo, el nuevo empleado, Richard Rackell, la recibió de mis manos.

—Me parece que está perdiendo una herradura, Richard —le hice notar.

Él asintió con la cabeza. Tenía unos ojos expresivos, hundidos en el rostro, y era muy bien parecido. Me hizo una reverencia digna de una corte.

—¿Le va bien? —pregunté.

Me contestó que creía estar dando satisfacción.

—Ya sé que no es el tipo de trabajo al que está habituado...

—Me habitúo, señora —replicó.

Ese joven me interesaba. Algo había en él de misterioso. Recordé que Jake Pennylon había desconfiado de que viniese del norte. Entonces olvidé a Richard Rackell, furiosa de nuevo al pensar en aquel hombre que nunca parecía estar mucho tiempo lejos de mi mente.

Para ir a la casa debía pasar cerca de la capilla. La misa se estaría celebrando o ya habría terminado.

De pronto mi corazón dio un vuelco de terror, ya que repentinamente se abrió la puertecita que comunicaba con la celda de los leprosos y de ella salió Jake Pennylon. Enseguida pensé: ¡Desde la celda de los leprosos se puede ver la capilla!

En sus ojos brilló un fiero resplandor durante el segundo o dos que trascurrieron antes de que los fijara en mí. Entonces se iluminaron con ese intenso fuego azul.

—Me alegro de verla, señora —dijo acercándose a mí.

Pretendió abrazarme, pero yo me apresuré a retroceder y él me permitió hacerlo, aunque su actitud sugería que respetaba mis objeciones y nada le habría costado desconocerlas.

—¿Qué hace aquí?

—¿Qué otra cosa sino visitar a mi prometida?

—¿Y quién es ella... acaso Jennet, la sirvienta, que según creo lo atrae?

—Una moza de servicio, ya sea doncella o ramera, jamás podría ser mi prometida. Tengo ahora ante mí a la que he resuelto honrar.

—A la que intentó deshonrar, querrá decir —contesté alejándome, pero él me alcanzó y me sujetó por el brazo de modo que me dolió.

—Sepa esto —dijo—. Mi padre está ahora en la casa. Vine a buscarla. Está planeando las celebraciones de nuestros esponsales. Yo, por supuesto, le había comunicado ya que usted aceptó mi propuesta. Quiere que los festejos sean grandes. Ha invitado a media vecindad.

—Entonces tendrá que cancelar las invitaciones —exclamé.

—¿Con qué motivo?

—Con el de que no habrá esponsales. ¿Cómo podría haberlos sin el consentimiento de la supuesta novia?

—Es que ya ha sido dado —replicó mirándome con fingido reproche—. Qué pronto ha olvidado que me visitó en mi camarote. ¿Supongo que no habría ido si no hubiera habido un acuerdo entre nosotros?

—Usted me engañó.

—¿No me dirá de nuevo que no vino por su voluntad? —insistió elevando las cejas con falsa seriedad.

—¡Lo odio! —grité.

—Bueno, es un buen comienzo —declaró él, sin soltarme el brazo, aunque intenté alejarme—. ¿Qué se propone hacer?

—Que vaya a decir a su padre que debe cancelar sus invitaciones sin demora.

—No lo haré...

—En tal caso tendrá que encontrarse otra novia.

—Ya encontré la que quiero. Está aquí en este momento.

—No la veo —repuse mirando en derredor.

—¿Por qué finge aversión cuando está dispuesta? No hay motivo para ello. Acabemos ya con tales falsedades. Seamos francos uno con el otro.

Y me atrajo hacia sí, sujetándome con tal fuerza que tuve la sensación de que se me iban a quebrar los huesos. Mi ira dominó todos mis otros sentimientos.

Le di de puntapiés, pero él rió, sujetándome sólo para demostrar qué débiles eran mis esfuerzos por escapar. Intenté con palabras lo que no lograba con la fuerza física.

—Sus métodos piratescos pueden ser eficaces en alta mar. De nada le valdrán en la morada de un caballero.

—De nuevo se equivoca, mi gata salvaje. Con ellos consigo lo que quiero, y en este momento la quiero a usted. Ya la habría tomado, pero esta vez debe ser legal. Nuestro hijo nacerá de un matrimonio legítimo. Claro que no tolerará demoras...Pero nos casaremos antes y nos acostaremos después.

—Hasta su esposa tendría que pronunciar sus votos matrimoniales por propia voluntad, supongo. ¿Cómo lo conseguirá?

—Hay medios —replicó él.

—Si espera obediencia de mí, ha elegido irreflexivamente.

—He elegido como debo y tendré su obediencia... Domaré a mi gata salvaje de modo tal que ronroneará por mis caricias.

—Sus metáforas son torpes, como todo lo que hace.

—Escuche —dijo—. Vendrá a ver a mi padre. Sonreirá y le dirá que la complace haber sido honrada por nosotros.

—Bromea.

—Hablo en serio. Me ha dado su promesa y por Dios que la cumplirá.

—¿Me obligará a ello?

—Sí. No sea tonta, señorita Catharine. Le podría ir muy mal si yo revelara lo que he visto desde la celda de los leprosos.

Me puse pálida, y en sus ojos brilló una expresión triunfante.

—Hace mucho que sospechaba —continuó—. No respondo por lo que sucedería si lo supiese mi padre.

—¿Aun cuando estuviera de por medio su futura nuera?

—Usted no es papista, bien lo sé. Si lo fuera, la azotaría hasta que dejara de serlo.

—Vaya marido amable que será.

—Ha aceptado entonces que seré su marido.

—No me deja terminar. Iba a decir: para la pobre mentecata que cometa el error de casarse con usted.

—No será ninguna mentecata. Será una mujer sabia. Catharine, nada menos, pues a ninguna otra aceptaré. He jurado tenerla y no juro en vano.

—¿Y si me niego?

—¿Cómo puede acarrear el desastre a esta casa?

—No sería tan cruel.

—Sería cualquier cosa para obtener lo que quiero.

—Lo odio como jamás creí posible odiar a nadie.

—Mientras sus ojos relampagueen por mí, estoy satisfecho. Esperaré alrededor de una semana ... no más. Venga conmigo ahora, pues. Hablará con mi padre. Sonreirá y se conducirá como si esta unión nuestra le encantara.

—Cómo podría ser tan falsa.

—O ser falsa, o traicionar a esta familia.

—¿Significa eso que los perjudicaría?

—Significa todo lo que dije.

—Primero, intenta violarme. Después, chantaje.

—Y eso no es más que el comienzo —contestó riendo.

Estaba derrotada y lo sabía. Qué imbéciles eran al recibir allí al sacerdote. ¿Por qué no habían pensado en la celda de los leprosos? Trancaban la puerta de la capilla y olvidaban la que comunicaba con el recinto donde se reunían quienes observaban por la mirilla.

Mientras cruzaba el prado, con él a mi lado, iba pensando: los esponsales, entonces... y nada más. Ya pensaré cómo escabullirme. Volveré con mi madre. Honey tendrá que ayudarme. Al fin y al cabo, ella y Edward me han traído a esta situación.

Sir Penn se encontraba arrellanado en la silla grande con respaldo de madera tallada. Cuando entré en la sala con Jake, lanzó una risita. Honey y Edward no estaban allí. Me pregunté si aún estarían en la capilla.

Levantándose trabajosamente de la silla, sir Penn se me acercó, me rodeó con sus brazos y me dio un fuerte beso en la boca. Sentí mis labios magullados bajo los suyos.

—Bueno, mi hijo nunca ha sido de los que pierden

tiempo —declaró—. Te llevas una ganga, hija mía. Respondo por él.

Hundió el codo en las costillas de Jake, quien rió diciendo:

—No hace falta decirle eso, padre. Será virgen, pero no tonta.

Rieron juntos, obscenamente, según pensé. Jake me apretó los hombros con el brazo; sentí hundirse sus dedos en mi carne.

—La boda será muy poco después de los esponsales. Esperar no tiene sentido. Queremos que nos des un pequeño Pennylon sin demora.

Ganas tuve de gritar: jamás me casaré con este hombre. Antes ardería en la hoguera.

Pero precisamente por temer lo que nos ocurriría a todos debido a que ese hombre despiadado sabía lo ocurrido en la capilla esa mañana, les permitía yo presumir que había aceptado la propuesta de Jake Pennylon.

En ese momento apareció Honey... sin la serenidad habitual. Tenía el rostro ruborizado, su actitud era indecisa. Algún sirviente le habría dicho que los Pennylon se encontraban allí, y ella debía estar pensando en la necesidad de proteger a Thomas Elders de tales personas.

—Buenos días y bienvenidos —declaró—. Así que Catharine está aquí... Acabo de enterarme de su llegada. ¿Beberán un poco de vino? —preguntó mientras iba a tirar de la cuerda de la campana.

Llegó Edward, que saludó a los visitantes.

—Es una feliz ocasión —gritó sir Penn—. Estos jóvenes... En fin, no han perdido tiempo. Nunca hay tiempo que perder. Celebraremos los esponsales en Lyon Court, y después seguiremos con la boda. Estos dos están impacientes y no puedo reprochárselo. No se lo reprocho en absoluto.

Honey me miraba con fijeza, esperando a que yo protestase.

Abrí la boca para decir que era todo un error y que no tenía intenciones de casarme cuando capté la mirada de Jake: una mirada de burla y advertencia, cruelmente implacable. Es *capaz* pensé. Lo haría sin remordimientos. No tiene piedad.

Entonces recordé lo que mi madre me había contado en una ocasión: cómo su padre, a quien adoraba, había estado prisionero en la Torre, y cómo un día se lo habían llevado al patíbulo y su cabeza había sido colocada en el Puente de Londres. Sabía que ella jamás podría escapar al recuerdo de esa época, que había echado una sombra sobre toda su felicidad. Había perdido a Carey y estaba convencida de que nunca podría volver a ser totalmente feliz. Y si fuera yo quien traicionaba a Honey, ¿cómo podría enfrentar a mi madre ni perdonarme yo misma?

Una súbita exaltación me dominó. Sería más lista que ese hombre que en tan poco tiempo había entrado en mi vida dominándola. Le haría creer que había triunfado, pero nunca lo conseguiría en realidad. Por el momento debía aceptar aquellos esponsales, ya que no haciéndolo pondría en peligro a Honey y Edward. La victoria de Jake Pennylon sería muy breve. Si me creía tan fácilmente vencida, pronto comprobaría su error.

Me tomó la mano, apretándola con fuerza. Su mismo apretón era una advertencia. Si quisiera, podría romperte los dedos, y con la misma facilidad quebraré tu resistencia.

—Vaya, Catharine, ¿de veras puedo felicitarlos a los dos? —exclamó Honey.

—Es momento de felicitaciones —intervino Jake—. Queremos casarnos pronto.

Honey apoyó en la mía su fragante mejilla, interrogándome con la mirada.

—¿Te has decidido entonces, Catharine? —preguntó—. Pero si hace poco declarabas que nunca te casarías...

—Mi hijo tiene cualidades para dominar la resistencia de la más recatada damisela.

—Así parece...

Se trajo vino y pasteles. Edward sirvió el vino y propuso el brindis:

—A los futuros esposos...

Jake aceptó su copa y bebió; luego me la ofreció. Clavé un momento la mirada en sus gruesos labios sensuales y aparté un poco la cabeza. Me ponía la copa en las manos y bebí.

Fue como si hubiera sellado mi promesa.

Todos empezaron a hablar acerca de los esponsales, que se celebrarían en Lyon Court. La boda tendría lugar en Trewynd Grange.

—Debería ser en casa de mi madre —protesté.

—¿Qué? En el otro extremo del país —exclamó Jake—. Los marinos no tienen tiempo para esos caprichos. Tu madre tendrá que venir a Devon si quiere bailar en tu boda.

—Yo haré mis planes —repuse.

Y vi que una sonrisa levantaba los labios de Jake Pennylon.

Escuché vagamente la conversación. Sir Penn hacía preguntas sobre los bienes de mi padre, Edward le contestaba lo mejor posible. Debía haber una buena dote, decía sir Penn, pero aunque no la hubiese no habría impedimento para el matrimonio.

—¡Detener a mi hijo cuando ha decidido algo! Eso no podría hacerlo aunque lo desease. Y tampoco lo desearía. Mi hijo es la imagen de su padre, y también así lo querría yo. Cuando ve una potranca, quiere montarla, y sé que no está de humor para esperar a su novia —se inclinó hacia mí—. Está ansioso. Ya comprobarás que no es ningún perezoso. Es el modo de asegurarse hijos. Tú no eres una de esas pobres hembras lánguidas que se desmayan al ver un hombre. Claro que no. Lo noté desde el primer momento. Eres de las que crían hijos de temple, porque tú misma tienes temple; y estarás tan loca por él como él lo está por ti, y ese es el modo de tener hijos... tenerlos pronto y en abundancia. Varones Pennylon.

Odiaba a ese hombre tanto como a su hijo. Su conversación franca y picante suscitó imágenes en mi mente. Aunque era virgen, algo sabía de relaciones sexuales. Una vez había sorprendido a dos sirvientes copulando en un sembrado. Había escuchado conversaciones. Por eso las imágenes iban y venían... yo con ese hombre de ojos lujuriosos, burlones. Y cuando me hallaba en su presencia, esas imágenes estaban siempre prontas para presentarse y alterarme.

Casi ni escuché la conversación. Se refería a la boda, y antes que nada, a la celebración de los esponsales. Honey estaba perpleja, lo cual no me sorprendía, ya que tan poco tiempo atrás había expresado yo mi antipatía hacia ese hombre. Edward, por su parte, nunca dejaba traslucir sus sentimientos; en cuanto a él se refería, nadie habría sospechado que hubiera algo insólito en aquellos esponsales.

Estos tendrían lugar la semana siguiente, y la boda, cuatro semanas más tarde.

—Así Jake tendrá tiempo de cortejar —explicó el anciano con terrible risita. Quería decir, por supuesto, anticiparse a nuestros votos matrimoniales—. Y cuanto antes puedan acostarse juntos de manera legal, mejor será. Jake partirá dos meses apenas después de ese día... Pero esta vez el viaje no será largo. Jake no lo aceptaría, ya que tendrá una esposa calentándole la cama.

Sentí el estómago revuelto. "Jamás accederé", quise gritar. "Estoy fingiendo. No tengo ninguna intención de casarme con este hombre".

Pero guardé silencio, pues cada vez que me disponía a hablar, pensaba en Honey y Edward conducidos a una celda miserable, y en la expresión acongojada de mi madre, que ya había sufrido demasiado.

En todo caso, los estaba engañando. Estaba permitiendo que ese hombre arrogante creyera haberme subyugado. Nada me induciría a compartir su lecho —como gustaba decir su padre—, a criar su hijo, lo cual parecería ser la principal idea de ambos.

Largo rato pareció trascurrir antes de que se marcharan. Tanto el padre como el hijo me abrazaron. Odié su modo de apretar sus cuerpos contra el mío.

Permanecimos en el atrio mientras ellos partían. Cuando se marcharon, Honey se encerró conmigo.

—¿Qué ocurrió para que cambiaras tan súbitamente de idea?

—Aquí no podemos hablar —repuse.

Pasamos al cuarto de las bebidas.

—Aquí tampoco —dije. A ese cuarto se llegaba desde el comedor y no tenía puertas, solo una cortina cubría el vano—. Vamos a la capilla. Cerremos la puerta de la capilla... y *también* la que comunica con la celda de los leprosos.

La capilla estaba como de costumbre. No se advertían señales de que allí se hubiera celebrado recientemente una misa.

—Las puertas están cerradas —manifesté—. Lástima que no hayas cerrado las dos antes de que Thomas Elders oficiara...

—¿A qué te refieres? —inquirió Honey.

—Jake Pennylon estuvo allí —expliqué señalando la mirilla—. Me encontré con él cuando salía... Me dijo que si no accedía a casarme con él, denunciaría que Thomas Elders estuvo aquí, y con qué propósito.

—¡Dios mío! —exclamó de pronto Edward.

Honey apoyó una mano en su brazo.

—¿Qué nos ocurriría, Edward?

Los dedos de él cubrieron los de ella en ademán protector. ¡Qué distinto era de Jake Pennylon! ¿Y por qué tenía que comparar a cada hombre con aquél? Edward era dulce, protector, cariñoso, tierno.

—No sé —respondió Edward—. Podría ser muy peligroso.

—De modo que lo prometiste para salvarnos . . .

—Supongo que sí.

— ¡Catharine!

—No te pienses que me casaré con él. No podrá dominarme . . . —De nuevo experimenté ese alocado regocijo. Disfrutaba luchando contra él. Quería derrotarlo, reírme de él, burlarlo. Jamás había soñado que fuera posible abrigar sentimientos tan intensos hacia una persona. Los había tenido hacia Carey, por supuesto, pero esa era la intensidad del amor . . . mientras que esto era odio—. Tuve que fingir entonces, pues si no él los habría traicionado. Es un mal hombre. Los aborrezco a él y a su padre.

—Pero, Catharine, habrá esos esponsales...

—No formularé votos. Los resistiré.

Honey, que me miraba con expresión extraña, se volvió luego hacia Edward, ciñéndose a él.

—No temas, querida mía —dijo Edward—. Nada pueden probar. En el futuro debemos tener cuidado. Debo prevenir a Thomas. Si el joven Pennylon está enterado, es muy posible que intente sorprenderlo.

Entonces pensé en mi padre, que tanta desdicha había acarreado a mi familia con su intento de ayudar a un amigo. Así sería Edward. Era igual que mi padre . . . nacido para el martirio, lo cual es terrible en nuestra época.

Fui a mi cuarto; Honey no tardó mucho en llegar.

—Ah, Catharine, ¿qué destino nos espera a todos?

Parecía débil y asustada; apoyaba suavemente la mano

en el estómago como protegiendo al niño que allí crecía.

Sintiéndome *yo* protectora hacia ella, le dije:

—No te inquietes. Yo burlaré a ese arrogante Pennylon.

Su estado de ánimo cambió de pronto.

—Vaya, Catharine, no te he visto tan animada desde... —dijo.

No terminó, pero yo entendí lo que quiso decir: desde que supe que había perdido a Carey.

Y tenía razón: nunca me había sentido tan viva desde entonces.

Al día siguiente, los Pennylon se ausentaron por unos días, en relación con el aprovisionamiento para los viajes venideros. Antes de su partida, Jake Pennylon vino a caballo a Trewynd. Al verlo llegar, fui en busca de Honey y le hice prometer que no me dejaría sola con él.

Lo recibimos en la sala. Me abrazó de ese modo que me inspiraba deseos de arrojarlo de mi lado y que le hacía reír al intuir mi resistencia. Creo que le gustaba; mi sumisión —de la cual estaba absolutamente segura— sería tanto más gratificante si tenía que obligarme a ella. Era un cazador, para quien las mujeres eran una presa.

Honey pidió que trajeran vino y fuimos a la sala de las bebidas... los tres juntos.

—Tengo malas noticias para ti —anunció Jake Pennylon—. Tengo que abandonarte. —Sonreí y él continuó:

—No desesperes. Volveré dentro de pocos días; entonces compensaremos nuestra separación.

—No quisiera que descuidaras tus asuntos —repuse.

—Jamás pierdo tiempo. No te inquietes; concluiré con toda celeridad lo que hay que hacer y volveré a tu lado. Me gustaría pasear por los jardines contigo; hay cuestiones que debemos discutir.

—Yo los acompañaré —anunció Honey con recato.

—No quisiéramos molestarla, señora.

—Sería un placer —contestó Honey.

Los ojos de Jake relucieron.

—No pedimos acompañanta.

—Sin embargo, el decoro lo exige.

—Aquí no tenemos tales ceremonias —replicó Jake Pennylon—. Somos simples campesinos.

—Mi hermana debe conducirse del modo esperado por su familia —aseveró Honey.

Yo le sonreí. Querida Honey, cuán agradecida me estaba por protegerla a ella y a Edward de la malicia de los Pennylon.

—Pasearemos por el jardín manteniéndonos a la vista de las ventanas —anuncié.

Quedé sorprendida conmigo misma, pero lo cierto es que deseaba combatir contra él desde lugar seguro. Con todo, no podía resistir el deseo de decirle cuánta antipatía me causaba.

A Jake se le iluminaron los ojos. Me pregunté hasta qué punto me entendía.

Cuando salimos juntos, comentó:

—Así que hemos eludido el dragón . . .

—Honey no es ningún dragón. No hace más que observar las leyes del decoro.

—¡Leyes del disparate! —exclamó él—. Tú y yo estamos prácticamente casados. No es como si fuera a revolcarte en la hierba, dejarte preñada y abandonarte.

—De acuerdo con tu práctica habitual, supongo.

—Es una práctica trillada. Pero contén tus celos; cuando seas mía quedaré satisfecho.

—Eso lo dudo.

—¿La satisfacción?

—Pensaba en lo otro.

—Confío en que no pretenderás esquivar tus responsabilidades... Mal te iría a ti y a tu gente si lo hicieses.

—Eres un hombre cruel y despiadado. Eres un chantajista, un violador, eres todo lo que los hombres buenos y honestos... y las mujeres... aborrecen.

—Te equivocas. Los hombres procuran emularme; y en cuanto a las mujeres, hay docenas de ellas que darían diez años de su vida por ocupar tu sitio.

—Jactancioso también —dije, riéndome de él.

—Me gustas —repuso.

—Eso lo lamento.

—Sí —continuó él—, me gustas como yo te gusto a ti.

—Tus facultades perceptivas son inexistentes. Yo te odio.

—La clase de odio que tienes hacia mí se parece mucho al amor.

—Mucho te falta aprender sobre mí.

—Y tengo toda una vida para aprenderlo.

—De eso no estés tan seguro.

—Cómo, ¿pretendes eludir tus juramentos?

—Juramentos... ¿qué juramentos? Amenazas violarme, me chantajeas. Después hablas de juramentos.

Se detuvo de pronto y me obligó a mirarlo. Sabiendo que Honey nos observaba desde la ventana, me sentí a salvo.

—Mírame derecho a los ojos —ordenó.

—Se me ocurren cosas más agradables de ver.

Me apretó un brazo de tal modo, que me arrancó una exclamación ahogada.

—Recuerda, por favor, que no estoy habituada a la violencia física. Me magullarás el brazo, como la última vez que lo apretaste.

—O sea que te dejé marcada ... Me alegro. Mírame.

Miré con altanería sus ardientes ojos azules.

—Y ahora dime que te soy indiferente ...

Vacilé y él rió triunfalmente. Me apresuré a decir:

—Supongo que cuando alguien detesta a otra persona como yo a ti, mal se lo podría llamar indiferencia.

—¿Entonces me detestas? ¿Estás segura de ello?

—Absolutamente segura.

—Y sin embargo, disfrutas detestándome. Contesta sin-eramente. Tu corazón late más rápido cuando me ves; tus ojos chispean. No me engañas. Tendré que enseñarte muchas cosas, mi gata salvaje. Comprobarás que soy un excelente instructor.

—Como sin duda muchas otras lo comprobaron ...

—No debes tener celos de ellas. Renunciaría a todas por ti.

—Por favor, no te prives. Ve donde quieras. Sigue instruyendo a otras. Lo único que pido es que me dejes tranquila.

—¿Dejar a la madre de mis hijos?

—Todavía falta concebirlos.

—Lo cual me causa gran impaciencia. Escapemos del dragón ... ahora.

—Ya veo a qué te refieres hablando de tus enseñanzas. Has olvidado que no soy una moza de taberna ni una criada. Tendrías que conducirte de un modo muy distinto para impresionar a una dama de alcurnia.

—Es cierto que no he frecuentado los mismos círculos que tú. Podrías explicarme qué modales esperas, y quién sabe si acaso no intentaría complacerte ... si tú me complacieras también.

—Ahora volveré a la casa —declaré—. Ya llegué bastante lejos.

—¿Y si yo decidiera llevarte conmigo?

—Mi hermana nos observa. Su marido vendría de inmediato a rescatarme.

—¿Por qué iba yo a temerles?

—Si quieres casarte conmigo, no podrías crear una situación tan ignominiosa que ellos no pudieran desconocerla. Decidirían que eres inaceptable como marido.

—En estas circunstancias....

—En cualquier circunstancia —afirmé—. En una familia como la nuestra, la indiscreción que sugieres, si tuviese lugar, significaría que cualesquiera que fuesen las consecuencias, la vengaríamos.

—Tienes lengua afilada. ¡Cuernos! Me parece que podrías llegar a ser una fierecilla.

—Y un estorbo muy pesado como esposa.

—Para ciertos hombres, sí. Para mí, no. Te sacaré el veneno de la lengua y haré que gotee miel.

—No sabía que pudieras expresarte así.

—Todavía no conoces mis talentos.

—Ya tuve bastante de ellos por hoy; ahora volveré a la casa.

Me apretó los dedos.

—Si nos casamos, tendrás que aprender a tratarme con más dulzura. Casi me quiebras los dedos.

—Cuando nos casemos —repuso—, te trataré como merezcas. Y esa cuestión corresponde al futuro más próximo.

Yo, que había logrado retirar la mano, eché a andar hacia la casa.

Los Pennylon partieron esa tarde.

—Cuánta tranquilidad, sabiendo que ellos no se encuentran tan cerca —dije a Honey.

—¿Qué harás, Catharine? —preguntó ella ansiosa—. Podrías volver a tu casa. Podríamos decir que tu madre está enferma. Te conviene marcharte mientras ellos no están.

—Sí, este es el momento —repuse.

Después pensé: si me fuera, él vendría tras de mí. O peor aun, denunciaría a Thomas Elders. Imaginé que todos aquellos que habían acogido al sacerdote serían llevados ante un tribunal.

Edward tenía muchas tierras prósperas; con frecuencia quienes poseían heredades pasibles de ser confiscadas eran los más perjudicados.

Cuando mencioné esto a Honey, ella palideció, sabiendo que era verdad.

—No escaparé —declaré—. Me quedaré. Ya encontraré algún medio, lo juro. No te inquietes; eso es malo para tu hijo.

En mi fuero íntimo, sabía que gozaba peleando con Jake Pennylon. Eso me causaba una especie de placer al revés, y aunque a veces tenía miedo, era un miedo como el que experimenta un niño: un miedo a los duendes y a las brujas del bosque, aterrador, pero irresistible.

Dije que me quedaría.

Tres días después de partir los Pennylon, me encontraba contemplando el puerto desde mi ventana cuando inmediatamente abajo, en el atrio, vi a Jennet. Caminaba furtivamente hacia los establos y llevaba algo escondido bajo el mandil.

Ahora me atendía Luce... la pobre fea Luce, que tenía el hombro izquierdo más alto que el derecho y estaba excesivamente picada de viruelas. En cierto modo, echaba de menos a Jennet. Luce trabajaba bien y me servía con abnegación; Jennet me había traicionado, iniciando así todo el enredo con Jake Pennylon (aunque supongo que este habría buscado otro modo de iniciarlo si no hubiera sucedido aquello). Pero Jennet, con su joven rostro lozano, sus blandos labios sensuales y su espeso cabello desgreñado, me interesaba más. Me pregunté hasta dónde habría llegado Jake Pennylon con Jennet. No dudaba de que era de los que no pierden tiempo cortejando a una criada.

¿Y qué estaría haciendo ahora, yendo a los establos? ¿Iría a encontrarse con algún caballerizo? Deseosa de averiguarlo, salí a hurtadillas de la casa y pasé al atrio por la puertecita.

Cuando llegaba a los establos, oí voces: la de Jennet, más bien aguda, y otras en tono bajo.

Al abrir la puerta los vi sentados en la paja. Jennet había tendido un paño sobre el cual se veían trozos de cordero y carnero, además de medio pastel. Con ella estaban Richard Rackell y un desconocido.

Jennet se incorporó de un salto mientras lanzaba un grito de consternación. Richard se puso de pie, lo mismo que el otro, un hombre de cabello oscuro a quien calculé treinta años de edad o más. Los hombres se inclinaron; Jennet me miraba con ojos dilatados y temerosos.

—¿Qué es esto? —pregunté.

—Señora —empezó a decir Jennet.

Pero Richard intervino:

—Llegó un buhonero con sus mercancías, señora. Viene de lejos y el hambre lo apremia. Jennet le trajo algo para comer de la cocina.

—¿Un buhonero? —repetí—. ¿Y por qué viene a los establos?

—Iba hacia la casa, y al verlo tan cansado le dije que descansara aquí un rato antes de llevar allí sus mercancías.

Richard tenía un aire digno y también interesante. Además, la llegada de un buhonero llamaba siempre la atención, más especialmente allí que en la Abadía. Allá no estábamos lejos de Londres, lo cual nos permitía ir por agua hasta el Chepe y comprar a los tenderos, encajeros y mercaderes.

El buhonero, que se había adelantado, me hizo una reverencia.

—Se llama John, señora, y anhela su indulgencia —manifestó Richard.

El sujeto se inclinó una vez más.

90

—¿No sabe hablar solo?

—Sí, señora —repuso John, cuya voz me recordó a la de Richard.

—¿Viene de lejos?

—Del norte —replicó él.

—Debiste ir a las cocinas, donde te habrían dado de comer. No hacía falta que la criada robara comida para traerla aquí.

—No es culpa de la criada —declaró Richard con dulzura—. Fui yo quien la envié a buscar comida . . . El buhonero John, que tenía los pies llagados, se echó en la paja a descansar un rato.

—Pues bien, que coma cuanto quiera. Y tú, Jennet, puedes ir en busca de un poco de cerveza para que beba. Después podrá ir al lavadero, y allí mostrarnos sus mercancías. Jennet, puedes llevarlo al lavadero cuando haya comido; yo avisaré a la señora Ennis que ha llegado un buhonero que desea ofrecer sus mercancías.

Cuando encontré a Honey y le conté lo sucedido, se mostró tan interesada como yo en ver lo que traía ese buhonero. Este abrió su fardo, en el cual traía seda para pañuelos, así como dijes, cajitas y peines. Vi un peine magnífico para colocar en el cabello, tan alto que añadía siete centímetros a la estatura de quien lo usara.

Me apoderé de él y lo introduje en mi cabellera. Honey declaró que me sentaba muy bien.

La dejé observando las mercancías del buhonero, pues quería probarme el peine. Me imaginé luciéndolo en la ceremonia de los esponsales, que tan poco tiempo antes planeaba eludir.

Me puse un vestido de terciopelo color canela, me coloqué el peine en el cabello y me gustó. Quería mostrárselo a Honey, e iba a ir en su busca cuando se me ocurrió que tal vez todavía estuviese examinando lo que traía el buhonero en su fardo. Miré por la ventana y en ese momento la vi con el buhonero. Este había enrollado su fardo y ambos hablaban con seriedad. Después la vi cruzar con él el atrio y entrar en la casa, no hacia la cocina, sino hacia el sector donde ella y Edward tenían sus habitaciones.

Eso era raro. Cuando venían buhoneros, no se les invitaba a esa parte de la casa. Ofrecían sus mercancías, se les alimentaba y se les permitía descansar, mientras a su mula o sus mulas se les daba de comer y beber en los establos. Una vez que mostraban a la señora de la casa lo que traían, hacían lo mismo para las criadas. La llegada del buhonero era un acontecimiento y nos entusiasmaba a todas, pero no se les recibía en las habitaciones del propietario.

Lo único que se me ocurría era que Honey habría encontrado en el fardo del buhonero algo que quizás le gustara a Edward. Me colmó la curiosidad de saber qué era.

Fui a la sala de las bebidas, suponiendo que era el sitio más probable para hallarlos.

No estaban allí. Apartando la cortina, subí por los peldaños de piedra a la solana. Era esta un vasto recinto, en medio del cual había una cortina que, al correrse, lo dividía. Como las cortinas estaban cerradas, pasé a la segunda habitación. Allí no había nadie. Entonces, al oír sus voces, adiviné dónde se encontraban. Al fondo de la solana, una puerta comunicaba con un pequeño aposento, y adentro de este en lo alto de la pared, había una mirilla; un agujero en forma de estrella que era apenas perceptible. A través de él se podía mirar la sala y ver quién llegaba.

Ahora la puerta de este aposento estaba cerrada, y al ir hacia ella oí rumor de voces. Debían estar allí.

—Honey, ¿estás allí? —llamé.

Tras un breve silencio, la voz de Honey respondió:

—Sí, sí, Catharine. Estamos... estamos aquí.

Abrí la puerta, Edward y Honey estaban sentados junto a una mesa, y con ellos el buhonero.

—Estábamos por mirar el fardo —explicó Honey—. Quise que Edward viera algo.

Yo dije que deseaba echar otra ojeada con ellos. Compré un poco de batista, y Honey algunas agujas e hilo.

Noté a Edward algo tenso, y en la sien le latía una vena que no había advertido hasta entonces.

Tres noches después de la llegada del buhonero, vi de nuevo el galeón. Los Pennylon estaban todavía ausentes, pero preveía su regreso en cualquier momento. Desperté tal como en la anterior ocasión. Eran las tres de la mañana; me pregunté por qué habría despertado. Algo estaba ocurriendo. En sueños había percibido sonidos insólitos... ¿o acaso había estado medio despierta? La luna, casi en plenilunio, iluminaba el interior de la habitación. Me levanté, me acerqué a la ventana, y allí estaba el galeón en toda su gloria, con sus cuatro mástiles claramente visibles... el navío más alto y majestuoso que hubiese visto en mi vida.

El *León Rampante* me causó risa. Deseé que *él* pudiese estar allí en ese momento. ¡Cómo me habría gustado que él viera esa otra nave! Pero la idea de querer que él pudiese estar conmigo por cualquier motivo era tan contraria a mis deseos, que no pude sino reírme de mí misma.

Entonces vi, en las aguas iluminadas por la luna, un bote que evidentemente iba hacia la costa. Comprendí que en él venía alguien desde el galeón.

Me pareció oír la voz de Jake Pennylon: "Por la muerte de Dios, está describiendo un galeón español".

Él no había creído que yo hubiese visto en verdad lo que afirmaba. Había descartado la idea de que un galeón español se atreviera a penetrar en el puerto.

Mientras lo miraba, el bote de remo desapareció tal como la otra noche. Yo no volví a la cama, sino que me quedé observando.

Transcurrió media hora. El galeón seguía estando allí. Entonces oí movimientos abajo. Al bajar la vista, vi una luz en el atrio. El instinto me dijo que ese movimiento de abajo estaba vinculado de algún modo con el galeón. Algo estaba ocurriendo, y mi curiosidad necesitaba ser satisfecha. Cubriéndome con una bata y poniéndome zapatillas, bajé la escalera y me encaminé hacia el atrio.

Al envolverme el fresco aire nocturno oí voces... voces que susurraban quedo. Vi la linterna; allí estaba Edward, y con él un desconocido. Rápidamente corrí al aposento de la solana y miré hacia abajo por la mirilla. Edward acababa de entrar en la sala, acompañado por el desconocido. Sólo podía verlos vagamente a la mortecina luz. Hablaban con seriedad; luego Edward condujo al desconocido escaleras arriba hacia la sala de las bebidas y ya no pude verlos.

Aunque desconcertada, tenía la certeza de que alguien había venido desde el galeón español para ver a Edward.

Volví a mi habitación. El galeón había empezado a moverse. Me quedé mirándolo mientras desaparecía bajo el horizonte.

Un temor súbito me dominó. Edward, que parecía tan manso, estaba enredado en alguna intriga; eso, al menos, era obvio. ¿Adónde nos llevaría eso a todos? Hasta entonces, su asociación con el sacerdote visitante me había llevado a una situación que era desagradable, y que habría sido alarmante de no haber sido tan ridícula. Al mismo tiempo, no sería fácil zafarme de la red tejida por los Pennylon.

Volví a la cama. Dormir era imposible. Tuve un atisbo de lo que significaba esa visita nocturna.

No, me dije; Edward no sería tan imbécil. Es demasiado dulce, demasiado soñador. Pero eran precisamente hombres así quienes se colocaban en situaciones peligrosas.

A la mañana siguiente hablé con Honey.

—¿Qué ocurrió anoche? —le pregunté.

Se puso primero roja, y luego tan pálida, que no dudé de que sabía algo.

—Vi el galeón español en el puerto —continué.

—¡Un galeón español! Soñabas.

—Esta vez no. Lo vi sin lugar a error. Y eso no fue todo. Alguien bajó a tierra... alguien que vino a esta casa.

—Sí que soñaste.

—No es cierto. Vi que un hombre entraba aquí. Honey, estoy envuelta en sus locuras. ¿Acaso no me he puesto en una situación desesperada por ustedes? No quiero estar a oscuras.

Me miró unos segundos con fijeza; luego dijo:

—Enseguida vuelvo.

Regresó con Edward. Este, aunque muy serio, tenía los labios apretados como de seguir con lo que había iniciado.

—Me dice Honey que anoche viste algo. ¿Qué fue, exactamente?

—Un galeón español en la bahía, un bote que venía a la costa y a ti que traías un hombre dentro de la casa.

—¿Y presumes que el hombre a quien viste era el que vino a tierra?

—Estoy segura de ello. Y me pregunto qué ocurre, sí.

—Podemos confiar en ti, Catharine. Sé qué buena amiga has sido para nosotros dos.

—¿Qué estás haciendo, Edward? ¿Quién es el hombre que vino anoche?

—Un sacerdote. ,

—Ah, ya lo imaginaba. ¿No han tenido ya bastante sacerdotes?

—Son hombres buenos a quienes se persigue en nombre de Dios, Catharine.

—Y que traen persecución a otros —murmuré yo.

—Todos debemos sufrir por nuestra fe si así se nos requiere.

—En esta época de nada sirve proclamar en la calle esa fe, especialmente si se contrapone a la que apoyan la reina y sus ministros.

—Tienes razón, y debes saber lo que ocurre. Honey y yo opinamos que deberías volver a la Abadía. Tal vez aquí corramos algún peligro.

—Peligro hay en todas partes. Dime quién era el hombre que vino anoche.

—Un sacerdote jesuíta. Es inglés y ha sido perseguido por su fe. Viene de Salamanca, España.

—¿Y fue traído en el galeón?

Edward asintió con la cabeza.

—Trabajará aquí por el bien de su fe. Visitará casas . . .

—Como lo hace Thomas Elders —comenté.

—Antes se quedará aquí con nosotros.

—Y así nos pondrá en peligro.

—Si es la voluntad de Dios.

—¿Está aquí ahora?

—Salió de esta casa en las primeras horas de la mañana, antes de que despertaran los criados. Llegará hoy a media tarde. Lo recibiré como a un amigo y permanecerá un tiempo con nosotros, mientras hace sus planes. Se lo conocerá con el nombre de John Gregory, un amigo mío de la juventud. Será morador de esta casa hasta que parta.

—Nos pones a todos en un terrible peligro.

—Es muy posible, pero si somos discretos estaremos a salvo. Si deseas volver a la Abadía, Catharine, debes hacerlo.

—¿Han pensado qué harían entonces los Pennylon? Si me burlo de ellos, ¿qué? Si me voy a casa mientras ellos planean festejar la ceremonia de los esponsales, ¿creen acaso que ellos aceptarán esto con calma?

—Que hagan lo que deban hacer.

—¿Y Thomas Elders, y tu jesuíta, y Honey y tú?

—Tendremos que cuidarnos solos. Lo que aquí sucede nada tiene que ver contigo.

Honey me miraba con seriedad.

—No permitiremos que te cases con Jake Pennylon, si tan empeñada estás en lo contrario.

—¡Si estoy empeñada en lo contrario! Odio a ese hombre. ¿Cómo podría sino estar empeñada en lo contrario?

—En tal caso, debemos idear un plan. Según parece, lo mejor es que te marches de aquí, y como dijo Edward, si causan problemas, pues que los causen.

No contesté. Había decidido no volver a la Abadía. No iba a permitir que Jake Pennylon creyera que había huido. Me quedaría y le haría frente; lo vencería a mi manera.

Entre tanto, Edward y Honey se estaban hundiendo cada vez más en una intriga y yo temblaba por ellos.

Esa tarde llegó John Gregory a la casa. Fue recibido como un viejo amigo por Edward y se le asignó el dormitorio rojo con la gran cama imperial y una ventana que permitía ver la campiña en una extensión de varios kilómetros.

Cojeaba al caminar y tenía cicatrices en la mejilla izquierda y en las muñecas. Era alto, un tanto encorvado, y su mirada tenía cierta expresión angustiada que no pude olvidar.

A mi modo de ver, tenía el aspecto de un hombre que

había sufrido. Un fanático —decidí— que muy posiblemente volvería a sufrir. Esa clase de personas me ponía incómoda.

Los criados evidenciaron aceptar la explicación de su llegada. Los vigilé con atención por si surgía alguna sospecha, pero eché de menos a Jennet, que era tan parlanchina y que a menudo me había revelado sin proponérselo los secretos de la servidumbre. Luce era eficiente, pero taciturna, y entonces pensé rehabilitar a Jennet. Ella estaba arrepentida, y yo empezaba a dudar de mis motivos, aunque no sabía con certeza si verla me encolerizaba porque me había traicionado o porque no podía dejar de pensar en Jake Pennylon acariciándola con sus lascivas manos y de preguntarme, claro está, si ya la habría seducido.

Con todo, la traje de vuelta conmigo al día siguiente a la llegada de John Gregory.

La sermoneé un poco.

—Me servirás *a mí*, Jennet —le recordé—. Si vuelves a mentirme, te haré azotar.

—Sí, señorita —respondió ella, muy compuesta.

—Y hay que advertirte que no escuches lo que te dicen los hombres. Te dejarán preñada, y ¿qué crees que te pasará entonces? Recuérdalo —agregué mientras ella se ponía escarlata.

No llegué a pedirle detalles de lo sucedido entre ella y Jake Pennylon, diciéndome que eso era indecoroso... aunque, en cierto modo, ansiaba saberlo.

Trascurrió un día. Yo sabía que el regreso de los Pennylon no podía demorarse mucho. El período de tregua tocaba a su fin.

Los Pennylon estaban de vuelta y ello se pudo advertir enseguida. Hasta los criados parecían alterados, y en Trewynd había aumentado la tensión. Desde su regreso, la presencia de John Gregory en la casa se había tornado más peligrosa.

No tardó en llegar Jake Pennylon. Yo, que lo esperaba, estaba preparada. Había dicho a Honey que no debía dejarnos solos por ningún motivo.

Sentado en la sala, Jake bebía vino. Edward, Honey y yo lo observábamos con atención. Parecía aun más corpulento, más despótico, más arrogante y convencido de su capacidad de obtener lo que quería, de lo que yo recordaba. Sentí crecer en mí ese odio que traía consigo una alocada excitación.

Jake anunció que la ceremonia de los esponsales tendría lugar tres días después.

—Es demasiado pronto —aduje.

—No lo suficiente —me corrigió él.

—Tendré que prepararme.

—Has tenido todo el tiempo de mi ausencia para prepararte. Ya no tendrás más.

Así que ya me estaba dando órdenes.

—La boda tendrá lugar dos semanas más tarde —continuó en tono autoritario—. Y yo zarparé un mes después de ella.

—¿Adónde lo llevará su viaje? —inquirió cortésmente Edward.

—Llevaremos un cargamento de telas a Guinea, de donde espero que volveremos trayendo oro y marfil. No será un viaje largo, si es que puedo evitarlo —agregó mirándome con su lasciva sonrisa—. Echaré de menos a mi esposa.

Edward dijo que le deseaba buen tiempo y hablaron un rato acerca del mar. Jake tenía los ojos relucientes; hablaba del mar con la misma intensidad con que habíamos hablado de nuestro matrimonio. Lo fascinaba el mar porque con frecuencia es salvaje e imprevisible; a menudo tendría que luchar contra él con toda la pericia que poseía. Era un hombre que necesitaba luchar. El matrimonio con él tendría que ser un eterno combate, pues tan pronto como venciera perdería interés. Pero ¿por qué pensaba en casarme con él? Que lo hiciera alguna otra mísera hembra. Yo me disponía a correr un riesgo tan grande como él en sus viajes. Tal vez hubiese alguna similitud entre nosotros, pues por fin yo admitía para mi fuero interno que gozaba con la pelea.

Todos salimos con él al atrio, y en ese momento apareció John Gregory por una puerta lateral. No hubo más remedio que presentarlos.

Jake Pennylon paseó sobre él su mirada diciendo:

—Nos hemos visto antes . . .

John Gregory se mostró intrigado.

—No lo recuerdo, señor —repuso.

Jake entrecerró los ojos como si procurara ver algo que no lograba distinguir bien.

—Estoy seguro de ello —insistió—. No olvido un rostro con facilidad.

—¿Estuvo alguna vez en el norte? —preguntó Edward.

—Nunca —respondió Jake—. Ya lo recordaré; por ahora no lo consigo.

John Gregory arrugaba el entrecejo, sonriendo como quien se esfuerza por recordar, pero me pareció que la cicatriz de su mejilla resaltaba más vívidamente.

—Me alegré mucho al ver a mi amigo —declaró Edward con afecto—. Ha decidido quedarse con nosotros alrededor de una semana.

Pero Jake me miraba, olvidado de John Gregory.

—Te esperaremos temprano en Pennylon —dijo—. La novia no debe llegar tarde; si lo hiciere, se podría pensar que es reacia.

Y tomándome la mano, la besó. Sus labios parecieron quemarme la piel. Me froté la mano en el vestido, lo cual lo divirtió.

Después se despidió.

Cuando entramos en la casa, Edward preguntó a John Gregory:

—¿Qué quiso decir con eso de que lo conocía?

—Sospecha algo —dijo Honey con temor.

—¿Lo habrá visto antes? —insistió Edward.

John Gregory arrugó un momento la frente y luego dijo con suma firmeza:

—No.

Me vestí con mucho esmero para el banquete de mis esponsales. Quería presentarme lo más bella posible, con el único fin —me repetía— de enfurecerlo más que nunca cuando comprendiera que me había perdido.

¿Y después de los esponsales? ¿Qué podía hacer entonces? La única solución que se me ocurría era volver a la Abadía, junto a mi madre. ¿Me seguiría él hasta allí? Si debía partir de viaje, ¿cómo podía ir en mi busca?

Y ¿delataría a Honey y Edward? Sin duda tendría que demostrar que Thomas Elders había estado celebrando misa en la capilla. Pero Elders sería apresado, tal vez torturado, y quién sabe entonces qué surgiría. ¿Y ese tal John Gregory? Tendría que marcharse antes de mi partida. Eso debía hacer yo, por supuesto. Por cierto que no podía arruinar toda mi vida por los problemas que ellos mismos se habían buscado.

Mientras tanto, estaban el baile y el banquete de esponsales, con los cuales me proponía divertirme lo más posible.

Jennet me ayudó a vestir. Era en esto más habilidosa que Luce. Me cepilló el cabello hasta dejarlo brillante, y en el pulido espejo nuestras imágenes resplandecían. Tenía color en las mejillas, y de su gorra escapaba su abundante cabellera; no era una muchacha exactamente bella, pero sí muy deseable, eso se notaba. Había en ella algo de suave y complaciente; pensé que tarde o temprano sería seducida y que era tiempo de casarla.

—Jennet, ¿te agrada Richard Rackell? —le pregunté.

Enrojeció (enrojecía con suma facilidad) y bajó la vista.

—Veo que sí —continué—. No hay por qué andarse con remilgos al respecto. Si le gustas a él quizá pueda haber boda. Tal vez el amo les dé una de las cabañas y ambos podrían seguir trabajando como hasta ahora. Eso te gustaría, ¿verdad?

—Claro que sí, señorita.

—Debes casarte... pronto. De eso estoy segura. Me parece que eres un poco licenciosa, Jennet.

—On, no, señorita. Sólo que...

—Sólo que cuando te tocan y te dicen qué linda moza eres, te resulta difícil negárteles.

Ella lanzó una risita.

—Qué muchacha tonta... Y me estás tirando del cabello.

Habría querido preguntarle: ¿Qué hizo Jake Pennylon después de besarte? ¿Vas a decirme acaso que todo terminó allí? Pero no se lo pregunté.

Ella siguió cepillándome el cabello. ¿Pensaba en Jake o en Richard Rackell?

Decidí lucir un peinado alto, coronado por la peineta que había comprado al buhonero.

—El rizado está de moda, señorita, y yo sé rizar —adujo Jennet.

—Yo me atengo a mis propias modas. No quiero tener el mismo aspecto que cualquier mujer a la moda, ni que cualquier moza de servicio.

Resignada, Jennet me peinó. Me puse mi vestido de terciopelo rojo, muy escotado, con mangas anchas que fluían casi hasta el dobladillo. No era lo que estaba más en boga, es cierto, pero sí elegante, y con la peineta en el cabello, mi aspecto era majestuoso. Decidida, pensé que me haría falta toda la dignidad posible para evitar las atenciones de mi pretendiente.

Jennet me contemplaba con ojos dilatados.

—Ay, señorita, qué hermosa está... tanto que no parece real.

—Soy muy real, Jennet —contesté riendo.

Bajó la vista, soltando una risita. Yo le hablé con brusquedad. Ella sabía que yo seguía disgustada con ella por haber tomado partido junto a Jake Pennylon contra mí. Había en su expresión cierta complicidad. Más tarde me pregunté si Jennet, nacida para dar placer a los hombres, comprendía en parte la índole de mis sentimientos hacia ese... porque aunque me empeñaba en fingir indiferencia, él me excitaba, así fuese de odio.

Entró Honey e inmediatamente me sentí insignificante. Claro que eso les ocurría a todas ante el esplendor de Honey. Vestía de azul... de un azul violáceo profundo, el color de sus ojos, que acentuaba el brillo de estos. Desde que estaba embarazada, su belleza había cambiado un poco, sin perder nada por ello.

Llevaba el cabello sobre los hombros, ceñido con un círculo de perlas. Me apretó la mano, mirándome ansiosa.

—Estoy muy bien, Honey —le dije.

—Tu aspecto es magnífico.

Me miró en el bruñido espejo.

—¿Como una valquiria yendo al combate?

—Sí, algo parecido —repuso ella.

Debíamos ir a Pennylon Court en el carruaje. El carruaje de Edward causaba admiración a todos, ya que pocos poseían semejante vehículo. Casi todos debían contentarse con caballos o con sus propios pies. Era incómodo viajar en el carruaje, que era arrastrado por dos caballos. En Devon nunca habían visto carruajes, pero como estábamos vestidos para el baile, el carruaje era muy conveniente. De lo contrario, habríamos tenido que ir a caballo, llevando nuestros vestidos en una mula para mudarnos de ropa allá.

Mientras nos bamboleábamos por los desparejos caminos, susurré a Honey:

—Cuídame esta noche.

—Lo haremos —repuso ella con fervor—. Edward y yo.

—Estaré en su casa. Eso le dará una ventaja, que no dejará de aprovechar.

—Tú sabrás burlarlo.

—Por cierto que sí, y después, Honey, creo que quizá tenga que volver a casa.

—Edward y yo estuvimos hablando de eso... Pensamos que es lo mejor para ti. John Gregory se irá y estaremos a salvo. Jake no podrá demostrar nada. Edward tiene influencia. No correremos peligro. Y tú no puedes casarte para salvarnos.

—Esta noche, sin embargo, representaré esta farsa. Él creerá haber ganado la batalla. Permitiré que lo crea para que así sea mayor su consternación al verse derrotado.

—Gozas con esto, Catharine. ¿Qué te ha dado? Antes eras tan distinta...

—Es que este hombre despierta en mí tal sentimiento, que casi no me reconozco.

—Ten cuidado, Catharine.

—Pondré sumo cuidado en demostrarle cuánto lo aborrezco y que jamás podrá dominarme.

El carruaje continuaba su marcha. Edward conducía los caballos; detrás suyo íbamos sentadas Honey y yo. No tardamos en llegar a la calzada que conducía a Lyon Court. Pasamos bajo los olmos y vimos la casa: sobre el pórtico, las linternas iluminaban a los leones de piedra gris y aspecto inexpugnable bajo la luz de la luna.

Acudieron los criados. Unos caballerizos se hicieron cargo de nuestros caballos, asombrándose ante el carruaje.

Fuimos conducidos al salón, donde los Pennylon (padre e hijo) aguardaban para recibirnos.

El salón, iluminado por unas cien velas que brillaban en sus candelabros de pared, estaba muy elegante. En un extremo ardía un gran fuego de leños, aunque estábamos en setiembre y no hacía tanto frío. La mesa larga estaba puesta para el banquete, y también lo estaba la más pequeña, sobre una tarima al fondo de la sala. En la galería de los ministriles, unos violinistas tocaban música.

Me vi asida en los brazos de sir Penny y firmemente sujeta contra su corpachón. Dándome un sonoro beso, rió por encima de mi cabeza en dirección de Jake, como si lo provocase. Jake se apoderó entonces de mí. Quise alejarme, pero fue inútil. Fui fuertemente ceñida, apretada contra él, y sus labios cubrieron los míos.

Sir Penn reía diciendo:

—Vamos, Jake, más tarde tendrás tiempo para eso...

Y dio un codazo a Edward, que sonrió débilmente. Los modales de esos dos debían resultarle por demás desagradables.

Rodeándome con un brazo, Jake me obligó a volverme.

—Te quedarás conmigo a saludar a los invitados...

De las residencias cercanas llegaron visitantes que nos felicitaron. Fue algo sumamente embarazoso. Me alegré cuando nos sentamos a la mesa, que cedía bajo el peso de grandes pasteles y tajadas de carne. Había venado, aves de caza, tartas, golosinas de mazapán, pan de azúcar, pan de jengibre y todo tipo de comida imaginable.

Jake Pennylon me observaba, con la esperanza, lo sabía, de que me impresionara la cantidad de alimentos que colmaban la mesa. Era como si me estuviese tentando. ¡Mira cómo vivimos! ¡Observa nuestra bella casa! Tendrás participación en esto. Serás la dueña... pero recordarás siempre quién es el amo.

Aparté de la mesa mis ojos, pues no quería dejarle ver

que estaba impresionada. Puso la mano sobre mi muslo, con dedos ardientes, atrevidos. Tomándole la mano, la aparté de mí, pero entonces él se apoderó de la mía y la sujetó contra sí.

—Aprietas demasiado —le dije—. No quiero quedar cubierta de magulladuras.

—¿No te dije acaso que te dejaría mi marca?

—Tal vez lo hayas dicho, pero yo no querría eso.

—Y supongo que yo debo acceder a tus deseos.

—Es lo habitual mientras se corteja.

—Pero nosotros ya pasamos la etapa de cortejar. Ya has sido conquistada.

—No, por cierto.

—Vamos, mi Cat, este es nuestro festín de bodas.

—Mi madre me llama Cat, y solo ella. No quisiera que nadie más me llamase así.

—Te llamaré como me plazca y para mí eres una gata. Arañas, pero dentro de poco estarás ronroneando en mis brazos.

—Si yo fuera tú, no contaría con eso.

—Pero no eres yo. Eres tú misma, tan enloquecedora.

—Me alegro de exasperarte, ya que es precisamente el efecto que ejerces en mí.

—Eso estimula nuestra pasión.

—Yo no siento pasión alguna.

—Te engañas. Ven, prueba esta malvasía. Te inspirará dulzura, y mira, tenemos copas venecianas. Podemos ser tan elegantes como nuestros vecinos.

—La elegancia no se encuentra en una copa. Lo que importa son los buenos modales.

—¿Y te parece que carezco de ellos?

—Deplorablemente.

—Prometo que no me hallarás carente de ninguna otra cosa.

En la Abadía la comida sobraba, pero nunca se la

había servido de esa manera. Para esa gente, la comida era algo digno de reverencia. El ujier que trajo la cabeza de jabalí fue precedido por otro que besó la mesa, y el ujier, una vez que depositó la bandeja, hizo una profunda reverencia ante ella. Un mozo de cocina recibió unas bofetadas por situarse de espaldas a la mesa. Y cuando fue servido el lechón, los ministriles tocaron sus violines en la galería, y un criado caminó solemnemente ante él, cantando sus virtudes.

Habíamos empezado a comer a las seis; a las nueve estábamos todavía sentados a la mesa. Se había bebido mucho vino y cerveza. Jake y sus padres habían dado el ejemplo a sus invitados; yo nunca había visto consumir tantos alimentos.

Me divirtió y regocijó ver que el vino estaba causándoles efecto, pues supuse que sería más fácil manejarlos en tal condición que si hubieran estado totalmente sobrios.

Los ministriles tocaban casi constantemente. Uno de ellos, cuya voz era agradable, bajó de la galería y entonó una canción de amor, de pie frente a la mesa y dirigiendo sus palabras a mí y a Jake Pennylon.

Mientras los invitados se regalaban con especias azucaradas y mazapán, Jake ordenó que se ejecutara una danza, y tomándome de la mano, me condujo al centro del salón.

Los demás nos siguieron. Jake no era buen bailarín, pero sabía los pasos, de modo que giramos, volvimos uno al otro y nos tocamos las manos bailando. Una vez concluida la danza, me condujo a un banco en el que nos encontrábamos un tanto apartados de los huéspedes. Me seguía apretando la mano.

—Esto . . . es lo que quise desde el momento en que te vi.

—Entonces tu deseo ha sido concedido —observé.

—El primer deseo. Faltan muchos todavía. Pero ya llegarán. Estamos prácticamente casados. Bien sabes que esta ceremonia obliga. Si quisieras casarte con otro, tendrías que obtener autorización de la Iglesia. Estás ligada a mí.

—No es cierto. No hubo ceremonia.

—Estamos ligados el uno al otro. Ahora sólo te queda aceptar tu destino.

—¿Por qué no tomas a otra? Hay aquí, esta noche, mujeres que quizá se alegraran de aceptarte. Es obvio que eres adinerado. No serías mal partido para alguien a quien le gustaras.

—Ya tengo a quien me gusta y que gusta de mí... ¿por qué buscar más, aunque ella es perversa y finge no desearme? Eso me entretuvo... por un tiempo. Pero ya estoy harto de eso y ahora quiero que me demuestres tus verdaderos sentimientos. Te llevaré a recorrer la casa que será tu hogar. Te mostraré las habitaciones que estarán a tu disposición. Ahora ven conmigo; nos escabulliremos solos.

—Advertirían nuestra ausencia.

—Y si lo hiciesen, habría sonrisas y comprensión —rió él—. Tendremos la indulgencia de todos. Estamos casi casados, y la ceremonia final tendrá lugar dentro de poco. Quiero sacarte del cabello ese peine. Tiene un aire español que no me agrada. ¿De dónde sacaste semejante chuchería?

—Lo trajo un buhonero en su fardo. A mí me gusta.

—¡Un buhonero! ¿Así que están introduciendo enfadosas modas españolas? No lo permitiremos.

—Debes saber que me pondré lo que quiera.

—No me provoques o te lo sacaré del cabello ahora mismo. Eso escandalizaría a tu hermana y su elegante marido, no lo dudo. Pero seré discreto. ¡Ven! Te mostraré nuestra cama de matrimonio, la probarás y me dirás si te conviene. Sé que te convendrá, Cat. Desde el primer momento, algo me dijo que tú y yo éramos el uno para el otro.

E intentó ponerme de pie, pero le dije:

—Quiero hablar contigo... seriamente.

—Tenemos años para hablar. Ahora ven conmigo.

—No te amo —continué con firmeza—. Jamás podré amarte. Si estoy aquí en este momento es por tus amenazas. ¿Crees acaso que así se inspira amor? Nada sabes tú de amor. Oh, no dudo que seas un maestro consumado en la lujuria, juraría que muchos piratas lo son. Arrasan poblaciones y a las mujeres que hay en ellas; imponen sumisión, pero eso no es amor. De mí no esperes amor.

—Amor —repitió mirándome con fijeza—. Hablas con vehemencia del amor. ¿Qué sabes de él?

Entonces me resultó difícil dominar mis rasgos, porque tuve una súbita visión de lo que había soñado que sería la vida para mí: Carey y yo juntos. El Castillo Remus habría sido nuestro hogar; me pareció ver el parque de Remus, el rosedal amurallado, el jardín con su estanque y su arbolado paseo, y mi amado Carey con quien solía reñir siendo niña —como ahora reñía con ese hombre, aunque de modo distinto, por supuesto—; Carey a quien el amor había vuelto dulce y tierno como ese hombre jamás podría serlo.

Se había inclinado, acercándose a mí, y me miraba con seriedad.

—He amado —declaré—. Nunca volveré a amar.

—Entonces no eres la virgen que me prometí.

—Me repugnas. Nada sabes de amor; sólo sabes de lujuria. No me he acostado con nadie; he amado y planeado casarme, pero en vano. Mi padre y la madre de él habían pecado juntos... y él era mi hermano.

Me escrutó con los ojos entrecerrados. ¿Por qué había intentado hablarle de Carey? Eso me había debilitado en cierto modo, volviéndome vulnerable. No me tenía compasión; si me amara, pensé, ahora sería tierno, sería dulce conmigo. Pero no abrigaba hacia mí ningún sentimiento tierno; si me necesitaba, era sólo por deseo, por decisión de someterme.

—Sé muchas cosas acerca de ti —declaró—. Tuve que averiguar lo que pude sobre mi esposa. Tu padre fue un charlatán.

—No lo fue.

—Se lo encontró en el pesebre de la Abadía de San Bruno. Toda Inglaterra lo supo. Se dijo que era un milagro y luego se comprobó que no había milagro alguno; era hijo de un monje descarriado y de una moza de servicio. ¿Debería casarme con la hija de un charlatán, la nieta de una criada?

—Por cierto que no —repliqué—. No se puede permitir que un caballero tan refinado y culto haga semejante cosa.

· —Pero —continuó él— ese charlatán llegó a ser un hombre rico, poseedor de tierras eclesiásticas; tu madre proviene de excelente familia, de modo que, dadas las circunstancias, tal vez pueda ser indulgente.

—Sin duda no querrás que una mujer con semejante linaje llegue a ser la madre de tus hijos . . .

—Bueno, debo confesar que algo en ella me agrada, y ya que he llegado al extremo de desposarme con ella, la llevaré a mi lecho, y si me complace la mantendré allí.

—Jamás te complacerá. Huye, todavía estás a tiempo.

—He llegado demasiado lejos en esto.

—Ella te dejaría en libertad, estoy segura.

—La verdad es que yo jamás la dejaré en libertad, y no tardará mucho en ser tan totalmente mía, que me rogará no abandonarla nunca.

—Bonita ficción —comenté—. Sé que está muy lejos de la verdad.

—Ven conmigo ya. Alejémonos sin que nos vean. Deja que te muestre cómo es el amor.

—Eres el último de quien podría aprender eso. Me quedaré aquí, con los demás, hasta que partamos. Y ya debe ser casi hora de que lo hagamos.

—Esta noche estaremos juntos.

—¿Esta noche? ¿Y cómo?

—Fácilmente; yo lo arreglaré.

—¿Aquí?

—Volveré contigo a caballo, tú abrirás tu ventana y yo subiré por ella a tu lado.

—¿En la casa de mi hermana?

—Tu hermana es mujer; comprenderá. Pero no tiene por qué saberlo.

—Sigues sin entender que no estoy tan ávida de ti como tú manifiestas estarlo de mí. Bien sabes que te aborrezco.

—¿Por eso tus ojos centellean al verme?

Me puse de pie y volví a mi asiento, junto a la mesa. Él no tuvo más remedio que seguirme.

Acababan de llegar unos bailarines, que habían sido contratados para entretenernos. Entraron en el salón con sus ropajes moriscos provistos de cascabeles, y sus cabriolas fueron sumamente aplaudidas. Representaron una pieza donde figuraban Robin Hood y la doncella Marian, que fue muy elogiada. Hubo más canto y danza, pero al fin terminaron el banquete y el baile.

Volví con Edward y Honey en su carruaje, pero jake Pennylon insistió en acompañarnos. Iba a caballo junto a nuestro carruaje, ya que, según dijo, no iba a confiar su esposa a los ásperos caminos y a cualquier vagabundo que intentara asaltarnos.

Susurré a Honey:

—Tratará de ir a mi habitación. Lo dijo.

Ella me contestó, también susurrando:

—Cuando lleguemos a casa, fingiré un malestar y te pediré que me cuides.

En Trewynd, cuando bajábamos del carruaje, Honey se llevó una mano a la cabeza, gimiendo:

—Qué mal me siento... Catharine, ¿quieres llevarme a mi cama?

Contesté que sí, por cierto, y me despedí de Jake Pennylon con aspereza. Él me besó en los labios... uno de esos besos que yo empezaba a odiar y me empeñaba en evitar. Me aparté y fui con Honey a su habitación.

—Ahora se irá —dijo ella. Pero no conocía a Jake Pennylon.

Me acerqué cautelosamente a mi habitación, pero no abrí la puerta. Al acercar mi oído al ojo de la cerradura, oí chirriar levemente la ventana al abrirse. Cumpliendo su amenaza, Jake Pennylon había trepado la pared y entrado por la ventana. Sabía que si entraba en esa habitación, allí lo encontraría.

Lo imaginé abalanzándose sobre mí y cerrando mi puerta con llave. Quedaría a su merced, y esta vez no tendría escapatoria.

Dando media vuelta, regresé de puntillas a la habitación de Honey y le conté lo que sospechaba.

—Quédate conmigo esta noche —me dijo—. Edward dormirá en su propia habitación. Mañana debes volver junto a tu madre, Catharine. Este hombre es peligroso.

Qué noche fue aquella. No pude dormir nada. Pensaba sin cesar en Jake Pennylon que, en mi habitación, se aprestaba a capturarme. Creía oír su exclamación de júbilo, al atraparme cuando entrara en la habitación; creía oír girar la llave en la cerradura; creía sentir su corpachón vigoroso oprimiendo mi cuerpo. Tan vívidamente lo imaginaba, que me pareció vivirlo.

No me dormí hasta la madrugada, y luego desperté tarde.

Entró Honey en la habitación.

—Si estuvo aquí, ya se ha ido —anunció—. Su caballo no está en los establos.

Fui con cautela a mi habitación. El sol penetraba a raudales, mostrando mi lecho ... vacío, pero revuelto. Sin duda él había dormido allí.

Me dominó la furia. Se había atrevido a dormir en mi cama. Lo imaginé allí aguardando a la novia que no llegó.

Al contemplar mi cama en desorden, me rindió una sensación de impotencia. Me sentía como un animal perseguido que oye acercarse el ladrar de los perros, sabiendo que el implacable cazador se aproxima.

Hasta ese momento había escapado. No cesaba de pensar con qué facilidad habría podido entrar en esa habitación la noche anterior, para verme atrapada.

Él era de la clase de hombre que hasta entonces siempre había vencido. Yo lo sabía. Pero esta vez no debía vencer. Sabía que debía escabullirme y regresar a mi hogar. Pero ¿acaso eso lo disuadiría? Seis semanas más tarde zarparía, pero era posible que entonces ya llevara su simiente en mi interior. Sentí que si le permitía subyugarme, me despreciaría a mí misma para siempre, y en cierto modo él también. Tal cosa no debía ocurrir; yo debía seguir luchando.

No podía quedarme en esa casa. Supuse que él no tardaría en volver. Debía tomar medidas para no quedar sola con él.

Bajé a los establos. Honey, que me había visto, me siguió hasta allí.

Estaba ceñuda.

—¿Saldrás a caballo ... sola? —preguntó.

—Tengo que hacer algo pronto.

—No debimos permitir esta situación.

—Anoche estuvo en mi habitación. Allí debe haber esperado mi regreso. Durmió en mi lecho.

— ¡Qué... descaro!

— ¿Qué haré, Honey?

—Espera aquí, iré contigo —repuso—. Así no estarás sola. Hablaremos sobre esto.

Volví a la casa con ella mientras se ponía ropa de montar, sacamos nuestros caballos y partimos ... en dirección opuesta a Pennylon Court.

—Debo volver a casa —dije.

—Tienes razón, estoy segura.

—Tendré que irme en secreto. Tal vez dentro de un día o dos.

—Te echaré mucho de menos. Jake Pennylon es decidido, pero al menos quiere casarse contigo.

— ¿Imaginas estar casada con un hombre así? —reí—. Intentaría convertir a su esposa en esclava.

—No creo que tengas pasta de esclava.

—A veces siento ganas de hacérselo entender.

Me miró con expresión peculiar.

— ¿Acaso te atrae un poco, Catharine? —inquirió.

—Tanto lo aborrezco, que obtengo satisfacción frustrándolo.

—Creo que su esposa no sería una mujer muy feliz. Él sería un marido infiel y exigente. He oído hablar de su padre. Ninguna muchacha de la aldea está a salvo de él.

—Bien lo sé. Un hombre así no es para mí.

Habíamos llegado a la cresta de una colina y contemplábamos desde allí la pequeña aldea de Pennyhomick, una cautivante visión con sus casitas apiñadas alrededor de la iglesia.

—Qué tranquila parece —comenté—. Bajemos, ¿quieres?

Al paso de nuestras cabalgaduras, bajamos la empinada cuesta. Cuando llegamos a la sinuosa calle, donde las casas con tejado a dos aguas se unían casi sobre el empedrado, pedí a Honey que se detuviera, ya que había visto un hombre encogido en un portal, y en él advertí algo que era una horrenda advertencia.

—Volvamos —dije.

—¿Por qué? —quiso saber Honey.

—Mira ese hombre. Juraría que está apestado...

Honey no necesitó más. Velozmente hizo dar la vuelta a su caballo. Al pie de la colina vimos a una mujer que se nos acercaba; llevaba cuévanos sobre los hombros y evidentemente había ido a un arroyo en busca de agua.

—No se acerquen, buena gente —nos gritó—. La peste ha llegado a Pennyhomick...

Me estremecí. Antes de que concluyera la noche, en aquel pequeño villorrio habría familias desconsoladas. Pensarlo inquietaba. Y cuando partíamos se me ocurrió una idea. Comprendí entonces que no quería volver a casa. Quería tener la satisfacción de burlar a Jake Pennylon, y los sufrimientos de Pennyhomick me habían dado esta idea.

—Escucha, Honey —dije—; si vuelvo a casa, él puede tomar dos actitudes. Puede seguirme y acaso alcanzarme. O bien es posible que se vengue con ustedes. Es cruel y despiadado. Puedes tener la certeza de que no mostraría piedad. No huiré. Me quedaré aquí y lo burlaremos al mismo tiempo. Voy a contraer los sudores...

—¡Catharine! —exclamó Honey, palideciendo.

—No de veras, mi querida hermana. Fingiré tenerla. Me quedaré en mi recinto. Tú me atenderás. Recuerda que hemos estado en Pennyhomick. Estamos infectadas. Tú me cuidarás y mi enfermedad durará hasta que el *León Rampante* permanezca en el puerto.

Honey había sofrenado su caballo y me miraba con fijeza.

—Pues... Catharine... Creo que podríamos hacerlo.

Yo reí.

—Ni siquiera él vendría donde está la peste. No se atreve. Tiene que partir en el *León Rampante*. No puede arriesgarse a llevar la infección a bordo de su nave. Permaneceré en mi habitación, atendida solamente por ti. Desde mi ventana observaré lo que pasa. Oh, Honey, es un magnífico plan. Él tendrá que zarpar sin someterme a su odiosa lujuria. Y yo moriré de risa.

—Es como tentar a la providencia.

—Nunca habría creído que una biznieta de brujas fuese tan pusilánime. Me prepararás cierta pócima... una mezcla de jugo de ranúnculo y canela, y una pomada. Tendré aspecto de enferma y así me asomaré a la ventana. Si él pasa por allí, pronto se le pasará su lujuria hacia mí.

—Nadie debe saberlo, salvo Edward y nosotras dos.

—Estoy impaciente por empezar, Honey. Iré derecho a mi habitación, quejándome de dolor de cabeza. Me acostaré y enviaré a Jennet en busca de leche caliente con especias. Entonces entrarás tú. Desde entonces tendré los sudores y nadie deberá acercarse a mí salvo mi hermana, que estaba conmigo cuando fui a Pennyhomick y que, por consiguiente, acaso sea otra víctima.

Volvimos a la casa. Cuando uno de los caballerizos recibió mi caballo, dije:

—Tengo una sensación de mareo y dolor de cabeza. Iré a mi habitación.

—Te enviaré una poción —repuso Honey—. Tú acuéstate.

Y ese fue el comienzo.

La noticia circuló con rapidez.

Diez personas habían muerto en Pennyhomick, y la temible enfermedad había penetrado sigilosamente en Trewynd Grange. La joven señora de la casa estaba cuidando a su hermana, con quien ella había entrado en Pennyhomick con muy mala suerte, trayendo ambas la peste a Trewynd Grange.

Honey había dictaminado que nadie entrara en la zona del torreón de la casa donde me había trasladado para aislarme mejor. La comida era traída y colocada en una habitación situada al pie de la escalera de caracol; Honey bajaría y la llevaría a mi aposento.

Edward no venía a vernos, ya que, de hacerlo, nos habría delatado. Teníamos que obrar como si en verdad yo sufriera de la peste y fuera cuidada por mi hermana, que quizá también estuviese afectada.

El primer día me resultó excitante porque, como había supuesto, Jake Pennylon no tardó en llegar a caballo.

Honey tenía lista la pomada que habíamos preparado, con la cual untamos mi rostro. Al mirarme en el espejo, no me reconocí. Yacía en mi lecho con la sábana tapándome hasta la barbilla. Oí la voz de él . . . resonante, apta para dar órdenes en la cubierta de un barco.

—Apártense. Voy a subir. ¡Los sudores! No lo creo.

Temblorosa, Honey permaneció junto a la puerta. Yo seguí acostada y quieta, esperando. Jake abrió la puerta con violencia y allí se detuvo.

—Por el amor de Dios, váyase —murmuró Honey—. Está loco al venir aquí.

—¿Dónde está ella? Es una treta. No me dejaré engañar.

Honey procuró contenerlo.

—Fuimos a Pennyhomick —le dijo—. ¿No ha oído? En Pennyhomick mueren como moscas. No arriesgue su vida y la de muchos otros.

Él se acercó a la cama y me observó.

—¡Dios mío! —susurró, y yo estuve a punto de estallar en risas. Qué aspecto grotesco debía tener . . . ¡No querrá volver a verme nunca más! , pensé.

Como si delirara, murmuré:

—Quén es . . . Carey . . . eres tú, Carey . . . amor mío . . .

Y me extrañó poder reírme por dentro mientras pronunciaba su nombre. Pero lo hice, y me regocijé al ver incredulidad, miedo y horror en ese rostro atrevido y odiado.

Se había vuelto de un matiz diferente, visible aun bajo la bronceada piel. Tendió una mano y la retiró. Se volvió hacia Honey.

—Es en verdad . . . cierto . . . —murmuró.

—Váyase —dijo Honey—. Cada momento que pase aquí está en peligro.

Se marchó; oí su pesado andar en los escalones. Entonces me senté en mi cama y reí.

Los días empezaron a transcurrir. Eran tediosos, monótonos. Poco había para hacer. Bordábamos tapices, pero eso no me agradaba mucho. Con frecuencia veía a Jake Pennylon. Empero, debía tener cuidado, ya que él siempre miraba mi ventana, y si me hubiera sorprendido allí y adivinado la verdad, ni siquiera imagino cuál habría sido su reacción. A veces solía reír pensando en cómo lo estaba engañando; eso fue lo único que hizo soportables aquellos días.

Una vez sugerí a Honey que nos escabulléramos de noche para cabalgar a la luz de la luna. Ella me hizo notar que si éramos descubiertas por algún criado, todos nuestros esfuerzos habrían sido en vano.

Por eso resistí la tentación . . . pero ¡qué aburridos eran esos días!

Todos los días se preveía mi muerte, y se consideraba un verdadero milagro que aún siguiera con vida. Se recordó entonces que una atmósfera de misterio había rodeado a mi padre. Honey era bisnieta de una bruja. Circuló la versión de que conocía remedios capaces de curar hasta la peste.

Jake venía todos los días, aunque sin entrar en la casa.

Hablaba con los criados; los interrogaba minuciosamente. Quizá desconfiara todavía.

El plan funcionaba satisfactoriamente en más de un aspecto, ya que daba tiempo a John Gregory para preparar sus planes con comodidad. Cada cual eludía visitar Trewynd Grange cuando allí había peste.

Tres semanas hacía que vivíamos de esta manera cuando Honey trajo novedades.

Jake Pennylon había decidido partir dos semanas antes. El tiempo sería más favorable y zarparía antes que comenzaran los temporales. De cualquier manera, no podía haber boda por cierto tiempo.

Desde mi ventana observé subrepticiamente la actividad en la zona portuaria. Se cargaba con rapidez; las pequeñas embarcaciones iban y venían. Yo estaba fascinada. Por fin llegó el día en que el *León Rampante* levó anclas y se hizo a la mar, llevándose a Jake Pennylon.

Este me había escrito una carta que me fue entregada mientras yo veía esfumarse la nave en la distancia. La carta decía:

"El viaje no puede esperar más, de modo que parto antes para volver con más presteza. Tú me estarás esperando."

Reí con regocijo: había triunfado.

Tan pronto como el *León Rampante* desapareció bajo el horizonte, comenzó mi recuperación. Una semana más tarde estaba de nuevo en pie. Fue una semana larga, pero teníamos que dar a nuestro subterfugio alguna apariencia de veracidad. Los sirvientes estaban asombrados. Pocos sobrevivían después de contraer la peste. Por añadidura, Honey, que me había cuidado, había salido indemne.

Al finalizar la semana, Jennet volvió a mi lado. Escuchar sus chismes me animó.

Me miraba un tanto pasmada.

—Dicen que tiene poderes, señorita —manifestó.

No me desagradó que se dijese tal cosa.

—Dicen que es hija de uno que fue santo —continuó ella—. ¿Acaso no llegó de un modo distinto a los demás y no se fue de manera misteriosa? Y en cuanto a la seño ra... proviene de brujas. Eso es lo que dicen.

Moví la cabeza asintiendo.

—Pues aquí me ves, Jennet, casi tan bien como siempre.

—Es un verdadero milagro, señorita.

Los días eran largos y en ellos ya no había entusiasmo. La zona portuaria ya no encerraba para mí la antigua excitación, porque el *León Rampante* ya no se mecía sobre las ondas y no había peligro de que Jake Pennylon apareciera de pronto.

Empecé a pensar en volver a la Abadía. Mi madre se alegraría de verme.

Tal vez porque había tan pocas cosas de interés, empecé a fijarme en Jennet. Esta había cambiado de un modo algo sutil. Había en ella algo de furtivo, de reservado; a menudo, cuando le hablaba, se sobresaltaba como temerosa de que yo sorprendiera algún secreto culpable.

Solía ir a los establos, donde una o dos veces la había sorprendido conversando con Richard Rackell.

Tenía yo la certeza de que eran amantes. Jennet no era de las que resisten hasta el matrimonio. Esa expresión vaga en la mirada, ese leve aflojamiento de los labios, ese aire de entendida, eran elocuentes por sí solos. Hablé de ello con Honey.

—Es el aspecto que habrá tenido Eva cuando comió la manzana —dije.

—Tal vez debiéramos hacer que se casen —repuso Honey—. A Edward no le agrada la inmoralidad entre los sirvientes. Y Jennet, si ha perdido su virginidad, es el tipo de muchacha que pasaría rápidamente de un hombre a otro.

Abordé a Jennet diciéndole:

—Pronto volveré a la Abadía, Jennet.

—Oh, señorita, ¿y cuándo *él* vuelva, qué?

—¿Quién? —pregunté con aspereza, sabiendo muy bien a quién se refería.

—El amo... el capitán.

—¿Desde cuándo ha sido amo en esta casa?

—Ay, señorita, me parece que él es amo dondequiera que esté.

—No digas disparates, Jennet. Aquí no es nadie.

—Pero él ha pedido su mano...

—Tú no entiendes estos asuntos. Lo que quiero decirte es esto: bajas a los establos con frecuencia...

El hondo rubor de sus mejillas me indicó que mis conclusiones eran acertadas. Bajó la cabeza, tironeándose el vestido con los dedos. La compadecí. Pobre Jennet... Estaba destinada a ser esposa y madre; nunca podría resistirse a las lisonjas masculinas.

—Y bien, Jennet, ya no eres virgen —continué—. Es muy posible que estés embarazada ¿Pensaste en eso?

—Sí, señorita.

—El amo... el único amo de esta casa... quedará disgustado si se entera de tu conducta. Él exige a sus criados que se comporten como buenos cristianos...

Al ver que le temblaban los labios, la rodeé con un brazo. Mi brusquedad hacia ella se debía a que Jake Pennylon la había persuadido de que me traicionara con suma facilidad. Pero ahora que se había convertido en querida de Richard Rackell, vi con más claridad su situación. La pobre Jennet era de la clase de muchachas que llevan la carga (hay quienes dicen: la bendición) de una sensualidad avasalladora. Había nacido para dar y recibir placer sexual, y sería una tentación perpetua para los hombres porque estos lo eran para ella. Seguir la senda de la virtud le era mucho más difícil que para muchas otras;

121

por consiguiente, había que tratar de comprenderla y ayudarla.

—Bueno Jennet —le dije—, lo hecho, hecho está y de nada sirve lamentarse ya que con eso no recobrarás la virginidad perdida. Has sido necia y ahora debes tomar una decisión. Cuando yo regrese, tendrías que irte conmigo, pero en estas circunstancias el hombre que te ha seducido debe casarse contigo. Yo sé quién es. Los he visto juntos con frecuencia. No imaginas que no se te ha visto entrar a escondidas en los establos. Si Richard Rackell está dispuesto, te casarás con él. Es lo que desearía el amo. ¿No te complace eso?

—Oh, señorita, claro que sí.

—Muy bien, veré si puedo arreglarlo.

Me alegré de veras de verla tan aliviada, ya que le tenía afecto y quería verla casada y asentada.

Cuando volviera Jake Pennylon, la preñez de ella estaría avanzada, ya que según imaginaba, era del tipo de mujer que tendría hijos en abundancia. Él ya no se interesaría por ella, que así quedaría a salvo de esa ignominia. Y yo estaría ya en la Abadía.

Hablé a Honey acerca de Jennet.

—No me sorprendería que ya estuviera embarazada —declaré—. Richard Rackell debe casarse con ella.

Honey, que estuvo de acuerdo conmigo, hizo llamar inmediatamente a Richard.

Cuando este entró en la sala de bebidas y se detuvo frente a la mesa, volvió a llamarme la atención ese aire de buena crianza. No podía creer que Jennet fuese una esposa muy adecuada para él. Con todo, si la había seducido, debía casarse con ella.

—Richard, creo que quizá estés ansioso por casarte.

Él se inclinó con rostro inexpresivo.

—Tengo entendido que tú y Jennet han trabado *excesiva* amistad —agregó ella, subrayando la palabra "excesiva", y como él no contestara, prosiguió—: Dadas las circunstancias, el amo esperará sin duda que te cases con ella. ¿Cuándo lo harás?

Vacilando todavía, él respondió:

—Lo haré a su debido tiempo.

—A su debido tiempo —repetí—. ¿Qué quieres decir?

—Dentro de... tres semanas. Necesito ese lapso.

Me pregunté por qué, pero tanta dignidad había en su actitud, que me pareció impropio insistir.

—Está bien —declaró Honey—. Habrá boda dentro de tres semanas.

—Haremos un festejo —agregué. Ansiaba mucho compensar a Jennet por haber sido dura con ella.

Así se dispuso. Un sacerdote vendría a la casa. Ni Thomas Elders ni John Gregory debían efectuar esta ceremonia; para eso sería demasiado pública.

Hice llamar a Jennet y le comuniqué las novedades.

—Te regalaré tu vestido de bodas; haremos que Luce empiece a prepararlo de inmediato.

Jennet comenzó a llorar, diciendo:

—Señorita, yo no merezco esto. De veras que no.

—Bueno, Jennet —respondí—, has sido un poco imprudente, pero eso ya pasó. Debes ser una buena esposa para Richard y tener muchos hijos; entonces quedará olvidado el hecho de que no esperaste a la ceremonia.

Y le palmeé el hombro, pero con ello sólo conseguí hacerla llorar más.

Como los días eran más bien tediosos, hablábamos mucho sobre la boda de Jennet. Edward había dicho que vendrían los bailarines, habría juegos y hasta se serviría una torta conteniendo una monedita de plata para que quien la encontrara fuese rey por un día.

Desde la partida del *León Rampante,* sir Penn estaba

aquejado de cierta enfermedad periódica cuya índole nadie sabía con certeza, de modo que nos sentíamos seguros de toda molestia que pudiese provenir de allí.

En la cocina habían iniciado la preparación para el banquete. Jennet nunca había sido objeto de tanta atención.

Así trascurrió el día. Dije a Honey:

—Tan pronto como Jennet esté casada y a salvo, iniciaré los preparativos para mi regreso a casa.

—La escena está arreglada —replicó ella—. Jake Pennylon se encuentra en alta mar; su padre está enfermo; hay mucho alboroto alrededor de la boda. Si decides marcharte, tu ausencia no se notará por unos días. Sabe Dios cuánto me apena verte partir. Esto será muy aburrido sin ti, Catharine. Pero si él adelantara su regreso sería demasiado tarde, ya no podríamos volver a engañarlo.

—Si alguna vez se enterara de cómo ha sido engañado, jamás nos perdonará.

—No quisiera enfrentar su venganza.

Me estremecí.

—Sí, tan pronto como se haya celebrado la boda, partiré. ¿Crees que Richard será buen marido para Jennet?

—Es un joven tranquilo, de buenos modales.

—Es un poco extraño. Resulta difícil imaginarlo seduciendo a Jennet.

—Apostaría a que casi toda la seducción provino de ella.

—En fin, él está bien atrapado. Sin embargo, creo que ella será buena esposa. Jake Pennylon logró persuadirla de que me traicionara, pero la he perdonado, pues no dudo de que lo lamenta profundamente.

—Para una muchacha como Jennet, Jake Pennylon sería irresistible —manifestó Honey.

Cambié de tema; no deseaba pensar en Jake Pennylon persuadiendo a Jennet. Ya había pensado demasiado en eso.

Llegó la noche en que, por tercera vez, vi al galeón español.

Había sido un día muy común: cálido y soleado para esa época del año, "intempestivo" lo llamaban; un día tranquilo, pacífico. ¿Cómo es posible que hayamos podido pasar un día así sin percibir los tremendos acontecimientos que nos acechaban?

Al acostarme, sentía un placentero cansancio, y me dormí casi de inmediato.

Como otras noches, me despertaron ruidos insólitos abajo. Permanecí inmóvil, escuchando. Pies que se arrastraban, un roce súbito. ¿Alguna moza de servicio que salía furtivamente al encuentro de su amante? Levantándome de mi lecho, me acerqué a la ventana.

Allí estaba en toda su gloria, más cerca que en las ocasiones anteriores: el potente y magnífico galeón español.

Tenía que bajar. No permitiría a nadie decir que había imaginado mi galeón esta vez. Despertaría a Honey y Edward e insistiría en que mirasen. Eché mano a una bata y me envolví en ella, pero cuando iba hacia la puerta, esta se abrió de pronto y apareció John Gregory.

—¿Qué ocurre? —pregunté.

No me contestó. Llevaba puesta una larga capa con caperuza; tenía el rostro pálido, los ojos brillantes. En ese momento habló en un idioma que yo no conocía, y entonces vi que lo acompañaba un desconocido.

—¿Quién es este? —pregunté—. ¿Qué hacen aquí?

No me contestaron. El desconocido había penetrado en mi habitación. John Gregory me señaló con un movimiento de la cabeza y volvió a decir algo.

El desconocido me aferró. Procuré zafarme, pero me sujetaba con fuerza. Forcejeé. Después lancé un grito, y de inmediato la mano de John Gregory cubrió mis labios. En pocos segundos sacó un pañuelo con el cual me amordazó.

Quedé impedida de emitir un solo sonido. Fui depositada en mi lecho. Pensé entonces: ¿acaso me salvé de Jake Pennylon para esto?

Pero en esos hombres no había lujuria, sólo la decisión de completar una tarea. Quedé maniatada; para eso traían sogas consigo. También me ataron los tobillos, de modo tal que quedé amarrada e indefensa.

Después me sacaron de mi habitación. Así bajamos la escalera de caracol . . . y salimos al atrio.

Allí vi una figura inerte. Había sangre por todas partes. Quise gritar, pero no logré lanzar ni un sonido. Estaba floja de horror y de miedo.

Cuando pasábamos junto a la persona herida, vi que era Edward.

¡Honey! , quise llamar. Honey, ¿dónde estás?

Allí aguardaba el carruaje de Edward. Richard Rackell sujetaba los caballos . . . tres de los mejores y más veloces que poseía Edward.

¡Richard Rackell! ¡Traidor! , quise gritar, pero nada pude hacer.

Fui colocada en el carruaje. Allí yacían otras dos figuras. Mi corazón dio un brinco de emoción, donde el alivio se mezclaba con el horror, ya que eran Honey y Jennet.

Estas me miraron con fijeza, como yo a ellas. Sólo con miradas podíamos comunicarnos. Estaban perplejas como yo. Me pregunté si Honey sabría que Edward estaba en el atrio, tendido en medio de su propia sangre.

Había voces . . . voces extranjeras. Instintivamente supe que hablaban en español.

El carruaje se había puesto en marcha, íbamos hacia el mar.

Habíamos sido raptadas, como los piratas merodeadores suelen hacerlo con las mujeres. Entre nosotros había habido traidores; como resultado, Edward yacía en el atrio cubierto de sangre y Honey, Jennet y yo éramos llevadas al galeón español.

CON DESTINO DESCONOCIDO

Nos trasladaron al bote que estaba a la espera. Vi claramente el rostro de Richard Rackell a la luz de la linterna que él sostenía. ¡Traidor! quise gritar, y sentí en la garganta un dolor físico que era cólera frustrada.

Fui depositada en el bote, donde quedé tendida, impotente. Pusieron a mi lado a Honey, luego a Jennet. No podíamos vernos las caras con claridad porque la noche era oscura. No había luna; sólo la tenue luz de las estrellas que eran visibles donde no había nubes.

Traté de pensar en un medio para escapar. Creía adivinar lo que nos estaba ocurriendo. Habíamos sido raptadas como muchas mujeres durante años. Llegaban piratas a tierra, pillaban, robaban, incendiaban aldeas y poblados y se llevaban a las mujeres para gozarlas.

¡Si hubiera podido hablar con Honey! ¡Si hubiera podido idear un modo de huir! Pero estaba indefensa, amarrada y en un bote que unos desconocidos impulsaban rápidamente con sus remos, mientras dos hombres que se habían hecho pasar por un caballerizo y un falso sacerdote nos vigilaban.

Se me ocurrió una descabellada fantasía. El *León Rampante* aparecería de pronto . . . regresando inesperadamente de su viaje; el galeón sería descubierto. Jake Pennylon lo abordaría; me parecía ver sus ojos relampagueantes, verlo allí de pie, con las piernas separadas, un alfanje ensangrentado en las manos; me parecía oírlo reír al cortar mis ligaduras.

Pero estos no eran más que sueños.

Implacable, la pequeña embarcación surcaba las aguas rumbo al galeón español.

Los hombres recogieron sus remos. Habíamos llegado y ningún *León Rampante* nos divisaba, ningún Jake Pennylon cortaba nuestras ligaduras.

John Gregory se agachaba sobre mí. Cortó la soga que ceñía mis tobillos y me quitó la mordaza que apretaba mi boca. Me ayudó a incorporarme, ya que aún tenía los brazos atados a la espalda.

Me erguí vacilante; el galeón se cernía sobre nosotros.

Honey y Jennet se hallaban a mi lado, sujetas como yo.

—Honey, hemos sido traicionadas —dije.

Ella asintió con la cabeza. De nuevo me pregunté si habría visto el cuerpo de Edward. Pobre Edward, tan dulce y bondadoso . . .

Percibí la presencia de Jennet, que ya no tendría boda.

Una escala de soga pendía por el costado de la nave.

—Subirán por ella —indicó John Gregory.

—¿Sin poder usar las manos, traidor? —inquirí.

—Ahora las desataré, pero no intenten hacer otra cosa que trepar la escala.

—¿Por qué razón?

—Ya lo sabrán.

— ¡Grandísimo bribón! —exclamé—. Vinieron a nuestra casa . . . Nos engañaron . . .

—Este no es momento para hablar, señorita —respondió él con suavidad—. Debe obedecer.

— ¿Subir a ese barco? ¿Por qué motivo? Es hispano.

—Por favor, no me obligue a hacerle daño.

— ¡Hacerme daño! Acaso no me has traído aquí por la fuerza... ¡y ahora hablas de hacerme daño!

—No pierdas la calma, Catharine —me dijo Honey—. De nada servirá.

Su tono expresaba desaliento; entonces me convencí de que había visto a Edward en el atrio.

Pero yo estaba encolerizada.

—No eres ningún sacerdote —dije a John Gregory.

Este, sin contestar, me desató las manos y me empujó hacia la escala de soga. Richard Rackell aguardaba para guiarme; distinguí caras que miraban desde lo alto.

Alguien gritó algo en español, y John Gregory le contestó en ese mismo idioma.

La embarcación se inclinó. No sería fácil trepar por esa escala. Mirando hacia abajo, vi las negras aguas y pensé en morir ahogada. Tal vez sería preferible eso, pensé, aunque no seriamente. Fuera lo que fuese mi vida, yo siempre me aferraría a ella. Alguien puso la soga en mis manos y empecé a trepar. Varias manos se tendieron y fui alzada a cubierta. Oscuros rostros me rodeaban; oí voces excitadas. Después hubo silencio. Alguien se adelantó y habló con voz plena de autoridad. Sin duda había dado una orden, ya que dos hombres me aferraron y me arrastraron hacia adelante; nos seguía el hombre que había impartido la orden y fui llevada a un camarote donde una vela en una linterna de cuerno despedía una luz mortecina.

Me cerraron la puerta y quedé sola. Temblaba, ya que estaba en ropas de dormir y en el bote había hecho frío.

Aún no sabía con certeza si era la temperatura o el miedo lo que así me hacía temblar. Era increíble que el día anterior Honey y yo estuviéramos haciendo tranquilamente planes para la boda de Jennet, mientras que ahora las tres éramos prisioneras en un navío pirata.

Nos habían capturado... a tres mujeres; no parecía haber dudas de la finalidad. Pero ¿por qué tres, y por qué no habían incendiado la casa y no nos habían robado? Quizá lo habrían hecho. Quizá nos habrían apresado antes. Temía que hubieran matado a Edward. No era la primera incursión que tenía lugar en la costa. Cosas así hacían Jake Pennylon y sus hombres en tierras extranjeras.

Nunca debía haber ido a Devon. Debía haberme quedado en mi hogar.

Contemplé el futuro que, según me lo indicaban todos los razonamientos, se perfilaba ante mí. Yo, que con tanta vehemencia me había resistido a casarme con Jake Pennylon, sería usada ahora para satisfacer a hombres (a cualquiera de ellos) que viajaban lejos de su casa y necesitaban diversión.

Ante esa perspectiva, me sentí enferma. Me pregunté si no habría sido más sensata negándome a trepar por la escala: haber elegido la muerte en lugar de aquello.

Una alfombra cubría el piso. En ella me acosté, porque me temblaban las piernas. La nave se mecía sobre las aguas y yo, tendida, contemplaba la linterna que oscilaba con el movimiento del barco.

Pensé en mi madre y en lo que haría cuando se enterara de que yo había sido raptada. ¡Cómo había sufrido ella! Y ahora esto. Y no sólo yo, sino también Honey, y ella nos amaba entrañablemente a las dos.

Pensé entonces en Honey, la bella y altiva Honey, que llevaba en su seno al hijo de Edward; e imaginarla sometida a cien indignidades me acongojó tanto como pensar en mi propio sino. Yo pelearía. Daría puntapiés y gritaría. Si conseguía hallar un cuchillo, me defendería. Sin duda nada podría contra hombres tan vigorosos, pero haría de modo que nunca se sintieran seguros conmigo. Haría de modo que, al dormir, nunca supieran con certeza que yo no hundiría un puñal en sus corazones, o echaría algún veneno en su cerveza o lo que bebieran.

Pensar en lo que haría me consolaba.

Gata salvaje, me había llamado Jake Pennylon. Ellos aprenderían que las gatas salvajes son peligrosas.

El movimiento de la nave había cambiado. Comprendí que habíamos levado anclas y nos alejábamos del puerto.

Se abrió la puerta del camarote y Honey fue arrojada dentro. Vestida como yo con sus ropas de noche, las apretaba para cubrirse. Vi que su bata estaba desgarrada por delante.

"Tan pronto", pensé.

La puerta fue cerrada con llave. Yo me incorporé. Corrimos una hacia la otra y nos quedamos abrazándonos con fuerza.

—Oh, Honey, Honey —exclamé—. ¿Qué te han hecho?

—No me han hecho nada —repuso ella—. Hubo un hombre . . . —se estremeció—. Me llevó a un sitio parecido a este. Me arrancó la bata de los hombros y entonces vio el Agnus Dei que siempre llevo colgando del cuello. Retrocedió como asustado y fui traída aquí . . .

—Honey, esto es una pesadilla. No puede ser cierto —dije.

Ella no contestó.

—Edward . . . —continué.

Permaneció en silencio y de pronto se cubrió los ojos con las manos. Era un ademán de desesperación.

Toqué su brazo con dulzura.

—Él intentó detenerlos —dije—. ¿Dónde estaban los demás ocupantes de la casa? ¿Son todos traidores como John Gregory y Richard Rackell? ¿Qué haremos, Honey? ¿Qué podemos hacer? Nos han traído aquí para que seamos lo que son las vivanderas para el ejército. Pero ellas van de buen grado. A nosotras se nos rapta contra nuestra voluntad. Nos usarán... hasta cansarse de nosotras. Entonces quizá nos arrojen por la borda. Acaso sería preferible defraudarlos. Lanzarnos al agua antes...

Honey seguía callada, con la mirada fija en el vacío. Comprendí que estaba viendo a Edward tendido en su propia sangre sobre el empedrado del atrio.

Porque necesitaba seguir hablando, continué:

—Tal vez en este mismo instante Jennet es obligada a someterse... a quién sabe quién.

Podía imaginarme a Jennet, los ojos dilatados, un poco expectante quizá. Quién sabe si no llegaría a gustar de esa vida. Era distinta de nosotras. Con qué facilidad había accedido a traicionarme cuando Jake Pennylon le había pedido que lo hiciese. Y él, ¿adónde estaba? En alguna parte de la extensión de los mares. Tal vez saqueando algún puerto extranjero y sometiendo mujeres como nosotras éramos sometidas.

Oh, ¿por qué se había marchado tan pronto? ¿Por qué había estado siempre cerca para fastidiarme cuando yo no quería verlo, y ausente en el único momento en que podía haber sido útil?

—Honey... háblame, Honey —pedí.

—Mataron a Edward —dijo ella—. Edward trató de salvarme y ellos lo mataron. Estoy segura.

—Puede que no haya muerto. Puede que venga a buscarnos. Darán la alarma, vendrán en pos nuestra. Seremos rescatadas. Si volviera Jake Pennylon...

—Ha partido en un largo viaje. Tardará meses en regresar.

—Quizá lo encontremos en el mar —dije.

Lo veía abordando el galeón español, refulgente la mirada. Mataría allí mismo a quien se hubiera atrevido a tocarme.

—¿Nadie se te acercó, Catharine? —preguntó Honey.

—No; fui abandonada aquí.

—Están esperando que Inglaterra se pierda de vista.

—¿Y entonces, te parece . . .?

—¿Qué otra cosa puedo pensar? Me salvó el hecho de ser católica. Debes fingir que compartes esa fe, Catharine. Mal te irá si no.

—No fingiré nada.

—Sé razonable.

—Siento que he perdido la razón. He entrado en una pesadilla.

—Este hecho es habitual, Catharine. Deberías saberlo. La piratería en alta mar se está volviendo cada vez más común. Riquezas y mujeres; eso es lo que los hombres van a buscar en los mares.

—Debemos pensar qué hacer.

—Hasta ahora escapé. Tú también debes hacerlo. Cuando imploré a la Santa Madre al atacarme ese hombre, él se asustó. Entonces llegó John Gregory, quien debe haberle dicho que yo esperaba un hijo . . . un hijo católico . . . y él desistió y John Gregory me trajo aquí. Creo que podría ser nuestro amigo.

—Nuestro amigo . . . ¡el que nos traicionó!

—Traicionó, sí, pero creo que le inquieta haberlo hecho.

—Que le inquieta . . . Es un embustero hipócrita.

—Cuida tu lengua, Catharine. Recuerda que necesitamos todos los amigos que podamos hallar. Estoy preocupada por ti. Creo que te reserva para alguien . . . tal vez el capitán. Se te apartó de nosotras y se te trajo aquí . . . Si eso ocurre, procura hablar con él. Tal vez hable nuestro idioma. Ruégale que no actúe temerariamente. Dile que cualquier daño sufrido por ti será vengado.

133

—Eso podría suscitar en él la decisión de hacerme daño.

—Dile que quieres hacerte católica. Que deseas instrucción religiosa.

—O sea que traicione mis convicciones, me arrodille e implore a estos perros que nos traten con respeto. Te aseguro, Honey, que de nada serviría. Si me ofrecieras un Agnus Dei para colgar de mi cuello no lo aceptaría. Procuraré apoderarme de algún arma. Si encontrara un cuchillo, al menos podría presentar resistencia.

—Sería inútil —respondió ella.

Tenía la mirada fija en las tinieblas, el rostro tenso de dolor, y comprendí que estaba pensando en Edward.

No supe con certeza cuánto tiempo permanecimos acostadas en aquel camarote. Creo haber dormido un poco. Estaba agotada por mis emociones. Desperté sobresaltada, preguntándome dónde estaba. El balanceo de la nave y el crujido de sus cuadernas me lo recordaron con presteza.

Apenas distinguía la figura de Honey a mi lado. La linterna oscilaba de un lado a otro, despidiendo un débil resplandor, y el horror de nuestra situación se me presentó con renovada vividez.

Aunque sabía que Honey estaba despierta, nada dijimos. No podíamos ofrecernos el menor consuelo.

Tal vez fuese de mañana; ¿cómo podíamos saberlo? No teníamos con qué medir el tiempo. Tenía la lengua seca, los labios agrietados. Supuse que estaría hambrienta, pero pensar en comida me asqueaba. Así trascurrió tal vez otra hora, o más, hasta que se abrió la puerta.

Nos sobresaltamos aterradas. Era un hombre que traía tazones conteniendo algo parecido a sopa.

—"Olla podrida" —dijo señalando los tazones.

Yo habría querido quitárselos y arrojárselos a la cara, pero Honey dijo:

—Es comida. Nos sentiremos mejor después de alimentarnos. Nos sentiremos capaces de hacer frente a lo que sea.

Comprendí que ella pensaba en su hijo por nacer.

Aceptamos los tazones. La comida olía bien. El individuo asintió con la cabeza y se marchó. Honey ya estaba bebiendo aquel preparado. Su apetito había aumentado desde que estaba embarazada. Solía decir que era su bebé, que exigía ser alimentado.

También yo lo probé. Era sabroso y reconfortante; comprobé que me satisfacía.

Luego dejamos los tazones y aguardamos con aprensión. No tardó mucho en llegar otro visitante: el hombre a quien yo había oído llamar capitán.

Entró en el camarote y se detuvo en la puerta mirándonos. Había en él una dignidad, una cortesanía que despertó mi optimismo.

En un inglés vacilante, dijo:

—Soy el capitán de este navío y he venido a hablar con ustedes.

—Mejor díganos inmediatamente qué significa esto —dije yo.

—Se hallan a bordo de mi barco —respondió—. Las llevo de viaje.

—¿Con qué fin? —pregunté.

—Ya lo sabrán.

— ¡Nos ha raptado de nuestros hogares! —clamé—. Somos mujeres honradas, no habituadas a la brutalidad. Nosotras...

Honey me contuvo apretándome el brazo. El capitán, al advertirlo, aprobó con un movimiento de cabeza.

—Es inútil protestar contra lo que ya está hecho —declaró.

—No obstante, protesto. Ha cometido una maldad.

—No vine a hablar de tales cosas ni a perder el tiempo. Vine a decirles que obedezco órdenes.

—¿Órdenes de quién?

—De alguien que es mi superior.

—¿Quién es, díganos?

Honey me contuvo una vez más, diciendo:

—Catharine, escucha...

—Es sensata —manifestó el capitán—. Lamento que hayan sido capturadas. Eso no debió ocurrir. Fue un error, ¿comprenden? —agregó mirando a Honey directamente.

—Si nos dice qué significa esto, quedaremos agradecidas —dijo humildemente Honey.

—Puedo decirles que, si son juiciosas, no sufrirán ningún daño en este barco. Aquí hay marineros que navegan desde hace muchos meses... me comprenden. Por eso deben tener cuidado. No quisiera verlas sometidas a indignidades en mi nave. Eso sería contrario a mis deseos y a los de mi superior.

—También fue capturada con nosotras mi criada Jennet —intervine—. ¿Qué ha sido de ella?

—Lo averiguaré —me prometió—. Haré cuanto pueda por asegurar la comodidad de ustedes... la de todas ustedes.

Ese hombre me intrigaba. Su mirada se desviaba continuamente hacia Honey de un modo que me era familiar. Con el cabello caído sobre los hombros, ella no podía sino estar bella; además, parecía vulnerable, lo cual inducía en todos los hombres el deseo de protejerla. Supongo que eso ocurría incluso con los capitanes de naves piratas.

Honey y yo nos miramos. El modo en que nos había hablado el capitán nos había traído cierto consuelo. No era un tosco marinero, eso estaba claro, y nos trataba como si fuésemos huéspedes en su barco, lo cual era tranquilizador.

136

El olor a grasa y a comida era intenso en el pasadizo. Como la nave se bamboleaba, tuvimos que asirnos de una barandilla que corría de un extremo a otro del pasadizo. Tropezando, seguimos como pudimos al capitán, que abrió una puerta y se apartó para que entrásemos.

Aquel era su camarote. Era espacioso y con mamparos artesonados. Semejaba una pequeña habitación. Por todos lados había libros e instrumentos. Dominaba el camarote una larga mesa de madera atornillada al suelo; noté asimismo una pieza de artillería que estaba montada en una cureña y apuntaba hacia afuera a través de una tronera. Del artesonado pendía un tapiz que, según comprobé más tarde, representaba la rendición de Granada a la reina Isabel y al rey Fernando.

En esa primera inspección me asombró ver que pudiera haber tanta comodidad en un barco.

—Por favor, siéntense. Haré que traigan comida —dijo el capitán.

Nos sentamos; un marinero descalzo entró y preparó la mesa. Poco después eran traídos humeantes platos de algo semejante a fríjoles y carne salada.

El capitán nos sostuvo las sillas al sentarnos.

—Puede que no tengan apetito, pero conviene comer un poco —observó.

—¿Puede decirme por qué abatieron a mi esposo? —preguntó Honey.

—No sé decírselo. Yo no salí del barco.

—¿Sabía que otros habían ido a capturarnos?

—Esa era la finalidad de nuestra misión.

—Incursionar en nuestras costas para llevarse mujeres... —comencé a decir.

—No. Para llevarla a usted —interrumpió él—. Lo comprenderá a su debido tiempo.

Honey dijo entonces con suavidad:

—Y usted comprenderá que estamos desconcertadas.

Queremos saber qué significa esto. Tememos que nos hayan traído aquí para...

El marino le sonrió cortésmente.

—Ningún daño sufrirán en mi nave si obedecen mis indicaciones. He impartido la orden de que nadie las toque —declaró mirándome, antes de volverse hacia Honey—. Dispondré la misma inmunidad para usted.

—Ya ha sido atacada —observé.

—Confío en que...

—Esto me salvó —explicó Honey, tocando el Agnus Dei—. Esto y John Gregory.

—Cualquier hombre que se atreva a tocar a una de ustedes lo pagará con su vida —manifestó el capitán.

—En tal caso, exijo saber con qué fin se nos ha traído aquí —dije.

—Eso lo sabrán a su debido tiempo.

—Nos 'han arrebatado de nuestros hogares —empecé, pero Honey me contuvo una vez más.

—Por el amor de Dios, Catharine, averigüemos cuanto podamos. El capitán está ansioso por ayudarnos.

El embarazo había provocado en Honey una serenidad que, dadas las circunstancias, no parecía natural. Pensando en su bebé, procuraba ganar tiempo.

El capitán le sonrió de nuevo con gravedad.

—Mi deber consiste en impedir que sufran daño alguno. Cumpliré ese deber... Pero les pido su ayuda. No irán dondo yo no quiera que vayan. Nunca se moverán sin escolta. El llamado Gregory irá con ustedes. No vayan a cubierta sin él. Se habrá advertido a los hombres, pero no siempre es posible controlarlos, y aunque saben que arriesgan la vida, tal vez haya algunos lo bastante violentos como para tratar de imponerles sus atenciones.

—¿A dónde vamos?

—No puedo decírselos. No es un largo viaje. Comprenderán cuando lleguen a destino. Allí se enterarán de la finalidad de su llegada. Si son sabias, olvidarán lo sucedido y mirarán al futuro. En cuanto a esta nave se refiere, ofrezco mi protección y cualquier alivio que pueda proporcionarles. Dicen algunos que un barco se asemeja a un castillo... a un castillo flotante, pero no lo es, como comprenderán. Estamos en el mar, donde no se vive como en tierra. Hay ciertos lujos que no podemos tener. Sin embargo, quiero que tengan toda la comodidad que pueda proporcionarles. Ropas, por ejemplo. No han venido preparadas para un viaje. Trataré de encontrar tela para ustedes. Quizá con ella puedan hacer vestidos. Comerán en este camarote; a veces conmigo, otras veces solas. Les aconsejo que acepten lo que les ha sucedido... que lo acepten con serenidad entendiendo que en este navío, si se atienen a mis instrucciones nada malo puede ocurrirles.

Dicho esto, se dedicó a la carne y fríjoles que tenía en el plato. Yo no pude comer gran cosa, y tampoco Honey.

No podía creer que aquello me estuviese sucediendo en verdad. Me decía que no tardaría en despertar; el galeón español se convertiría en el *León Rampante*, el capitán se trasformaría en Jake Pennylon, y no sería más que otro sueño de los tantos que había tenido acerca de ese dominante personaje.

Pero aquel sueño —aquella pesadilla— seguía y seguía, y lo que se había esfumado era la realidad.

Muy poco después de eso, Honey sufrió un violento malestar. Y no era extraño. No estábamos habituadas al bamboleo de un barco; nos sentíamos mental y físicamente exhaustas, estábamos perplejas y sin saber qué nos estaba ocurriendo. Además, Honey estaba embarazada.

La cuidé y eso me hizo bien, ya que así olvidé todo, salvo mi temor de que muriese.

John Gregory nunca estaba muy lejos. Cuánto odiaba

a ese hombre que se había introducido furtivamente en nuestra casa, fingiéndose un sacerdote, y que había conducido a nuestros raptores a la casa y a nosotras. ¡Un espía! ¡Un traidor!¿Acaso existía algo peor? Ahora, sin embargo, era nuestro protector. Yo no lograba mirarlo sin expresar mi desprecio... Pero era útil.

—Temo que estén matando a mi hermana —le dije—. Conoce su estado de salud; esta emoción ha sido excesiva para ella, como era previsible, por cierto. Yo habría creído que aquellos a quienes amparamos jamás nos traicionarían, pero me equivocaba. Había mentirosos y traidores entre nosotros.

Cuando así lo zahería, él permanecía de pie ante mí, con los ojos bajos, expresando contrición en todos sus gestos. Honey siempre procuraba contenerme, pero yo no podía hacerlo y hallaba cierto alivio en desahogar mis sentimientos.

El segundo día en que Honey estuvo tan enferma y yo temía por su vida, dije a John Gregory:

—Necesito que esté aquí nuestra criada. Tiene que ayudarme a cuidar a mi hermana.

Él contestó que hablaría con el capitán, y muy pronto Jennet estuvo a nuestro lado.

No parecía haber cambiado. Me pregunté si era posible que se pudiera adaptar con tal presteza.

Llevaba puesto un viejo vestido que había recogido antes de ser llevada, y ya estaba recobrando esa placidez total que la caracterizaba.

Ver su cara me irritó, una vez que sentí el alivio de que estuviera viva y sana. Tenía aspecto de estar satisfecha con su suerte. ¿Cómo podía estarlo? Y ¿qué le habría ocurrido?

—La señora está enferma —le dije—. Debes ayudarme a cuidarla, Jennet.

—Oh, pobre señora... Y en su estado —exclamó ella.

La preñez de Honey ya era visible. Yo pensaba con ansiedad en el hijo, lamentando que ambas no hubiéramos vuelto a mi casa, junto a mi madre, el día siguiente a la partida de Jake Pennylon.

Honey se mostraba aliviada por el hecho de que las tres nos halláramos juntas, y Jennet era sin duda una buena enfermera. Había unos toscos escabeles donde podíamos sentarnos, y nos estábamos acostumbrando al bamboleo de la nave y al olor de la cocina. Sin dejar de vigilarla, Jennet y yo conversábamos.

Supe así que uno de los hombres que penetraron en la casa había visto a Jennet. Fuerte y ágil, la había sorprendido cuando se encaminaba hacia mi habitación. La había sujetado, hablándole, pero sin que ella pudiera entender lo que le decía. Entonces la había alzado, llevándosela bajo el brazo como un fardo de paja.

Jennet lanzó una risita y yo comprendí qué había pasado luego en la nave.

—Fue él sólo —declaró Jennet—. Hubo otros que pretendieron, pero él sacó un cuchillo. Y aunque no pude entender lo que decía, supe que quiso decir que yo era suya y que él usaría ese cuchillo contra quien me tocase.

Bajó la mirada, ruborizándose. Me maravilló que ella, tan licenciosa —pues era evidente que su situación no le desagradaba—, pudiera manifestarse tan recatada, ya que no estaba fingiendo pudor, era demasiado simple para eso.

—Me parece que es un buen hombre, señorita —murmuró.

—Tampoco fue el primero que tuviste —comenté.

Se ruborizó más aún.

—Bueno, señorita, por así decirlo, no.

—Por así hacerlo, tampoco —repuse—. Y ¿qué hay de Richard Rackell, con quien ibas a casarte?

—No era un hombre entero —replicó despectivamente.

Sin duda Jennet estaba satisfecha con su nuevo protector.

Habló mucho sobre él mientras cuidábamos a Honey. Escucharla me distrajo, haciéndome olvidar lo que nos estaba ocurriendo a todas.

En realidad, no había estado ansiosa por casarse con Richard Rackell, sólo que a una moza le convenía casarse, y como había cedido, digamos, pues podía haber resultados.

—¿Y si hay resultados ahora? —inquirí.

Respondió piadosamente que eso estaba en manos de Dios.

—Mejor dicho, en las tuyas y en las de tu amante pirata —le recordé.

Tenerla conmigo me alegraba. Dije que las tres debíamos mantenernos juntas; ella debía ayudar en el cuidado de Honey, que iba a necesitarlo.

Fue así que nos acompañó durante aquellos días de intranquilidad, aunque de noche se escabullía furtivamente para estar con su amante.

Es cosa extraña la rapidez con que es posible habituarse a una nueva vida. Sólo podía hacer tres días que navegábamos y ya no me colmaba el temor incrédulo al despertar, ya me había acostumbrado al crujir de cuadernas, a las cabezadas y sacudidas de la embarcación, al sonido de voces extranjeras, al nauseabundo olor que siempre parecía provenir de la cocina.

Honey comenzó a mejorar. Sufría por el mar, y no por una temible enfermedad; empezó a recuperar el color y a reponerse.

Cuando pudo sostenerse en pie, fuimos al camarote del capitán y allí comimos. No volvimos a verlo durante algunos días, y ese camarote, de extraña elegancia en aquel entorno, con sus paredes artesonadas y sus tapices, se nos hizo familiar. Jennet comía con nosotras y nos atendía el propio sirviente del capitán, un individuo moreno y taciturno que jamás pronunció palabra al alcance de nuestros oídos.

Después de las comidas —consistentes principalmente en bizcochos, carne salada y una especie de vino sin refinar— solíamos volver a las habitaciones donde dormíamos, y allí conversábamos sobre el significado de aquella extraña aventura.

John Gregory nos llevó un poco de tela, dos o tres fajos, para que pudiéramos hacernos algunos vestidos. Esta era una buena ocupación, ya que nos animamos mucho discutiendo qué estilos adoptaríamos.

Jennet y Honey eran hábiles con sus agujas, y todas pusimos manos a la obra.

Honey solía hablar mucho acerca del bebé que nacería cinco meses más tarde. Todo era muy distinto ahora. Ella había soñado con que su hijo llegara al mundo en Trewynd o en la morada de los Calperton, en Surrey, o quizá, como deseaba mi madre, habría ido a la Abadía para el parto. Todo eso había cambiado. ¿Dónde nacería ahora su hijo? ¿En alta mar o en el misterioso sitio adonde éramos conducidas?

—Edward y yo hicimos planes para este hijo —decía Honey—. Siempre decíamos que nos daba lo mismo que fuera niña o varón. Edward era bueno y amable, habría sido un padre tan cariñoso, y ahora... Catharine, yo sueño con él allí tendido. No consigo olvidarlo.

Yo procuraba tranquilizarla, pero ¿cómo podía impedir que se apenara por Edward?

Por mi parte, no podía creer realmente en esta vida. Era demasiado fantástica. Si unos rudos marineros nos hubieran maltratado, al menos habríamos podido comprender lo que significaba nuestro rapto. Pero no era así; nuestros raptores nos protegían y nos trataban con sortesía.

—Sencillamente no tiene sentido —dije a Honey.

Rápidamente nos hicimos vestidos que, aunque de ningún modo elegantes, bastaban. A veces se nos permitía pasear por la cubierta. Nunca olvidaré cuando por primera vez salí y me encontré en cubierta, elevada sobre las aguas. Me asombraron las vivas decoraciones y el alto castillo de proa. Asirme a la barandilla, contemplar el horizonte y dejar que mis ojos recorrieran esa gran curva gris azulada, me llenaba de una excitación que no lograba contener pese a mis temores y a mi cólera contra las circunstancias que nos habían conducido allí.

Allí de pie, forzando la mirada, buscaba siempre un barco en el horizonte. Me decía interiormente: "Vendrá. Vendrá en mi busca". Y me regocijaba pensando que eso ocurriría sin lugar a dudas.

Me bastaba cerrar los ojos para verlo allí. "¡Perro español!", gritaría a nuestro capitán, y abordaría la nave pese a la altura de las cubiertas y a que unas sólidas redes se extendían entre los costados y el portalón central que comunicaba el castillo de proa con el alcázar. Observé el enorme cañón, que no se podía dejar de advertir. Sabía que esos cañones podían barrer del océano a un barco... Pero no al *León Rampante*.

Vendrá, me decía. Antes de que lleguemos a nuestro misterioso destino, vendrá.

Pocos días después de nuestra captura, vi un navío en el horizonte. El corazón me dio un vuelco, y me invadió un deleite que pocas veces había conocido.

Honey estaba de pie a mi lado.

—¡Mira! —exclamé—. Un barco. Es el *León Rampante*.

En la cubierta reinaba el tumulto. El rumor de voces colmaba el aire. La nave había sido divisada.

Era el *León*, de eso me sentía segura.

—Es inglés —oí decir en español.

—Ha venido —susurré a Honey—. Sabía que vendría.

Nos quedamos allí, tomadas de la barandilla. El barco parecía un poco más grande, pero aún se encontraba a muchos kilómetros de distancia.

—Debe haber vuelto —continué—. Regresó antes de lo que pensaba. Se habrá enterado inmediatamente de lo sucedido y habrá zarpado en nuestra busca.

—¿Cómo puedes saberlo con certeza? —preguntó Honey.

—¿Acaso no es precisamente lo que él haría? ¿Crees acaso que renunciaría a mí?

El capitán se detuvo a nuestro lado.

—Han visto el barco —dijo con voz queda—. Es un navío inglés.

Triunfante, me volví hacia él.

—Viene hacia aquí.

—No lo creo —repuso él—. No es más que una carabela, un poco deteriorada, que sin duda se dirige a puerto.

—Es el *León Rampante* —exclamé.

—¡Esa nave! La conozco. No, no es ningún *León Rampante,* sino una pequeña carabela.

El desengaño me causó dolor; se me oprimió la garganta y sentí gran cólera hacia ese capitán y esos traidores que habían conducido hasta nosotros a los piratas.

—Esa no se atrevería a acercársenos —prosiguió el capitán—. La barreríamos del mar... Se alejará lo más rápido que pueda, y mientras le limpien los escaramujos en algún puerto inglés, sus tripulantes contarán cómo escaparon de un poderoso galeón.

—Tal vez no siempre ocurra eso —sugerí.

—No —respondió el capitán, interpretándome mal, quizá deliberadamente—, no siempre se nos escapan. Pero llevamos a bordo cierto tipo de cargamento que no deseo arriesgar.

Miraba a Honey, a quien preguntó luego cómo estaba.

Ella contestó que se sentía mucho mejor, y él expresó su satisfacción por ello. Se conducía como si él fuese un vecino cordial de visita, y no el capitán de una embarcación pirata que nos llevaba contra nuestra voluntad.

Por fin se despidió con una reverencia y se marchó. Entonces Honey me preguntó:

—¿Creíste de veras que era el *León Rampante*?

—¡Ay, sí! Ojalá lo hubiera sido.

—Hace muy poco tiempo decías que darías cualquier cosa por escapar de Jake Pennylon.

—Daría cualquier cosa por escapar de estos villanos que nos tienen ahora cautivas.

—No debes pensar más en Jake Pennylon —dijo ella—. Para ti ha muerto.

Entonces me cubrí el rostro con las manos, porque no soportaba mirar a Honey.

Y entonces fue ella quien me consoló.

El capitán era, en verdad, un caballero cortés. Cuando cenábamos con él hablaba con nosotras, haciéndonos preguntas acerca de Inglaterra. Había logrado convencernos de que nada tenía que ver con el asalto a Trewynd. Se había limitado a ejecutar órdenes. Debía conducir a la costa de Devon su nave; a ella sería traída una mujer a quien él tenía que llevar a un sitio preestablecido. No hacía más que cumplir con su deber. No había tomado parte alguna en el rapto propiamente dicho. No se lo podía imaginar haciendo tal cosa en ninguna circunstancia.

Aceptando esto, nos hicimos muy amigos.

Hacia Honey él tenía un tipo especial de devoción. Creo que se estaba enamorando de ella.

Desde que supo que ella estaba embarazada, se preocupaba porque gozara de todos los cuidados.

Un día ella le preguntó si sabía si su marido podía haber sobrevivido, aun cuando temía que esto fuese imposible. Él contestó que lo ignoraba, pero que interrogaría a quienes habían estado en la casa durante el rapto.

Pocos días más tarde se lo dijo:

—Es imposible que su marido haya sobrevivido.

Honey asintió con una especie de desesperanzada calma. Mis sentimientos eran muy distintos. Tenía ganas de gritar. ¡Aquel hombre tan bondadoso, asesinado por ladrones y piratas!

Honey me tomó la mano, como recordándome lo que debíamos al capitán, cuya protección se interponía entre nosotros y un terrible destino que podíamos suponer.

Lo recordé y guardé silencio, pero en mi corazón pesaba la congoja y sufría hondamente por Edward.

Entonces nos alcanzó la tempestad. Tengo la certeza de que nunca estuvimos tan cerca de la muerte como en aquel embravecido mar. Nuestro galeón era potente y sólido, surcaba las aguas con altivez y dignidad, pero hasta él tuvo que vacilar ante la furia de los elementos.

El viento había azotado el velamen durante todo el día. Oímos las voces excitadas de los marineros mientras recogían las velas y cerraban las troneras y escotillas.

El capitán nos ordenó ir a su camarote, diciendo que debíamos quedarnos allí. Bajamos tambaleantes. No podíamos permanecer de pie, y los escabeles en que estábamos sentadas eran lanzados de uno a otro lado del navío.

Jennet se aferraba a mí. Su amante, ocupado en sus tareas, no podía dedicarle tiempo en ese momento, y ella estaba aterrada.

—¿Vamos a morir, señorita? —preguntó.

—No dudo de que el capitán salvará el barco y a nos otros —declaró Honey.

—Morir... sin confesar nuestros pecados —dijo Jennet—. Eso sería terrible.

—Dudo de que tus pecados hayan sido muy grandes, Jennet —procuré tranquilizarla.

—Lo son, señorita —insistió ella—. Son terribles.

—Tontería —repliqué—. Ojalá pudiésemos hacer algo.

—El capitán dijo que nos quedáramos aquí —hizo notar Honey.

—Podríamos ahogarnos como ratas en una trampa.

—¿Qué otra cosa podríamos hacer? —inquirió Honey.

—Algo debe haber. Subiré a ver.

—Quédate aquí —dijo Honey.

La miré, viéndola ya tan evidentemente embarazada; miré a Jennet llena de miedo de morir con sus pecados, y dije en tono de autoridad:

—Tú te quedarás aquí, Honey, y Jennet contigo. Ocúpate de que la señora esté lo más comoda posible —agregué dirigiéndome a Jennet.

Ambas me miraron fijamente, atónitas, pero yo no podía quedarme inactiva esperando simplemente la muerte.

Al salir a la cubierta, me vi arrojada contra los costados de la nave. El galeón parecía lanzar gemidos de protesta. Afortunadamente me encontraba a sotavento; de lo contrario habría caído por la borda. Subir a cubierta contrariando las órdenes del capitán era una estupidez, pero quedarme en aquel camarote traqueteante me era intolerable. La lluvia azotaba despiadadamente la cubierta; el viento sacudía la nave como un perro a una rata. Quedé saturada, ya que al inclinarse la nave, las olas rompían sobre ella; la cubierta estaba viscosa y peligrosa. Sabía que cometería un locura si intentaba cruzarla, y aunque prefería el aire puro a las profundidades del barco, comprendía también que permanecer allí arriba era doblemente peligroso.

148

Caí contra un hombre que forcejeaba con un saco de herramientas en una mano y una lámpara en la otra.

No me reconoció en la oscuridad ; debe haberme confundido con un mozo de cámara, ya que me gritó algo. Comprendiendo que me ordenaba tomar la linterna, lo hice y lo seguí tropezando.

Fui tras él hasta las entrañas de la nave. Allí abajo reinaba una atmósfera espectral. Había escapado del bramido del viento y de la lluvia torrencial, pero el aire era pesado y fétido; en todas partes había un rancio olor a comida, y los gemidos y crujidos del barco parecían proclamar su angustia por el tratamiento que se le daba y su imposibilidad de seguir adelante si la tortura no cesaba.

Unos hombres trabajaban en las bombas. Eso quería decir que hacíamos agua. Sus rostros relucían a la luz de la linterna.

Erguida, sostuve en alto la linterna. Comprobé que el hombre que me había guiado hasta allí era carpintero y había ido a comprobar dónde hacía agua la nave, y repararla si era posible.

Los marineros maldecían al barco y al mar, orando al mismo tiempo por su salvación.

Los miré bombear con todas sus fuerzas, el sudor corriendo por sus rostros.

Se gritaban en español, que yo empezaba a entender un poco. Todos clamaban a la Madre de Dios para que intercediera por ellos, y mientras oraban, movían las bombas.

Entre ellos vi a Richard Rackell.

También él advirtió mi presencia y me miró con esa amarga sonrisa con la que, supongo, pretendía expresar contrición.

Yo le repliqué con la mirada despectiva que reservaba para él. Después pensé: está bien, podría ser nuestra última hora de vida. Al menos debo tratar de averiguar qué lo llevó a engañarnos así. Lo miré con una semisonrisa y su expresión de alivio fue evidente. Alguien me gritó porque había bajado la linterna. Pude interpretar lo que se me reclamaba y la volví a levantar.

Esa pesadilla pareció continuar largo rato. Me dolían los brazos de tanto sostener la linterna, pero al menos eso era preferible a la inactividad. El galeón había cobrado un nuevo carácter; era como una persona viviente. Estaba recibiendo un terrible castigo y soportándolo. Entonces comprendí en parte lo que Jake Pennylon sentía hacia su *León Rampante*. Amaba a esa nave tal vez tanto como podía amar a alguien, y viendo cómo luchaba el galeón por sobrevivir, lo pude entender.

Dos mozos de cámara se acercaron a las bombas y uno de ellos me reconoció, ya que le oí decir algo acerca de "la señorita".

Uno de los hombres se acercó para mirarme con atención. El cabello que me caía sobre la espalda en mojadas hebras me delataba.

Me fue quitada la linterna. Alguien me empujó hacia la escalera de cámara.

Por todos lados me rodeaban los rítmicos sonidos de la bomba; los carpinteros reparaban partes de la nave con delgadas tiras de plomo e introducían estopa en los sitios por donde penetraba agua.

Hallé el camino de vuelta al camarote.

Honey estaba angustiada. Al verme, su cara resplandeció de alivio.

—Catharine, ¿dónde estuviste?

—Sosteniendo una linterna —repuse al tiempo que era lanzada contra el costado del camarote.

Me levanté y tomándome de la pata de la mesa fija, indiqué a las otras dos que me imitaran. Si nos manteníamos así aferradas, al menos no seríamos zarandeadas de un lado a otro.

150

Creí que la nave se volcaría; se elevaba y ladeaba de modo que su costado de estribor debía quedar bajo el mar. Se estremecía como si la sacudieran y despueś parecía permanecer varios minutos en esa posición antes de bajar con estruendo.

Se oían ruidos de objetos pesados lanzados de un lado a otro. Había gritos y blasfemias. De haberme encontrado en cubierta en ese momento, sin duda habría sido barrida por la borda.

—Dios mío, entonces este es el fin —murmuró Honey.

Sentí que todo mi ser clamaba una protesta. No moriría. Me faltaba saber tantas cosas. Tenía que averiguar con qué fin se nos había raptado. Tenía que volver a ver a Jake Pennylon.

Después de eso, aunque la tempestad continuó, empezó a amainar un tanto. Seguía siendo aterradora, pero la nave aún resistía a la tormenta y lo peor parecía haber pasado.

El viento continuó sacudiéndonos durante horas; el navío siguió crujiendo y gimiendo; nosotras no podíamos estar en pie, pero al menos estábamos todas juntas.

Miré a Honey, que yacía exhausta, con sus bellas pestañas largas sobre su pálida piel. Dominada por una especie de cariño protector hacia ella, me pregunté cuándo nacería su hijo y qué efecto podrían tener sobre él estos acontecimientos terribles.

Obedeciendo a un impulso, me incliné sobre ella y le besé la mejilla. Era extraño que yo hiciera tal cosa, ya que no era muy efusiva. Ella abrió los ojos y me sonrió.

—Catharine, ¿aún estamos aquí entonces?

—Todavía estamos vivas —repuse.

—Y juntas —añadió ella.

151

La tormenta había bramado durante dos días con sus noches, pero ya había terminado. Las aguas habían perdido su furia; eran de un tranquilo color verde azulado, y sólo una que otra brisa las agitaba.

No había más que comida fría —bizcochos y carne salada— y nosotras teníamos tanto apetito que disfrutamos de ella.

Cuando aún soplaba la tempestad, el capitán vino al camarote a preguntar por nosotras. Advertí la mirada que dedicó a Honey: tierna, tranquilizadora.

—Estamos surcando la tempestad —nos dijo— La nave resistió... Pero tendremos que ir a puerto para reparar los daños sufridos.

Mi corazón dio un salto. No sería un puerto inglés, por supuesto. Ningún galeón español correría ese riesgo. Pero la palabara "puerto" me entusiasmaba. Quizá pudiéramos escapar y regresar a Inglaterra.

—Mientras estemos en puerto, tendré que mantenerlas confinadas en este camarote —declaró él—. Comprenderán que esto es necesario.

—Si nos dijera adónde se nos lleva, quizá podríamos comprenderlo —repuse.

—Lo sabrá, señorita, a su debido tiempo.

—Quiero saberlo ahora.

—A veces es necesario esperar —respondió el capitán, quien luego se volvió hacia Honey—: Confío en que no haya tenido miedo.

—Sabía que usted salvaría la nave —repuso ella.

Algo parecía ligarlos, un entendimiento, un vínculo. En realidad, yo nunca había entendido a Honey. Esto provenía de su conexión con una bruja y del extraño modo en que había llegado a nuestra familia.

Al parecer, Edward estaba muerto, y ella lo había llorado, pero no por tanto tiempo como se habría podido prever. Había sido un buen marido, y ella estaba acongojada, pero no postrada de dolor como yo había supuesto. Su principal preocupación era el bebé, y la solicitud del capitán le había causado gran alivio.

—Tan pronto como puedan encenderse los fuegos de la cocina habrá comida caliente anunció el capitán.

—Gracias —murmuró Honey, y él se marchó.

—Qué hombre irritante —observé después—. Sabe adónde nos lleva y por qué, y se niega a revelarlo. Ganas tengo de sacudirlo.

—Ha sido bondadoso con nosotras —observó Honey—, y el secreto que guarda no es suyo.

—Lo cierto es que ha ganado tu voluntad —comenté. Ella no respondió.

La tormenta había cesado; la nave, aunque estropeada y no tan altiva como antes, había superado el trance. Aún seguía a flote y podía seguir navegando. Cabía regocijarse por ello.

El capitán nos dijo que habría una ceremonia de acción de gracias en cubierta, y que por haberse salvado todos los que iban en el barco, a todos se les ordenaba concurrir.

Nosotras debíamos ocupar un lugar en la cubierta junto a los demás. John Gregory y Richard Rackell se situarían a cada lado de nosotras. Subiríamos a cubierta cuando la tripulación estuviera reunida y nos marcharíamos tan pronto como terminara la ceremonia.

Un viento penetrante seguía a la nave, y fue un momento notable cuando subimos la escalera de cámara, precedidas por John Gregory y seguidas por Richard Rackell. En la cubierta se alineaban los tripulantes, hombres de todas las edades y tamaños. Servía de púlpito una caja de madera, sobre la cual estaba parado el capitán. Este estaba muy gallardo con su rostro más bien agradable, aunque severo. Era un hombre cortés, aunque se tenía la impresión de que podía ser violento e imperioso si la ocasión lo exigía.

Fue un momento que yo recordaría durante muchos años: el frío viento henchía las velas, echándonos el cabello sobre la cara, esponjando nuestros vestidos y reanimándonos después del encierro en el camarote; en el cielo azul claro se veían pasar nubes; en todas partes se olía a madera mojada, cuerpos sudorosos y ropas mohosas, lo cual hacía que se disfrutara todavía más de aquel aire puro y fresco.

Estar vivas era bueno; se lo comprendía cuando se había estado a punto de morir... sí, aun para cautivas en un barco pirata que eran conducidas a quién sabe qué destino desconocido, estar con vida era bueno.

En ese instante supe que mi entusiasmo vital jamás me abandonaría. Cualquiera que fuese mi suerte, la soportaría, recordando que me proponía seguir viviendo plenamente cada minuto de mi existencia hasta morir.

El capitán leía de la Biblia; yo no sabía qué era, pero sí que era bello. Sólo el viento de las velas y el sonido de su voz rompían el silencio.

Supongo que cada uno de los presentes estaba agradeciendo con sinceridad por estar vivo.

Entonces percibí las miradas que eran lanzadas hacia nosotras, y que en su mayoría se dirigían a mí: miradas extrañas, casi furtivas, que implicaban cierto odio... ¡sí, y temor! ¿Qué significaba eso? Miré a Honey, pero ella nada advertía, y un estremecimiento de aprensión me recorrió. Tenía honda conciencia de cuán vulnerables éramos.

El capitán había cesado de hablar; John Gregory me tocó levemente el brazo.

Era tiempo de que bajáramos.

154

Habíamos anclado a unos dos kilómetros de la costa, y el capitán había venido a hablar con nosotras.

—Lamento no poder permitirles que vayan a tierra —manifestó—. Es importante que, mientras nos hallemos en puerto, me asegure de que estén bien custodiadas. Confío en que comprenderán.

Honey le contestó que sí. Yo pregunté:

—¿No podríamos al menos salir a cubierta a tomar aire?

Contestó él que vería qué se podía arreglar, aunque debíamos prometerle no intentar ninguna locura.

—¿Es locura tratar de volver a nuestro propio hogar? —pregunté, ya que nunca podía resistirme a indicar el perjuicio que nos había causado esa gente.

—Eso sería no sólo una locura, sino una imposibilidad —replicó él cortésmente—. Se hallan en una tierra extraña para ustedes. Sin recursos, ¿cómo podrían regresar a Inglaterra? Desde todas partes las acecharían peligros, de modo que las vigilo por el propio bien de ustedes.

—Y por aquel cuyas órdenes obedece.

Movió la cabeza asintiendo.

Se nos permitió subir a cubierta custodiadas por John Gregory y Richard Rackell. Nos hallábamos a unos tres kilómetros de la costa. Vi árboles, hierba y un caserío. Hacía bien contemplarlos después de no ver nada más que el océano.

Para gran satisfacción suya, Jennet fue autorizada a ir a tierra. La vimos bajar al bote por la escala de soga, riendo cuando su marinero la recibió en sus brazos. Lo vi pellizcarle afectuosamente las nalgas, y a ella reírse de él. No parecía que su rapto la apenara. Era el ser más adaptable que yo hubiera conocido en mi vida.

—Dale un hombre y estará satisfecha —dije a Honey.

—Parece tener cariño a su español —repuso Honey, tolerante.

Cómo me habría gustado bajar a tierra. Me pregunté si Jake Pennylon habría llegado allí alguna vez. Era posible, pues supuse que estas tierras pertenecían a España y que nos encaminábamos hacia la costa de Berbería. Él había hablado de esas aguas. Observé el horizonte lejano, donde mar y tierra parecían unirse, y me dije: algún día aparecerá un barco. *El León Rampante*. Él vendrá, lo sé.

Inclinadas sobre la barandilla, contemplamos la costa. La distancia no nos permitía ver gente, pero sí embarcaciones que se meneaban de un lado a otro.

Poco después volvió Jennet contando lo que había visto.

—¡Gente que parlotea en español! —exclamó—. No entendí lo que decían, pero mi Alfonso sí.

—Era de esperar, ya que es español —repliqué.

La habían llevado a una vinería, donde bebió vino acompañado por unos pastelitos que eran "sabrosos de veras". Hablaba sin cesar de los lugares que le había mostrado su Alfonso.

Al día siguiente entramos en el puerto, donde permanecimos mientras se efectuaban las reparaciones. Había que reacondicionar los aparejos, calafatear de nuevo las junturas; los carpinteros navales estaban muy atareados.

Todo el día hubo actividad a bordo. No sólo se efectuaron las reparaciones, sino que se cargaron nuevas provisiones. Algunos tripulantes desertaron; sin duda la tormenta les había quitado todo deseo de volver al mar. Hubo que buscar reemplazantes.

Ellos estaban muy atareados; nosotras, aburridísimas, y por puro hastío comencé a examinar planes de fuga. Bien sabía que eran absurdos, ya que éramos mujeres extranjeras en tierra lejana, sin dinero y sin conocer el idioma —aunque ya habíamos aprendido algunas palabras— ¡y una de nosotras embarazada! Pero hallaba cierto consuelo en hacer planes. Mi madre siempre había dicho que yo era impulsiva. "Cuenta hasta diez antes de hablar, Catharine", solía decirme. "Y piensa bien antes de obrar".

Pero planear era un consuelo. Dije:

—Podríamos disfrazarnos de marineros. Podríamos escabullirnos a tierra y no tardaríamos en salir de ese pueblito.

—¿Sin ropas, sin dinero, sin saber dónde estamos? —objetó Honey, siempre práctica.

—No tardaríamos en averiguarlo.

—Sería un destino peor que el que ahora nos espera. Hemos tenido suerte. El capitán es un buen hombre.

—A ti te protege, Honey, porque lo has cautivado, y en cuanto a mí, sugiere que me protege con alguna finalidad.

—Lo cierto es que quisiera saber qué nos espera.

—¿No podrías sonsacárselo?

—Nunca revela el menor indicio.

Me sentí frustrada. Buscaba constantemente aquel barco en el horizonte, pero nunca llegaba.

Una vez, hallándome sola con Richard Rackell en cubierta, le hablé.

—¿Por qué nos mentiste? —le pregunté—. ¿Por qué fingiste ser lo que no eres?

—Hice lo que debía —repuso él.

—¿Se te ordenó venir?

Contestó asintiendo con la cabeza.

—¿Con qué fin?

—No puedo decírselo.

—Nos engañaste, nos mentiste, aceptaste nuestra generosidad y por ti un buen hombre yace ahora en su tumba.

Persignándose, Richard Rackell murmuró:

—Que descanse en paz.

—Y tú eres su asesino.

—Jamás lo habría tocado.

—Pero porque tú viniste y colaboraste con nuestros enemigos, él está muerto ahora.

157

Richard Rackell movió los labios: murmuraba una plegaria.

—¡Asesinan y pillan, piratas, bellacos y bribones! —exclamé—. Y sin embargo son todos muy religiosos, según veo. —No contestó y continué—: Y tu prometida... ¿qué? La sedujiste, le prometiste casamiento sabiendo bien que no cumplirías... ¿Estoy en lo cierto?

Él agachó la cabeza.

—Sí que necesitas tus oraciones —dije con sarcasmo—. Ojalá se te retribuya mil veces lo que nos has hecho.

—Señorita, pido perdón —dijo él.

—Pedir es fácil.

Suspiró mirando hacia el mar. Al cabo de un rato continué:

—Dime quién te envió con tus mentiras de que venías del norte...

—Me está prohibido revelarlo.

—Pero fuiste enviado, al igual que el bribón Gregory.

—Fuimos enviados.

—Con la finalidad de llevarnos.

Guardó silencio.

—Por supuesto que sí... Pero... ¡por qué *nosotras*! Si deseaban mujeres, ¿no podían haberlas conseguido en cualquier población costera? ¿Por qué tuvieron que venir, tú y Gregory, y este enorme galeón para llevarnos?

Siguió sin responder.

—Llegaste en el galeón. ¿verdad? Desperté de ñôche y lo vi. Fue cuando el *León Rampante* se hallaba en el puerto. Vi que un bote llegaba a tierra. Tú venías en ese bote... Primero fuiste a Pennylon Court, donde no conseguiste nada. Entonces viniste a nosotros. Es así, ¿verdad?

—Así es, señorita.

—Y el galeón volvió, trayendo esta vez a John Gregory. Vino con sus mentiras y se le dio reparo. Después el galeón vino por tercera vez, y en esta ocasión partimos nosotras en él. ¿Vas a mentirme acaso, diciéndome que no es así?

—No, señorita —respondió humildemente.

—Pero ¿por qué, por qué? —insistí.

No quiso contestarme y quedé tan lejos de hallar la solución como antes.

Mientras estaba apoyada en la barandilla, vino a mi lado el capellán de a bordo. Como hablaba algo de inglés, pudimos conversar. Me dijo que el capitán deseaba que yo recibiera instrucción en la fe católica.

—No haré tal cosa —repliqué con vehemencia—. ¿Por qué iba a hacerlo? He sido arrebatada de mi hogar por la fuerza, pero al menos insistiré en conservar mi libertad de pensamiento.

—Sería para su propio bien y protección —replicó él.

—¡Eso cree! Estoy harta de intolerancia. Mi madre creía en la tolerancia y me enseñó a creer en lo mismo. Yo no pretendo que usted cambie de religión, ¿por qué desea usted que yo cambie la mía?

—Le convendría llegar a la verdadera fe.

Creo haber hablado en voz más alta y vehemente de la que normalmente habría utilizado. De pronto me enfureció tanto que aquella gente pretendiera imponerme su fe. No advertí enseguida que uno o dos marineros se habían acercado y escuchaban con atención.

—Me niego a dejarme coaccionar —exclamé—. Pensaré como quiera. Nadie me obligará a adorar a Dios de una u otra manera.

El sacerdote retiró la cruz que colgaba de su cuello en una cadena y la contempló.

—No se es menos cristiano por no creer del modo

exacto en que ustedes han decidido que todos deben creer
—exclamé.

Cuando se me acercó, lo aparté con un ademán impaciente. Al hacerlo, la cruz cayó de su mano.

Uno de los marineros que observaban la escena exclamó algo que no entendí. No me interesó especialmente, porque en ese momento no advertí la importancia que aquello podía tener.

Habíamos penetrado en mares más calmos y cálidos.

Ahora estar en cubierta era un placer. El capitán estaba inquieto, ya que no había viento suficiente para impulsar la potente nave.

Durante dos días, el tiempo siguió bueno y caluroso, con una leve brisa; después incluso esta cesó. No había ni un hálito de aire; el mar estaba tan sereno, que parecía pintado... ni una onda, ni un soplo de viento; el mar murmuraba a nuestro alrededor; podíamos pasearnos por la nave como si estuviésemos en tierra firme.

Al día siguiente, cuando despertamos, el barco estaba inmóvil; no había vestigios de viento; sus velas eran inútiles; era un castillo flotante en un mar quieto y silencioso. Antes de trascurrir ese día, supimos que estábamos encalmados.

El sol calentaba; habíamos recorrido muchos kilómetros hacia el sur. Qué agradable fue, al principio, recorrer cubiertas y escaleras de cámara que estaban tan firmes como si hubieran estado en puerto.

Todos los días íbamos a cubierta... en compañía de Gregory y Rackell. Jennet trabajaba a menudo con los marineros; yo la había visto descalza fregando las cubiertas cantando mientras tanto; la había visto en la cocina, llenando platos de sopa.

También había visto cómo la seguían los hombres con la mirada, y Jennet también lo advertía. Se ruborizaba constantemente, tanto como siempre, pero su corpulento español nunca estaba muy lejos, con su cuchillo preparado. Era un rey entre los marineros; poseía una mujer, que era lo que ninguno de los demás tenía. Yo sabía que ellos pensaban que él debía haberla compartido, pero por el bien de Jennet me alegraba de que. él se negara. Con todo, pensaba en lo peligroso que era para ella andar entre ellos. A veces nos miraban ... la hermosa Honey, con el vientre ya hinchado por el embarazo, y yo, la virgen de ojos relampagueantes que —ellos lo sabían— se defendería con dientes y uñas si era atacada. No era la gravidez de Honey ni mi fogosidad lo que nos salvaba, sino las órdenes del capitán. Latigazos para quien intentara vejarnos, y para el que lograra hacerlo, la muerte. Así nos había dicho John Gregory.

Comíamos en el camarote del capitán, que nos hablaba de sus preocupaciones.

La tempestad había sido violenta, amenazando con destrozar nuestra nave y lanzarnos a todos al despiadado mar, pero en tal emergencia era necesario trabajar constantemente. No se podía ceder ni perder tiempo. Cada uno luchaba por la vida del barco que significaba la suya propia.

Pero estar encalmados era distinto. No había nada que hacer, salvo contemplar ese mar que parecía pintado en un lienzo, tan quieto estaba. Poco se podía hacer, salvo observar el cielo brillante y despejado buscando señales de nubes y de un poco de viento. Las velas colgaban inútiles. El calor aumentaba; si continuaba la calma, no habría comida suficiente para que llegáramos al puerto siguiente, donde podríamos reaprovisionarnos. Y lo peor: los hombres ociosos son peligrosos.

El capitán oraba por que soplara viento. Yo dije a Honey:

—El viento nos acercaría más a ese misterioso destino.

¿Debemos orar por que haya viento? ¿O estamos mejor en esta nave?

Honey respondió:

—Debemos orar por que haya viento, porque los hombres se intranquilizan, y los hombres intranquilos son peligrosos.

Y también ella oró por que soplara viento.

Habíamos ido a cubierta para respirar aire puro. Habían transcurrido otro día y otra noche sin que hubiera todavía señales de viento. La tensión aumentaba; se estaba volviendo cada vez más obvia. Los hombres ociosos murmuraban en grupos.

Habría que racionar los alimentos; el agua debía utilizarse con más precaución que nunca. Y poco se podía hacer, salvo esperar una brisa. El enorme galeón era impotente; y no era sino un casco lleno de hombres inquietos y descontentos.

Yo había notado que uno de los hombres me miraba pensativo. Sabía qué significaba esa mirada; la había visto en los ojos de Jake Pennylon. Acaso John Gregory la notó también, ya que nos urgió a bajar.

El mismo día, más tarde, volví a ver a ese hombre; estaba cerca de la barandilla donde yo solía detenerme. Lo oí mascullar algo, y creo que sus palabras estaban dirigidas a mí.

Tuve miedo. Pero me tranquilicé pensando que las órdenes del capitán serían obedecidas, y que yo estaba a salvo de todos los tripulantes de esa nave. No sabía qué me esperaba al finalizar ese viaje, pero allí estaba protegida, ya que se me reservaba para no sé qué misteriosa misión.

No había tenido en cuenta el hastío que reina en un barco encalmado... y las ansiedades que se mezclaban con el hastío. Poco que hacer todo el día, aparte de esperar el viento y la posibilidad de morir a causa de los elementos que, violentos o tranquilos, podían ser mortíferos.

Cuando los hombres se encuentran en tal situación, se arriesgan.

Noté su presencia: tenía aros en las orejas, y sus negros ojos relucían en su oscuro rostro tostado. Se acercaba sigilosamente. John Gregory fue a mi encuentro, pero aquel hombre vino también. Volviéndome hacia John, pregunté:

—¿Bajamos?

Cuando me adelantaba, el hombre moreno tendió un pie; cuando tropecé, me sujetó, y por un momento me sentí ceñida contra él. Vi de cerca los oscuros ojos llenos de lujuria... el relampaguear de unos dientes amarillos.

Lancé un grito, pero él, sin soltarme, comenzó a arrastrarme consigo. Pero acudió John Gregory. Los dos me aferraban, tironeándome a un lado y otro.

Apareció el capitán no sé de dónde, salvo que estuviera siempre vigilando cuando nos encontrábamos en cubierta. Gritó una orden a un grupo de marineros que se encontraban cerca. Por unos segundos aterradores, todo pareció quedar inmóvil como el océano. Nadie se movía. Una idea acudió a mi mente: es un motín. El capitán volvió a hablar. Su voz resonó clara y firme, con una autoridad a la cual aquellos hombres estaban habituados a responder.

Dos de ellos se adelantaron; apresaron al individuo moreno y lo sujetaron con firmeza. Fue conducido lejos de allí.

—Deben bajar —me indicó el capitán.

Aquel hombre fue azotado, y la tripulación del barco fue reunida para presenciarlo.

Nosotras, por supuesto, no fuimos espectadoras. Permanecimos abajo, en el camarote del capitán, pero sabien-

163

do lo que pasaba. Podía imaginármelo como si estuviera allí: ese hombre amarrado al poste de flagelación, con la espalda desnuda; el terrible látigo que bajaba dejándole la carne desgarrada, llagada y sangrienta. Podía imaginar su tormento y ansiaba subir corriendo para impedirlo.

Más tarde el capitán vino al camarote.

—Ya recibió su castigo —declaró—. Será una lección.

Me estremecí y él continuó:

—Sobrevivirá. Treinta latigazos. Con cincuenta hab'.. muerto.

—¡Y todo porque me tocó!

—Tengo un deber que cumplir —repuso él.

—O sea protegerme.

—En efecto.

—Ese hombre nunca me olvidará ni me perdonará —comenté.

—Esperemos que nunca olvide la necesidad de obedecer órdenes.

—Me acongoja que semejante cosa haya sucedido por mí.

—Renovemos nuestras oraciones pidiendo la brisa —dijo el capitán.

Otro día pasó; un día de calma anhelante.

Yo temía subir a cubierta después de lo sucedido; sabía que no me encontraría con aquel hombre porque sus heridas le impedirían estar en pie y mirarme.

—Dicen los hombres que estuvo a punto de morir —informó Jennet—. El látigo es cosa terrible. Le dejará la espalda marcada para siempre.

—Pobre hombre. Lo compadezco.

—Se había estado jactando de que la haría suya. Decía que no le importaba quién era. Decía que no le importaba si la enviaba el Diablo, él la tomaría.

Jennet llevaba colgada del cuello una pequeña imagen

de la Virgen. Se la había dado su amante como talismán para protegerla de todo daño.

—¿Qué es eso? —le había preguntado yo.

—Es la Virgen. Protege a las mujeres —me había contestado ella.

Ahora estaba inquieta y quería dármela.

—Tome mi Virgen, señorita —imploró—. Cuélguesela del cuello.

—Tú la necesitas, Jennet. Andas entre los marineros.

Ella sacudió la cabeza con temor.

—¿Qué ocurre, Jennet? —le pregunté.

—Es por lo que dicen, señorita. Por lo que dicen acerca de usted.

—¿Y qué dicen acerca de mí?

—Cuando lo estaban azotando, gritó. Dijo que era el Diablo en usted quien lo había provocado. Dijo que usted era una bruja y una hereje. Había arrojado al suelo la santa cruz del sacerdote, dijo, y había traído desgracia al barco. Dijo que las brujas fraguan tempestades, ¡y acaso no habíamos tenido una tempestad como pocas veces se había visto antes! Después todos dijeron que un hombre casi había muerto por culpa suya y ahora no sopla el viento. Me asustan, señorita. Por eso... tome la Virgen, ella la protegerá.

Un frío temor me dominó entonces. Recordé aquel momento de vacilación, cuando el capitán les había ordenado apresar a mi atacante. Comprendí que había motín en el ambiente, y para mí un terror personal, ya que muchos de esos hombres me creían una bruja.

¿Qué les hacen a las brujas?, me pregunté.

Y la calma proseguía.

Me hallaba en cubierta, contemplando el lejano horizonte; el cielo era de un delicado azul, el mar como una sábana de seda, sin la menor ondulación; en todas partes silencio.

En la cubierta, un grupo de hombres nos observaban furtivamente. John Gregory estaba nervioso; Richard Rackell, pálido.

—Aquí hace mucho calor —dijo Gregory—. Creo que debemos bajar.

—Sin apresurarnos, pero pronto —repuse.

De algún modo sabía que una fuga apresurada habría inducido a esos hombres a la acción.

Muchas veces había tenido miedo desde que puse pie en ese barco, pero creo que entonces vivía algunos de los momentos más aterradores.

Paseé la mirada por ese gran arco celestial; contemplé con fijeza el horizonte; pregunté a John Gregory si había alguna esperanza de que cambiara el tiempo... y mientras tanto, advertía que esos hombres me observaban.

Por último dije:

—Ya estoy cansada. Bajemos.

Lentamente me encaminé hacia la escalera de cámara. A cada instante esperaba oír detrás mío un roce, un rumor de pasos, sentir que fuertes brazos me apresaban. Sabía que estaban preparados y a la espera de quién sabe qué señal. Quizás oiría estas palabras: " ¡Hereje! ¡Bruja! " ¿Qué hacían en España a los herejes? Los amarraban a una estaca, les ponían leña a los pies y luego encendían las hogueras. Las llamas consumían los cuerpos de los heréticos, como anticipo del destino que, según creían muchos, los perseguiría por toda la eternidad.

Yo me rebelaba (como siempre desde que mi madre me lo enseñara) contra semejante fanatismo. Nunca pude creer que vivir correctamente dependiera de una sola modalidad en las creencias. Pero ahora tenía miedo.

Llegó el capitán a su camarote, donde se nos había conducido, y dijo:

—En mi opinión, sería sensato que se quedaran aquí hasta que partamos. En el estado de ánimo en que se encuentran los hombres, no. conviene que las vean.

Moví la cabeza asintiendo; ahora estaba de acuerdo con él.

La puerta quedó cerrada, y John Gregory de guardia junto con Richard Rackell, mientras nosotras permanecíamos en el camarote.

Llegó la noche. Cada sonido hacía latir con violencia mi corazón. Los imaginaba a todos tomando por asalto el camarote, derribando la puerta y apoderándose de mí. Casi podía oír sus gritos: ¡Bruja, hereje!

Querían destruirme porque me encontraba a bordo y me mantenía alejada de ellos. Mujeres a bordo... tres, nada menos, y una sola sirviendo a la finalidad para la cual esos hombres debían considerarlas destinadas. Jennet... propiedad del fornido Alfonso. Honey y yo mantenidas bajo guardia estricta, según órdenes del capitán. Y en todas partes esa calma que era más devastadora que la tempestad.

Dormí, aunque de modo intermitente.

Susurré a Honey:

—El capitán no podrá custodiarnos eternamente.

—Nos custodiará todo el tiempo necesario —repuso ella, que tenía una fe ciega en él.

Volví a pensar en Honey, que al parecer era viuda. Pero sus penurias y el hijo que llevaba en su seno parecían impedirle pensar en la pérdida de Edward. Reflexioné también acerca de ese hondo sentir que percibía en ella y ese capitán. Algo había allí, cierta comprensión. Me pregunté si sería amor.

Entonces pensé en Jake Pennylon, y mi corazón dio un vuelco, ya que constantemente pensaba: vendrá por mí. Me buscará y me encontrará.

Ningún barco podía navegar en un mar tan quieto;

¿era esa la razón de mi temor? Él no podía venir a mí porque el *León Rampante* quedaría tan inmovilizado e indefenso como el galeón.

Volví a sentir temor. Nos hallábamos atrapadas en un pequeño castillo flotante; un agudo peligro nos rodeaba y nuestros protectores nada podrían contra una banda de hombres desesperados.

Debía aceptar el hecho de que era sólo cuestión de esperar.

Llegó la mañana . . . la tranquila y bella mañana. Salió el sol, tiñendo el mar de escarlata e iniciando su ascenso en el cielo.

Un día más . . . de asfixiante calma y creciente tensión.

Permanecimos en el camarote. Cada vez que se oían pasos del otro lado de la puerta, nos sobresaltábamos.

El capitán había asignado tareas a sus hombres. No podían fregar las cubiertas porque escaseaba el agua, pero podían recorrerlas llevando bateas con pez ardiente para fumigarlas. El olor que ellas despedían era fétido y nauseabundo. También les ordenaba pescar; útil ocupación, pues podían cocinar lo que pescaran y compartirlo con sus camaradas.

Pero aun así, la tensión iba en aumento. Mientras pescaban, hablaban acerca de la bruja hereje que había hechizado la nave y estaba llevándolos a todos al desastre.

Jennet nos trajo noticias.

—Los hombres se reunirán esta tarde —dijo—. Es un plan de acción. Están decidiendo qué harán.

Tenía los ojos dilatados y temerosos. Sentía afecto hacia mí.

—Póngase la Virgen, señorita —insistió—. La salvará.

Y yo me la puse, diciendo que era para complacerla,

aunque en verdad estaba dispuesta a recurrir a cualquier cosa que pudiera ayudarme y servirme de algo.

Se reunirían esa tarde. Yo estaba en el camarote, y Honey conmigo. No le conté lo que me había dicho Jennet. Sería malo para el bebé que ella se asustara demasiado.

Imaginé lo que ocurriría: ruido de pasos en la escalera de cámara, golpes de puños en la puerta.

Con una excusa, salí del camarote. Junto a la puerta estaba Jennet, con los ojos redondos de horror.

—¿Qué está pasando, Jennet? —le pregunté.

—Están arriba, en cubierta —replicó ella—. Nada podrá detenerlos, señorita, ni siquiera el capitán. Dicen que es magia negra...

—¡Vendrán en mi busca!

—Oh, señorita, es terrible.

Me disponía a subir la escalera de cámara cuando ella me detuvo.

—No vaya. Si la ven, enloquecerán. Tiene la Virgen, señorita. Ruegue a la Virgen; ella protege a las mujeres.

Pude oír los gritos de los marineros. Jennet susurró:

—Dicen que es bruja. La culpan por todo lo que ha salido mal. Oh, señorita, están amontonando haces de leña en la cubierta... allí. Tienen una estaca para atarla a ella. Es lo que hacen con las brujas.

—Dios mío, Jennet —exclamé—. Este es el fin... el horrible fin.

—No, señorita, esto no debe ocurrir. Conozco un sitio donde podríamos ocultarnos. Me lo mostró Alfonso, que me pone allí a veces... cuando no puede estar cerca para cuidarme. Venga pronto.

La seguí sin fijarme adónde íbamos. En la imaginación

oía el chisporrotear de las llamas, sentía la carne abrasada y quemada.

Estaba próxima a la muerte —a una muerte espantosa— y comprenderlo me aterraba.

Jennet abrió una escotilla y llegamos a un oscuro agujero. El olor era nauseabundo, pero la oscuridad traía consuelo.

Pero ¿cuánto tiempo podríamos permanecer escondidas?

Jennet oraba a la Virgen, la protectora de mujeres, y nunca hubo mujer más necesitada de protección que yo.

Oré con ella . . . oré por un milagro.

No sé cuánto tiempo permanecimos en aquel oscuro agujero. Sólo sé que el milagro aconteció. Después de haber estado allí un tiempo que nos pareció muy largo, advertimos que algo sucedía. La nave se estaba moviendo.

—Ya pasó —exclamó Jennet—. La calma pasó.

Y levantando la escotilla, salió, pero no me permitió que la siguiera.

—Quédese aquí, que estará a salvo. Yo volveré pronto.

Poco después regresaba con la cara resplandeciente de júbilo, exclamando:

—Ya pasó. Sopla una maravillosa brisa. Todos están entusiasmados. Ya nadie piensa en usted; está a salvo.

Sí, el milagro había ocurrido.

Qué magnífico espectáculo era un navío con sus velas henchidas al viento, que avanzaba como si se zambullera de alegría en el océano. El maravilloso viento nos impulsaba adelante. El mar había revivido. La calma mortal había pasado.

La tensión se aflojó. Había tanto por hacer, que pocas

oportunidades tenían los marineros de planear motines. Se gritaban órdenes que eran animosamente obedecidas; hubo comida y bebida adicional para que todos celebraran; se realizó una ceremonia de acción de gracias a la cual no concurrimos.

Una semana más tarde divisamos tierra. Vimos primero una montaña nevada a lo lejos, un mojón en el océano.

El capitán dijo:

—Ahora deben prepararse para bajar a tierra. Aquí termina el viaje.

Recogimos nuestras pocas pertenencias —no eran gran cosa, solo las ropas que nos habíamos hecho—, bajamos al bote y fuimos conducidas a tierra. Contemplando el galeón —majestuoso sobre las aguas— comprendimos que nos habíamos despedido del antiguo modo de vida e iniciábamos uno desconocido.

EN LA HACIENDA

En tierra nos aguardaba un grupo de hombres con mulas. Evidentemente se nos esperaba. Supongo que nuestra nave debe haber sido divisada un día antes de llegar. Nosotros habíamos visto sobresalir del océano la nevada montaña cónica; muy poco después ellos debían haber visto el galeón desde tierra.

El capitán, Richard Rackell y John Gregory formaban parte del pequeño grupo que nos acompañó. Mirando el galeón y pensando en los días que habíamos pasado inmovilizados y en el terrible miedo que entonces había experimentado, no pude contener una sensación de alivio y una curiosidad y una excitación enormes. Estaba convencida de que pronto averiguaríamos a qué se debía nuestro rapto.

Como de costumbre, escudriñé el horizonte por si divisaba una vela, pero no vi más que una vasta extensión de océano azul.

El sol calentaba, pese a que apenas estábamos en febrero. Miré a los demás; a Honey le faltaban dos meses para el parto; pese a todo, había conservado cierta serenidad. Jennet tenía esa expresión perpleja; supongo que se preguntaría si su marinero bajaría a tierra. No venía con el grupo, sino que se había quedado a bordo de la nave. Sin duda era por esto que Jennet estaba ansiosa.

El capitán nos pidió que montáramos las mulas, diciendo:

—Tenemos que recorrer una corta distancia.

Obedecimos y nos alejamos de la costa.

Los animales avanzaban con lentitud, de modo que tardamos unas dos horas en recorrer lo que no podían ser más de diez o doce kilómetros. El capitán ordenó detenerse en la cima de una pendiente, desde donde pudimos observar el poblado. A orillas de este, señaló un gran edificio blanco, evidentemente rodeado por un parque.

—Esa es la residencia del gobernador de esta isla, don Felipe González —anunció—. La casa es llamada la Hacienda, y allí vamos ahora.

—¿Con qué fin? —pregunté.

—Ya lo sabrán —fue su respuesta.

Nuestras mulas bajaron la cuesta rumbo al poblado y la casa blanca. Por fin llegamos a unos portones de hierro. Los abrió un hombre que se inclinó ante nosotros, y al trasponerlos nos encontramos en una alameda flanqueada de altos arbustos floridos, rosados, blancos y rojos. Su denso perfume flotaba en el aire.

Poco después llegamos al pórtico; tres blancos escalones conducían a una puerta, que abrió un criado de librea amarilla y negra. Pasamos a una sala que resultó oscura tras el brillo del sol afuera.

Fuimos conducidas a una pequeña habitación, donde se nos dejó a las tres casi a oscuras, ya que las ventanas coloreadas y las gruesas cortinas impedían el paso del sol.

No hablábamos; estábamos demasiado tensas. Había logrado deducir que era yo el objeto del rapto. Jennet se había convertido en amante de uno de los marineros, y gracias a que este era fuerte y llevaba cuchillo, ella tenía un solo amo. Honey habría sido violada, salvo por el Agnus Dei que colgaba de su cuello y tal vez por esa aura de divinidad o acaso sus propias brujerías. Pero yo había sido custodiada; el hombre que se había atrevido a tocarme había sido castigado por ello a latigazos. Era evidente, pues, que la finalidad de esa misión se refería a mí.

El capitán volvió y se dirigió a Honey diciendo:

—No tema. Será cuidada hasta que nazca el niño.

Habló con ternura, aunque con cierta tristeza. Ambos se sonrieron. Yo supe que había entre ellos un vínculo de amor, un amor que jamás se realizaría, pero que había rozado brevemente sus vidas y había significado algo para ellos.

—Jennet será su criada mientras la necesite —continuó él—. Quédense aquí. Venga —agregó luego dirigiéndose a mí.

Siguiéndolo, subí una escalera. En aquella casa reinaba un silencio oprimente y lúgubre. Todo estaba oscuro, lleno de sombras. Yo sabía que algo extraño y dramático estaba por sucederme.

Seguí al capitán por un corredor. Las ventanas coloreadas teñían de amarillo la penumbra. Tuve la impresión de que el dueño de esa casa quería impedir el paso de la luz porque no soportaba que ella mostrara lo que ocurría entre aquellas paredes.

Sentí entonces deseos de volverme y huir. ¿Adónde podía ir? ¿Cómo podía abandonar a Honey y Jennet? Pero se nos había llevado allí por causa mía.

El capitán se había detenido ante una puerta. La golpeó levemente, alguien habló desde adentro y entramos.

Al principio poco pude ver en ese oscurecido recinto; después percibí a un hombre. Fue ese mi primer atisbo de don Felipe González. Sentí que un helado estremecimiento recorría mi cuerpo. Tal vez fuese una premonición, tal vez fuese que aquel hombre tenía un no sé qué de formidable, que casi inspiraba reverencia. No era alto, comparado por ejemplo con Jake Pennylon, ni tampoco pequeño para ser español. Vestía un jubón negro con adornos de fino encaje blanco; sus pantalones eran de raso acolchado, de su cintura colgaba una espada corta en su vaina de terciopelo. Jamás había visto yo una dignidad como la que él poseía, nunca había visto ojos tan fríos. Este don Felipe González podía causar terror con una mirada. Su piel era aceitunada, su nariz, grande y aguileña, y sus labios finos: una línea recta, labios crueles, implacables.

—De modo que esta es la mujer, capitán —comentó. Yo sabía bastante español como para entender eso.

El capitán respondió afirmativamente. Entonces él se adelantó y se inclinó ante mí, fría, aunque cortésmente. Yo respondí a su saludo.

—Bienvenida a Tenerife —dijo en inglés.

Como tenía miedo, tuve que contestar con audacia.

—No bienvenida —repuse—, ya que se me trajo aquí contra mi voluntad.

—Me alegra que haya llegado sana y salva —declaró él.

Palmeteó y acudió una mujer. Era joven, más o menos de mi propia edad, aunque mucho más baja, de piel oscura y grandes ojos negros.

Cuando él le hizo una seña con la cabeza, la joven se acercó a mí.

—María la atenderá —continuó don Felipe—. Vaya con ella. Más tarde nos encontraremos.

Era muy desconcertante. La muchacha me guió por el silencioso corredor hasta que llegamos a una vasta habitación, oscura como las demás pese a la amplia ventana. Pesadas colgaduras bordadas obstruían la luz, aunque no estaban del todo corridas. La habitación contenía una gran cama imperial, a cuyo alrededor pendían cortinas bordadas; los postes y el dosel estaban bellamente tallados, el

176

cubrecama era de seda. También las sillas estaban bellamente talladas, y a un costado de la habitación había un gran cofre de roble. Cubrían el piso de madera dos grandes esteras con insólitos diseños. Jamás había visto alfombras tan hermosas.

Pronto comprobé que María no sabía nada de inglés, y que poco podía averiguar por intermedio de ella. Desde el dormitorio me condujo, a través de una puerta, a un salón de tocador como nunca había visto yo antes, que tenía una bañera empotrada en el suelo y espejos venecianos en la pared.

María señaló la bañera y me señaló; me tironeó las ropas y comprendí que me sugería darme un baño.

Lo hice de buena gana. Sentía la necesidad de bañarme y deseaba purificarme de los hedores del barco, que todo lo impregnaban.

Cuando ella se marchó, me solté el cabello, dejándolo caer a mis espaldas. No tardó en volver trayendo recipientes con agua para llenar la bañera. Me señaló y yo le indiqué que deseaba quedar sola. Entonces se marchó. Cerré la puerta, arrojé a un lado mis ropas y entré en la bañera. Fue una sensación deliciosa. Me tendí cuan larga era, dejando que mi cabello cayera en el agua. Después lo lavé, al igual que mi cuerpo, y cuando pisé el suelo embaldosado, allí estaba María ofreciéndome toallas. No pude entender cómo había entrado, ya que yo había cerrado la puerta con llave. Al advertir mi sorpresa, señaló las cortinas que tenía detrás. Entonces noté tras ellas otra puerta que conducía al salón de tocador.

Me sequé el cuerpo y ella trajo aceites perfumados con los cuales me masajeó. El olor era penetrante, abrumadoramente dulce, como el de las flores que había visto en la alameda.

María me envolvió con una bata de secar y me desenredó el cabello. Con una risita, se apartó, y abriendo la cortinas, abrió la puerta por donde había entrado.

Luego me hizo señas de que pasara a un balcón, con el cual comunicaba la ventana del dormitorio. Salí a él; era pequeño, con espacio para dos o tres personas únicamente. Por sobre la balaustrada de hierro labrado contemplé un patio donde crecían flores muy coloridas. En el balcón había un asiento. María lo movió de modo que el sol me diera en la espalda; comprendí que la finalidad era secarme el cabello.

Encorvó los hombros, como si se divirtiera, y desapareció. Yo permanecí quieta, sacudiéndome el mojado cabello, gozando pese a todo del lujo de estar limpia otra vez. Eso me dio valor. Ya no meditaba acerca de mi destino, sabiendo que no tardaría en conocer el motivo por el cual me habían llevado allí. Me pregunté qué les estaría ocurriendo a Honey y Jennet, y si el capitán habría regresado a su nave.

El tibio sol era agradable; me sentí un poco más reanimada, pues no podía vincular la idea de violencia con ese hombre austero al que había visto tan brevemente, y que, según sabía, era el amo de todo en este sitio.

Llegó María, que me tocó el cabello, sacó un peine y lo peinó, levantando las hebras para que recibieran el calor del sol. Calculé que serían alrededor de las seis.

María me indicó que pasara al dormitorio. Había un espejo de metal pulido, y ante él una silla. Me senté y ella me peinó, recogiéndome el cabello en alto y colocando en él una peineta muy similar a la que yo había comprado al buhonero. Tuve la sensación de que, en cierto modo, era algo simbólico. Aquello había sido el principio; ahora estábamos en pleno desenlace.

De un armario, María sacó un manto de terciopelo. Era de un vivo color morera, con ribetes de gris y aspecto majestuoso. María me cubrió con él.

—¿De quién es, María? —pregunté.

Con una risita, ella me señaló.

—Pero ¿de quién fue antes? —insistí. El manto despedía un leve perfume, idéntico al del aceite con el cual se me había ungido.

Como ella seguía señalándome, renuncié al interrogatorio por inútil.

Alguien llamó a la puerta. María corrió a abrirla y hubo un apresurado cambio de palabras. Luego volvió y me hizo señas.

Saliendo del dormitorio, la seguí por el oscuro corredor hasta una habitación. Era ya de noche; el sol había desaparecido bajo el horizonte y no había crepúsculo, como en mi país.

María me empujó dentro de la habitación y cerró la puerta. Vi la mesa puesta para comer. Sobre ella había flores; en los candeleros de pared ardían velas.

Avancé y al hacerlo supe que era observada.

Don Felipe González se levantó de una silla entre las sombras y se inclinó ante mí.

—¿Dónde está mi hermana? —pregunté.

—Cenaremos solos —repuso él, tomándome la mano para conducirme hasta la mesa con airoso ademán.

Ocupé una silla a un extremo de la mesa; él, otra en el extremo opuesto.

—Conversaremos en su bárbaro idioma, ya que lo conozco —declaró.

—Será una ventaja, pues yo apenas conozco unas cuantas palabras de su salvaje lengua —repliqué.

—Le conviene ahorrarse inútiles vituperaciones.

—Soy una prisionera, lo sé. No dudo de que puede retenerme aquí, pero no podrá obligarme a callar ni a hablar.

—Aquí aprenderá elegancia y cortesanía. Aprenderá que sus pullas insustanciales de nada le servirán.

179

Me irritaba su costumbre de decir "hará esto o aquello". Lo decía como si fuese una orden. Tuve la impresión de que me estaba subrayando el hecho de que me hallaba en su poder y sería obligada a obedecerlo. Eso me atemorizó. En él había un algo frío e implacable.

—Comeremos ahora y después hablaremos. Entonces explicaré lo que se le pide.

Batió palmas y aparecieron unos criados trayendo platos calientes que depositaron en la mesa. Se nos sirvió no sé qué pescado.

Olía bien después de la carne salada, los fríjoles y los bizcochos, en los que a menudo hallábamos gorgojos.

—Llamamos a esto "calamares en su tinta" —explicó—. Le gustará.

Y así fue. Me maravilló poder comer con tanto gusto en tal situación y en tan extraña compañía.

Él habló sobre la comida campestre.

—Una vez que se habitúe a ella, la disfrutará. El gusto es algo que debe cultivarse. La costumbre cumple un papel importante en lo que nos hace gozar.

Vino luego una especie de cerdo, servido con unos minúsculos vegetales verdes que nunca había visto antes.

—Garbanzos con patas de cerdo —anunció—. Lo repetirá.

Obedecí.

—Su acento me choca —declaró él—. Es inarmónico.

—No podía esperar que quien habla mi bárbaro idioma hablara bien el suyo —repuse.

—Habla con sensatez —comentó él.

—Entonces he logrado por fin su aprobación.

—Aprenderá que las palabras pueden estar de más. Comerá después hablaremos y se enterará del motivo de su venida.

Comí sin contestar. Después hubo frutas; dátiles y un

pequeño fruto amarillo que, según supe, se llamaba banana. Era delicioso.

—Querrá saber dónde se encuentra. No hay motivo para que no lo sepa. Está en una de las principales de un grupo de islas que antes se llamaban las Afortunadas.

—¿Y lo eran? —pregunté.

—No hablará si no se le pide que lo haga —dijo—. En épocas lejanas, estas islas se llamaban Canarias, pero porque al llegar aquí los romanos había muchos perros, se las llamó Islas de los Perros. Ahora las oirá mencionar como Canarias y sabrá el porqué. Los perros han desaparecido. Habitaba las islas una raza denominada los guanches, un pueblo belicoso. Quedan algunos de ellos. Son salvajes que se tiñen los cuerpos con resina rojo-oscura de unos árboles. Nosotros los hemos sometido. Sobre estas islas ondea ahora la bandera española. Los franceses se establecieron aquí antes, pero no pudieron mantener el orden. Nosotros comprendimos qué importantes eran para nuestra navegación. No combatimos por ellas; las compramos a los franceses, y desde entonces nos hemos establecido aquí y estamos sometiendo a los guanches.

—Al menos ya sé dónde estoy.

—Nos hallamos en la afueras del poblado de la La Laguna, que construimos al instalarnos aquí. Quizá se le autorice a ir al poblado; dependerá de su conducta.

Mientras hablábamos, la comida había sido retirada, pero quedó en la mesa el cántaro de plata que contenía una especie de aloja que habíamos estado bebiendo.

Se cerró la puerta; quedamos solos.

—Ahora oirá por qué está aquí y por qué su senda se ha cruzado con la mía. Es usted necesaria para un plan.

—¿Cómo es posible eso?

—No sea impetuosa. Debe guardar silencio. Usted no desearía cumplir su papel sin saber por qué. Ni yo desearía que lo hiciese. No quisiera que piense que me parezco a los bárbaros de la isla que es su patria. Por lo tanto callará y se enterará del motivo de su rapto. Será razonable, dócil, hará lo que se espera de usted y por consiguiente se ahorrará muchas molestias y degradaciones.

"No soy un rudo pirata; soy un hombre de buena crianza. Provengo de una familia noble; estoy lejanamente emparentado con la casa real de España. Soy un hombre de buen gusto y sensibilidad. Lo que debo hacer me es desagradable. Confío en que lo hará lo más tolerable posible. Prosigo...

Yo incliné la cabeza sumisamente.

—Soy gobernador de estas islas, que retengo en nombre de España. Ya le relaté cómo llegaron a nuestro poder. Pertenecen a España, como el mundo entero debe pertenecer y pertenecerá algún día. Pero en los mares hay piratas audaces, aventureros sin donaire, hombres groseros que atacan y saquean nuestras poblaciones costeras y violan a nuestras mujeres...

—No es una sola nación la culpable de estas prácticas —repuse—. Hablo por experiencia personal...

—Aprenderá a contener la lengua mientras esté aquí. No es decoroso que las mujeres utilicen ese órgano de manera tan constante. Ellas deben ser dulces y graciosas en presencia de sus amos.

—Aún no me he enterado de que sea mi amo.

—Todavía le falta enterarse de muchas cosas, y la primera lección será precisamente esa. Está aquí para obedecerme y lo hará. Pero silencio, o me hará perder la paciencia y no sabrá por qué, sino únicamente que debe hacer lo que se le ordena.

Eso sí me hizo callar.

—Le explicaré —continuó él—. Llegué aquí hace cinco años... Estaba desposado con una dama de noble familia. Isabel fue cuidadosamente criada, y cuando salí de Madrid era una niña de trece años, demasiado joven para casarse, pero nos desposamos. Ella vendría a mi lado cuando tuviese quince años. Debía esperar, por consiguiente, dos años. Esos dos años pasaron y ella cumplió quince. Nos casamos en Madrid por poder. El rey en persona concurrió a la ceremonia. Después ella inició su viaje desde España. Nuestra verdadera boda tendría lugar en la Catedral de La Laguna dos días después de su llegada. Estábamos preparados para recibirla. El trayecto fue largo, ya que la nave había estado inmovilizada durante una semana. Ya sabrá lo que eso puede significar. Aguardé ansioso, y mientras aguardaba se me trajo un mensaje: los guanches se estaban rebelando en otra de nuestras islas. No tuve más remedio que partir de La Laguna rumbo a la isla donde había disturbios. Pasé allí tres semanas, y entre tanto llegó Isabel. Yo no estuve presente para recibirla, pero mi morada estaba lista. Mi joven novia fue recibida con honores; era una turbada niña de quince años, delicadamente criada, que no conocía la vida. Yo sabía que sería mi tarea enseñarle gradualmente y con cuidado. Pero eso no ocurrió. Dos noches después de llegar Isabel con su dama de compañía, vinieron los piratas. Yo no estaba allí para defenderla... mi pobre Isabel violada... humillada, aterrada.

Me estremecí murmurando:

—Pobrecilla...

—Pobrecilla, en verdad, y todavía no lo sabe todo. El efecto sobre ella ha sido terrible.

Se hizo el silencio... una gran mariposa nocturna revoloteó súbitamente desde las cortinas hacia la vela, alrededor de cuya llama voló enloquecida, quemándose las alas hasta caer. Ambos la miramos.

—Hubo que cuidarla hasta que recobró la salud —continuó él—. Pero eso fue superior a nuestros poderes...

—¿Murió? —pregunté.

Él no me miró al contestar:

—Tal vez habría sido mejor así.

183

Guardamos silencio durante más o menos un minuto. Pensando en las codiciosas miradas de los marineros mientras la nave estuvo detenida, me imaginé a la pobre niña de quince años en poder de ellos.

—No soy hombre que acepte insultos e injurias —declaró él—. Busco la venganza... lo único que me satisfará es la venganza. Exijo ojo por ojo, diente por diente. No más. Pero eso lo exijo y lo tendré. Dígame que comprende.

—Comprendo.

—¿Sentiría lo mismo que yo si así la agraviaran?

—Creo que sí.

—En usted hay furia. Lo intuyo. Eso es bueno: así será flexible.

—Explíqueme más.

—Es sencillo. Sé cómo se llama la nave que incursionó en nuestra costa aquella noche. Sé cómo se llama el violador de Isabel. El barco era el *León Rampante*; el hombre que arruinó la vida de ella, el capitán Jake Pennylon.

Yo había contenido el aliento y sentí que el rubor me saltaba al rostro. Lo miré con fijeza. Sé que mis labios formaron el nombre de Jake Pennylon, aunque no hablé.

—Ya empieza a entender. Mi prometida fue cruelmente tratada por ese canalla. *Su* prometida está ahora en *mis* manos. No es tonta; comprende.

—Empiezo a comprender.

—Le hablaré de Isabel, la hermosa Isabel, una niña inexperta. Nuestras novias son jóvenes... tal vez más que las de ustedes. Quince años. Nada sabía de la vida, de lo que sería el matrimonio. Yo le habría enseñado dulcemente... con ternura. Usted es de pasta más fuerte. No es una niña. Tiene conocimiento del mundo. Es posible que no sea virgen. Pero me vengaré. Así como él tomó mi mujer, tomaré yo la suya. ¿Confío en que no lleve ya su hijo en su seno?

—Me insulta.

—No. Respeto su orgullo, pero conozco a los de su clase. No desearía insultarla. Aquí no somos bandidos. Vivimos con decoro y de modo conveniente, obtendré mi venganza si así lo permite. Sé que no fue su amante. Mis espías me mantuvieron informado.

—El farsante de Rackell y el aun más farsante Gregory.

—Leales a mí, como debían serlo —aseveró él—. He jurado vengarme y lo haré a cualquier costo. Me alegraré de que sea virgen, ya que así mi venganza será total.

—¿Eso se propone, entonces?

—Nuestra boda tuvo lugar tal como estaba dispuesto. Ella estaba demente. Solía despertar de su sueño gritando; sus sueños la aterraban. Nadie lograba consolarla, salvo su dama de compañía. Cuando me acercaba, se apartaba de mí con temor. Me relacionaba con él, ¿comprende? Comprobamos que estaba embarazada . . . por ese canalla. No podrá darse cuenta de esta tragedia hasta que la vea. Juré vengarme. Ante todos los santos he jurado no descansar hasta que esa venganza quede cumplida.

—Extraño juramento para pronunciarlo en lugares sagrados —comenté.

—He jurado —continuó él— en nombre de Dios Padre y de la Santa Virgen; he jurado por el honor de mi familia, y sé que en esto tengo ayuda divina, ya que ahora es usted puesta en mis manos.

—Y así se volverá a representar el drama. Yo reemplazo a Isabel, y usted a Pennylon —dije, apartándome de ese hombre tan extraño y frío—. ¿Cree acaso que podría ser como él? No puede ser más distinto. . .

—Ni usted como ella. No importa. Está aquí por gracia de Dios. La hemos traído desde su isla. Ha salido indemne de los peligros del mar. Y juro por mis antepasados y por todos los santos que no saldrá de esta isla hasta que lleve mi hijo en su vientre. Le llevará a él mi hijo, como él me ha dejado el suyo.

—¿Cree entonces que me someteré con docilidad?

—Creo que no tiene más alternativa que someterse.

—¡Y permitir que se me trate como una insignificancia, como simple medio de brindarle su venganza!

—Como Isabel fue un medio para satisfacer la lujuria de ese hombre.

—¡Se considera cortés, sensible! Yo lo llamo bellaco, pirata, pues aunque es demasiado remilgado para surcar los mares y capturar mujeres, hace que sus servidores se las traigan. No es mejor que él.

—He pronunciado un juramento y me propongo llevarlo a cabo. Soy distinto, por cierto, del hombre que iba a ser su esposo. Le ofrezco una elección: someterse de buen grado o por la fuerza. Sin duda él le habrá ofrecido eso también.

Me puse de pie y fui hacia la puerta; él me alcanzó.

—Esto me desagrada —manifestó—. No imagine que ansío su cuerpo.

—¿Puedo tener la esperanza de serle tan repulsiva como lo es usted para mí?

—Puede creer que lo que debe hacerse me complace tan poco como a usted. Pero se hará, y en sus manos está decidir si nuestro encuentro se efectuará con decorosa discreción o de una manera humillante y degradante.

Lo miré: era delgado y no daba la impresión de ser muy fuerte, como Jake Pennylon. Contra Jake, una mujer sabría enseguida que no tenía posibilidades. De este otro podía defenderme. Y si escapaba de él, ¿adónde iría?

Siguiendo mis pensamientos, manifestó:

—Tengo aquí muchos sirvientes. Me basta llamarlos. Son hombres fuertes, que la amarrarían como a un pollo para cocinarlo. Pero no deseo tal cosa. Quiero que el asunto se lleve a cabo con rapidez y con la menor incomodidad posible para usted y para mí. No la culpo por lo sucedido. Pero es un instrumento necesario para mi venganza.

Pensé que tal vez me agradara más si lo aguijoneara esa lujuria ... cualquier cosa sería preferible a esa actitud fríamente planeada.

—Haré llamar a María, que la conducirá al dormitorio y la preparará —continuó él—. Allí la visitaré. Le ruego que medite. Sabe que está aquí indefensa, sin poderse resistir. Eso ocurrirá. Cómo, de usted depende.

Y se acercó a la puerta. Sin duda María estaba esperando, ya que entró sabiendo qué hacer. Yo la seguí de regreso al dormitorio.

Supongo que hasta entonces siempre había obrado siguiendo mis impulsos. Había expresado con vehemencia mi acuerdo o mi negativa para hacer algo. Pocas veces había estado indecisa. "Cuenta hasta diez antes de hablar", había dicho mi madre. Ahora podía seguir contando día y noche sin saber qué hacer. Iba a ser la amante de ese hombre. Eso era tan inevitable como la salida y la puesta del sol. No veía nada que pudiese impedirlo. Era prisionera en esa isla y nada podía salvarme. Si intentaba resistirlo, recurriría a la fuerza, como había dicho ... y no era él quien la aplicaría, como tampoco había tomado parte en el rapto propiamente dicho. Otros lo hacían en su nombre.

María me quitó las ropas; se me cubrió con un camisón de seda que despedía aquel penetrante aroma.

María dobló la sábana, indicándome que me acostara en la cama. Así lo hice, temblando. Peleaba conmigo misma. Imaginé hombres atándome los tobillos. Me imaginé tomada por la fuerza ... tal como Jake Pennylon había tomado a Isabel. No podía soportar eso nada más que para llegar al mismo fin.

María estaba apagando las velas. La habitación quedó a oscuras. Salió y cerró la puerta.

Saltando de la cama, probé la puerta: estaba cerrada con llave. Me acerqué a la ventana y aparté las cortinas, de modo que penetrara un poco de luz de las estrellas. Abriendo la ventana, salí al balcón. Pensé si podría bajar al patio. Tal vez encontrara a Honey, para ir a ella en busca de refugio.

Me imaginé asida por ásperas manos. Él tenía razón: yo debía elegir. ¿Fingiría sumisión o esperaría a ser humillantemente forzada?

Demasiado tarde: oí la llave en la cerradura. Corrí a la cama y allí me tendí, oyendo los latidos de mi corazón.

Entró él en la habitación. A la luz de las estrellas, lo vi de pie junto al lecho. Lo cubría una bata que se quitó. Cerré los ojos con fuerza.

Después percibí su cuerpo; sus manos encima de mí, su rostro cercano al mío.

Procurando tranquilizarme, pensé: Dios mío, me salvé de Jake Pennylon, de los codiciosos marineros del galeón... para esto.

Había transcurrido una semana. Yo no podía creer que me estuviera pasando eso. Lo veía poco durante el día, pero cada noche venía a mí. Nunca se quedaba. "El asunto", como él lo llamaba, le era tan desagradable como a mí. Nunca había creído posible tener un amante tan insensible... pero no era un amante, eso nada tenía que ver con el amor, era venganza.

Había cierta pasión —la pasión de la venganza— y para mí la pasión del odio. Lo odiaba por usarme de manera tan humillante. Me había despojado de mi dignidad como ser humano. Yo no era una mujer a quien se amaba o se odiaba; era un recurso para proporcionarle la venganza que él necesitaba. Al pensar en eso, mi odio aumentaba. Él estaba tratando de crear una vida; traería un hijo al mundo para satisfacer su venganza y hacer de mí el instrumento de reproducción. ¿Había algo más humillante que eso?

Sólo un hombre de arrogancia extrema podía soñar en utilizar a otros para semejante finalidad. Era en todo tan malvado como Jake Pennylon. Los odiaba a los dos. ¡Cómo se atrevían a tratar así a las mujeres!

Cuando ese hombre venía a mí, pensaba yo en Jake Pennylon. No podía dejar de imaginarlo llegando a esta casa y encontrando a Isabel; entonces imaginaba que era Isabel y que el hombre que me humillaba era Jake Pennylon.

Durante el día era tratada con respeto. Había sirvientes que me atendían. Durante esa primera semana no se me permitió salir de la casa. Pero vi a Honey; ya el primer día fui conducida junto a ella. Ese día yo estaba muy conmovida por lo sucedido la noche anterior. Al trascurrir el tiempo, me conmovió de otro modo comprobar la rapidez con que me había habituado a sus visitas.

El primer encuentro me había horrorizado: después de todo, yo era virgen, y aunque no ignoraba las relaciones sexuales, jamás las había experimentado. Fue entonces cuando hablé con Honey.

Ella había sido bien acogida; se le había asignado una habitación cómoda, con Jennet para que le sirviera de doncella. Le desconcertaba no saber por qué habíamos sido llevadas allí hasta que le conté lo que me había sucedido.

Me escuchó incrédula.

—Es demasiado fantástico —declaró luego—. No puede ser cierto.

—Este Felipe es un hombre vengativo. Es frío y cruel. Llegaría a cualquier extremo para obtener su venganza. Cuando lleve su hijo en mi seno, se nos conducirá de vuelta a Inglaterra . . . no antes.

—Entonces todo estuvo planeado.

—¿Qué clase de mente urdiría semejante plan? Ya puedes suponer qué tipo de hombre es. Ojo por ojo. Necesita retribuir exactamente del mismo modo. Es Jake Pennylon quien arruinó mi vida, Honey. Lo supe desde el momento en que lo vi.

—¡Que le hayan violado así a su joven esposa! Es horrible, Catharine.

—No sé qué se hizo de ella. Sólo sé que él debe haberse angustiado cuando volvió y la encontró . . . una niña de quince años, piénsalo Honey; y Jake Pennylon.

Entonces empecé a reír histéricamente.

—He sido violada. Lo he sido como cualquiera, y de esta manera tan cortés.

Me cubrí el rostro con las manos. Honey me sacudió diciendo:

—Basta, Catharine. No rías así. Ya pasó. Pensemos a partir de allí. Este hombre . . .

—Me visitará todas las noches. Lo ha dicho. Oh, Honey, cuando lo pienso . . .

—No lo pienses. Está ocurriendo y nada puede impedirlo. Somos prisioneras aquí y ahora sabemos con qué fin. Al menos no te ha maltratado.

—Sólo ha maltratado mi cuerpo —dije con vehemencia.

—Catharine, hemos pasado por violentas aventuras. Esto ha sucedido. Edward ha muerto. Pronto nacerá mi bebé. Estamos lejos de nuestra patria. Este hombre te ha tomado contra tu voluntad, pero no brutalmente, como bien podía haberlo hecho.

—Como Jake Pennylon debe haber tomado a Isabel . . . Pero tal vez a ella se le dio a elegir entre la pasividad o las consecuencias. Yo opté por la pasividad. Ahora quisiera haberme defendido de él.

—Cálmate —insistió Honey—. Aguardemos a ver qué pasa. No sabemos qué puede ocurrir de un momento a otro. Este hombre te impuso su voluntad. No es la prime-

190

ra vez que a una muchacha le ocurre eso. Procuremos
sobrellevar lo que nos espera.

Pasé toda esa jornada con Honey, sin poder olvidar lo
que me había pasado. Pensé en ello todo el día... yo y
ese hombre frío, extraño... Isabel y Jake Pennylon. Después llegó el anochecer; María vino en mi busca, me bañé
y fui ungida con ese aceite perfumado (él era un caballero
tan quisquilloso) y esa noche vino otra vez a mí.

Todos los moradores de aquella residencia sabían que
yo era la amante del gobernador. Este no deseaba verme
durante el día, pero de noche me visitaba. No se quedaba.
Sus visitas eran breves... apenas el tiempo suficiente para
lograr su finalidad.

Se me trataba con respeto, al igual que a Honey. La
silenciosa morada era mucho más cómoda que el galeón, y
Honey estaba llegando a la etapa en que necesitaba alivio.
Jennet se introdujo con soltura en la nueva vida; lamentó
a Alfonso un día o dos, pero yo sabía que no tardaría
mucho en ligarse con alguien. Había criados varones y yo
había visto las miradas que le lanzaban. Jennet siempre
recibía miradas como esas.

Durante esa primera semana, estaba demasiado hondamente preocupada conmigo misma para pensar mucho
en ellas. Con frecuencia no podía creer que eso estuviera
ocurriendo en verdad. Sin duda despertaría y comprobaría
que todo era un sueño... desde la noche en que el galeón
llegó a la bahía y vinieron los hombres.

Más tarde me asombró el hecho de que empezaba a
aceptarlo todo. La tranquila vida cotidiana; los bellos jardines, con flores que no se conocían en Inglaterra; la tibie-
za del sol; los frutos que crecían en los cercados jardines.
Estábamos en libertad de pasearnos, pero en la entrada
había guardias que nos impedían salir de la casa y de los

jardines. Había un salón de costura con marcos y lienzos para bordar. A Honey se le permitió tejer, pero a mí no. Yo debía sacar del armario del dormitorio lo que deseara. Allí se ponían ropas para que yo eligiera entre ellas. En eso se me daba libertad. Eran ropas bellísimas, femeninas, perfumadas casi todas con el aroma del aceite con que María me frotaba al finalizar cada día.

Exigí saber de dónde venían esas ropas, pero María se limitó a menear la cabeza.

A él lo veía de vez en cuando. Solía salir montado en un hermoso caballo blanco. Montado, su aspecto era magnífico. A menudo se ausentaba todo el día, pero siempre volvía de noche. Cada noche venía a mi dormitorio a la hora fijada, y casi nunca me hablaba.

Mi estado de ánimo variaba: a veces procuraba trasmitirle mi desprecio hacia un hombre capaz de conducirse así, a veces quería que supiera cuánto lo odiaba. Quería gritar: "Déjeme pronto preñada, así me libraré de usted". Y otras: "Seré estéril para burlarlo. ¿Qué hará entonces, mi vengativo señor?"

Pero nunca dije ni lo uno ni lo otro, y así pasó esa extraña primera semana.

Yo había dejado de buscar la nave en el horizonte. Había aceptado mi sino. Había combatido por mí misma y había sido tomada, maltratada, y empezaba a preguntarme cómo podría vengarme de hombres como don Felipe y Jake Pennylon, que vivían convencidos de que las mujeres estaban para complacerlos, ya fuese en la lujuria o en la venganza.

Odiaba a don Felipe González tanto como odiaba a Jake Pennylon.

Honey y yo habíamos establecido algo así como un sistema para nuestra vida diaria. Era marzo del año 1560 y faltaban pocas semanas para que naciera su bebé. Supongo que un nacimiento inminente hace que todo lo demás parezca insignificante. Todos los pensamientos de Honey eran para su bebé. Constantemente estaba haciendo ropas con los materiales que hallaba en la sala de costura. Yo no servía de mucho con una aguja, pero mejoré un poco durante esos primeros días, simplemente porque algo tenía que hacer. Solía extrañarme que en una casa como esa hubiera sala de costura; Honey lo aceptaba sin más ni más con gratitud. Yo suponía que esas habitaciones habían sido preparadas para Isabel, la novia. ¿Las habría usado alguna vez?

Largo rato pasaba en ociosas meditaciones, pero Honey apenas me escuchaba absorta en su hijo.

Una semana después de nuestra llegada a la Hacienda, incursionamos en la Casa Azul. Era esta una casita que se alzaba en los alrededores, rodeada por un alto muro. La habíamos visto de lejos, preguntándonos qué era, y aquella mañana decidí averiguarlo.

Insistí en que Honey me acompañara, y cuando ella vio que la conducía a la Casa Azul, quiso regresar.

—¿Por qué? —inquirí.

—Hay en ella algo de repelente.

—Eres imaginativa.

—No quiero hacer nada que pueda perjudicar al bebé.

—Vamos, Honey, ¿qué te pasa? ¿Qué más puede ocurrir? Cualquier niño que haya podido sobrevivir a los últimos meses saldrá bien de las pocas semanas que faltan.

Juntas llegamos a las puertas de hierro labrado, a través de las cuales contemplamos un patio hecho con piedras de diversos tonos de azul que sin duda habían dado su nombre a la casa. Había arbustos en flor de toda clase... brillantes colores entre el verde follaje.

—Qué hermosa es —comenté.

—Es lúgubre —insistió Honey.

Abriendo la puerta de hierro, hice señas a Honey, que me siguió de bastante mala gana.

Reinaba en el patio una atmósfera de silencioso misterio. Las ventanas parecían mirarnos, todas con verjas de hierro en los balcones. Eran pintorescas; se imaginaba ver en ellas muchachas de rojas enaguas y negras mantillas de encaje. Contra la pared había un banco de madera con respaldo enrejado. Entré de puntillas en el patio y me senté allí.

Honey me siguió de mala gana, diciendo:

—¿Se te ha ocurrido pensar que quizá seamos intrusas?

—Esto es parte de *su* finca —repuse—. Veré cuanto pueda de ella.

Honey se mostró turbada, como siempre que yo hablaba de don Felipe, y tampoco yo deseaba hablar de él. De día prefería olvidar esas visitas furtivas.

Mientras estábamos allí sentadas, percibí un movimiento en una de las ventanas, y una niña salió al balcón. Pensé que parecía una muñeca; lucía cabello negro con un adorno de encaje blanco en el cuello y las muñecas; el largo cabello negro le colgaba sobre los hombros. Calculé que tendría once o doce años.

Nos gritó algo en español, que interpreté como "¿quiénes son?"

—Estamos en la Hacienda —le contesté yo en inglés.

Se llevó los dedos a los labios, como advirtiéndome que guardara silencio; dijo algo más y desapareció.

—¡Qué hermosa niñita! —comentó Honey—. ¿Quién será?

Poco después la niña salió al patio. Llevaba una muñeca con enaguas de raso rojo y mantilla negra, algo parecida a ella.

Mostrándonos la muñeca, la hizo inclinarse; yo le contesté con una reverencia y ella rompió en risas. Además de

194

su belleza, había en ella algo que impresionaba, y sus enormes ojos oscuros tenían un algo extraño.

Tendiendo su mano, tomó la mía. Nos sentamos todas juntas en el asiento. Entonces ella advirtió, o pareció advertir, que Honey estaba embarazada; frunció el rostro y empezó a gritar:

—No. No...

Ocultó la cara entre las manos, donde centelleaban varios anillos; noté brazaletes de oro en sus muñecas. Luego dio la espalda a Honey, como decidida a olvidar su presencia, y cuando me miró sonreía contenta.

Murmuró algo en lo cual capté las palabras "bella" y "muñeca", y pensando que se refería a la suya, repuse en un vacilante español que la muñeca era muy hermosa. Se puso a mecerla como a un niño y entonces pensé que parecía demasiado grande para esa clase de juegos.

En ese momento apareció una figura en la puerta por donde había salido ella.

—¡Isabel! —dijo una voz aguda e imperiosa.

Aunque yo había empezado a adivinar, la impresión que recibí no fue menor. Esa era su esposa, entonces. Esa era la niña que había sufrido a manos de Jake Pennylon.

Obediente, Isabel se levantó y fue hacia la mujer, a quien rodeó con sus brazos sin soltar la muñeca. La mujer soltó un torrente de palabras, severas y tiernas, según juzgué por el tono. Por sobre la cabeza de la niña, la mujer nos observaba. Sus ojos eran agudos y penetrantes bajo unas hirsutas cejas negras donde se veían algunos pelos blancos.

Tomando a la niña por la mano, la condujo hacia la puerta, pero Isabel se puso de pronto malhumorada.

—No, no —gritaba, volviéndose para mirarnos con fijeza.

Se soltó de los brazos de la mujer y volvió para detenerse frente a nosotros. Percibí entonces un aroma que me era familiar: el mismo que había en la sala de tocador y que despedían levemente las ropas que yo me ponía. También estaba en el dormitorio donde sufría mis humillaciones de todas las noches. Me pregunté qué sería.

La niña nos dijo algo, pero como fue en español, no pude entenderle; después vino la mujer, la tomó de la mano y la alejó con firmeza.

Al llegar a la puerta, se volvió hacia nosotras y nos escupió una palabra que interpreté como "váyanse".

Se cerró la puerta y quedamos solas en el patio.

—Qué extraña escena —comenté.

—Nos merecíamos todo lo que nos pasó. No teníamos derecho de estar aquí. ¿Quién sería la niña?

—Debe ser *su* Isabel —repuse.

—¿Quieres decir . . . su esposa? Pero si era una niña.

En la puerta del patio, que acababa de abrirse, estaba Richard Rackell.

—Salgan —dijo con presteza—. No deberían haber venido.

—¿Acaso está prohibido? —pregunté con frialdad, pues no podía olvidar el papel jugado por él al traicionarnos.

—No hubo órdenes expresas —respondió él, mientras sostenía la puerta abierta, y agregó—: Por favor.

Mientras nos alejábamos, continuó diciendo:

—Fue una terrible tragedia.

—Lo que haya sucedido —dije con vehemencia— no excusa lo que se nos ha hecho, ni a quienes ayudaron a ello.

—Han visto a la señora Isabel —replicó Rackell—. Es una niña. Está así desde la llegada del *León Rampante*. Su espíritu quedó afectado. Vive como una niña junto a su dama de compañía.

—Es bellísima —comenté.

—Ven una bella envoltura que está vacía por dentro. Su mente es incapaz de retener nada; ha retrocedido a su niñez. Sólo le interesan sus muñecas. Es una gran tragedia, ustedes comprenderán.

Yo deseaba estar sola. No podía borrar de mi mente el recuerdo de ese hermoso rostro donde no brillaba la luz del entendimiento.

Y también el perfume. Empecé a comprender mejor. Don Felipe procuraba imaginar que yo era Isabel. Por eso yo debía ponerme sus ropas, usar su perfume; él quería ilusionarse pensando que la mujer a quien visitaba todas las noches era Isabel.

Mi actitud hacia él había cambiado. Lo compadecía. Me lo imaginaba al volver de su expedición, creyendo que encontraría a su hermosa novia aguardándolo; se habría fijado la ceremonia matrimonial; él y su encantadora Isabel, de tan alta cuna, serían marido y mujer. Tal vez Isabel fuera entonces una niña de quince años, pero en España se casaban jóvenes, y Felipe González era un caballero, que con gran cortesía habría cortejado a su esposa, iniciándola en los rituales de la cama de un modo que habría sido aceptable para ella. En cambio había llegado Jake Pennylon, que con sus toscos modales de bucanero se había apoderado de aquel ser tan delicadamente cultivado y lo había deshecho. Porque deshecha estaba en verdad, pobre brotecito cruelmente desflorado antes de que salieran los capullos. Y su mente se había trastornado.

Te odio, Jake Pennylon, pensé. Y mis sentimientos contra ese hombre fueron intensos, mientras que hacia Felipe González no podía experimentar sino piedad.

¡Jake Pennylon! Cuánto deseaba no haberlo visto jamás. No me había traído otra cosa que desastres. Aquí estaba yo prisionera, sometida cada noche a una intolerable humillación... por culpa de Jake Pennylon. Mi orgullo era ignorado; mi cuerpo era usado para satisfacer una venganza. Era yo un sustituto por una hermosa muchacha cuya mente había sido destruida por Jake Pennylon, y mi seductor necesitaba imaginar que yo era esa muchacha para hacerme el amor... si era posible utilizar esa palabra refiriéndose a esto.

Además de mi orgullo humillado, me estaba inquietando por Honey. Su momento se acercaba. En su primer año de matrimonio había tenido un aborto, y yo recordaba haber oído decir a mi madre que la próxima vez debía tener muchísimo cuidado. Faltaban ya pocas semanas para que naciera su hijo, y ¿qué ocurriría si llegaba antes de tiempo? ¿Quién la cuidaría?

Decidí hablar con Felipe González. En realidad, pocas veces lo había visto. Me pregunté si él me evitaba durante el día. La nuestra debe haber sido una de las relaciones más extrañas que hayan existido jamás.

Sabía que a ciertas horas del día él solía estar en la habitación a la que se denominaba su "escritorio", y decidí verlo allí. Al pensar en mis sentimientos, comprendí que había cambiado desde que viera a Isabel. Me causaba resquemor el hecho de que tuviera que ponerme las ropas de Isabel y usar su perfume; al mismo tiempo, sentía cierta simpatía por él. Podía imaginarme gran parte de lo sucedido: el matrimonio dispuesto, que habría sido ideal; el regreso de don Felipe para encontrar a su bella esposa reducida a una cáscara vacía. Imaginé la subsiguiente ceremonia matrimonial y los gritos de terror de Isabel al acercársele él; y luego enterarse de que ella iba a parir un hijo... el hijo de Jake Pennylon. Era una tragedia, y yo comprendía cómo habría clamado él para que el cielo castigara al responsable. Comprendí incluso su juramento de venganza.

Me encolerizaba también que yo, tan deseada por Jake Pennylon y por otros, tuviera que ser disfrazada de otra mujer para que este hombre sintiera la excitación necesaria para cumplir lo que se proponía. Supongo que era una emoción vana y estúpida, pero yo la experimentaba.

Tenía que verlo, y además, era cierto que estaba inquieta por Honey.

Estaba sentado a una mesa, examinando unos papeles, y se puso de pie al entrar yo.

—Di órdenes de que nadie me interrumpiera —declaró.

—Tenía que verlo —repliqué—. Debo decirle algo importante.

Volvió a inclinarse, siempre cortés. Me alegré de que la habitación estuviera en penumbras. Me sentía turbada, y habría podido jurar que él también. Allí estábamos: de día dos desconocidos, aunque de noche compartíamos la mayor intimidad.

—He venido a verlo con respecto a mi hermana —continué.

Se mostró aliviado. Me senté y él hizo lo mismo.

—Como sabe, dentro de poco tiempo tendrá un hijo. Este puede nacer en cualquier momento. Quisiera saber qué se puede hacer por ella.

—Tenemos muchos sirvientes —manifestó él.

—Le hará falta una partera.

—Hay una partera en La Laguna.

—Pues debe ser traída aquí. No es por culpa de ella que mi hermana está aquí.

Así lo admitió él.

—Ni por culpa de ninguna de nosotras.... —continué airada, odiando su fría actitud y pensando en cómo fingía que yo era Isabel—. Hemos sido arrancadas de nuestros hogares para servir a su perverso objetivo.

—Basta —dijo él, alzando una mano—. Se hará llamar a la partera.

—Tal vez le gustaría que se lo agradeciera, pero me resulta difícil agradecerle algo.

—No es necesario. Basta con saber que la partera vendrá.

Se levantó a medias de su sillón como para despedirme. Pero yo no quería ser despedida. Me enfurecía ser usada de tal manera, y al verlo allí con sus elegantes ropas, su frío rostro inexpresivo, sus modales tan precisos, y al pensar de nuevo en esos encuentros nocturnos y en cómo había sido yo utilizada, despojada de mi dignidad, de mi voluntad, todo en aras de su vengativo propósito, mi cólera fue tan intensa que quise hacerle daño.

—Sólo puedo rogar que no tarde en quedar libre de usted —dije.

—Todavía es demasiado pronto —repuso él—. Pero ruego como usted que ambos seamos pronto aliviados de tan molesto deber.

Tan grande fue mi furia, que podría haberlo golpeado.

—No es evidente que le resulte muy difícil cumplir ese molesto deber —exclamé.

—Es bondadosa al preocuparse por mí. Permítame tranquilizarla, tenemos sustancias que, si se toman juiciosamente, suscitan el deseo en el más reacio.

—Y ¿cuánto tiempo se espera que me someta a este desagradable deber suyo?

—Tranquilícese; tan pronto como esté seguro de que mis esfuerzos han dado fruto, cesaré en mis visitas con sumo placer y alivio.

—Creo muy posible que ya esté embarazada.

—Debemos asegurarnos —repuso él.

—Para usted es un esfuerzo tan grande. Sólo pensé en evitárselo.

—No deseo que se me evite mi venganza. Cuanto antes pueda llevarla a cabo, mejor.

—Y cuando esté seguro de que su aborrecible simiente crece en mi seno, ¿seré llevada de vuelta a mi hogar?

—Será devuelta a su prometido en la misma condición en que me fue dejada Isabel.

—Es un hombre en verdad vengativo —observé—. Otros tienen que ser pisoteados en aras de su venganza.

—Eso es frecuente.

—Lo detesto por su crueldad, su indiferencia hacia los demás, su índole vengativa fría y calculadora. Pero supongo que para usted eso no tiene importancia.

—Absolutamente ninguna —contestó él, y esta vez se incorporó con una reverencia.

Entonces me marché. Pero seguí pensando en él todo el día preguntándome cómo podría vengarme.

Ese mismo día, más tarde, llegó la partera montada en una mula y fue conducida junto a Honey. Con alegría comprobamos que hablaba algo de inglés. Era una mujer de edad mediana, que había servido en Cádiz en casa de una familia que tenía dos criados ingleses. Lo que sabía era limitado, por supuesto, pero fue un gran alivio comprobar que entendía un poco.

Nos dijo que Honey se hallaba en buen estado y que el niño nacería alrededor de la semana siguiente. Pediría quedarse en la Hacienda para que no tuvieran que ir en su busca de noche.

Jennet estaba presente y de pronto la mujer le preguntó para cuándo esperaba su hijo.

Jennet enrojeció vivamente. Yo la miré atónita. Ahora, sabiéndolo, me parecía evidente, pero lo cierto es que nos lo había ocultado con eficacia.

Jennet contestó que creía estar embarazada de cinco meses. La mujer la palpó y dijo que la examinaría. Juntas fueron a la habitación contigua, donde Jennet dormía.

—No me sorprende —declaró Honey—. Tarde o temprano tenía que ocurrir. Debe ser de Alfonso.

—Al principio pensé que sería de Rackell. Qué amoríos extraños fueron esos. Juraría que ella ni se le ha acercado desde que partimos.

—Después de conocer a Alfonso, no pudo soportarlo más.

—Creo que Jennet sería capaz de soportar a cualquier hombre en lugar de ninguno.

—Sueles ser demasiado dura con ella, Catharine. No se le puede culpar de que un marinero español la haya embarazado.

—No me parece que haya sido muy reacia.

—De nada le habría servido serlo. Se sometió y basta.

—De muy buen grado —repuse, y de pronto rompí a reír—. Las tres, Honey... ¡imagínate! Todas tendremos hijos. Porque yo pronto estaré en situación similar, no lo dudo. Y soy la única que ha sido forzada a tener un hijo. Quién sabe lo que se siente acerca de un bastardo propio cuando su nacimiento ha sido causado por una violación. Claro está que fue una violación muy cortés. Nunca pensé que sería así. —No cesaba de reír, y de pronto las lágrimas corrieron por mis mejillas—. Estoy llorando por primera vez... Me compadezco. Cuánto odio hay en mí, Honey... hacia él y hacia Jake Pennylon. Juntos me han hecho esto. De no haber sido por ellos, estaría en mi hogar, en la Abadía, con mi madre.

Me cubrí el rostro con las manos, mientras Honey procuraba consolarme.

—Iba a ser tan distinto. La vida que Carey y yo planeábamos para ambos. Iba a ser tan maravillosa.

—Aquello que planeamos pocas veces resulta según nuestros planes, Catharine —repuso Honey con expresión triste y nostálgica. Pensé en Edward, su bondadoso marido, tendido en el suelo en medio de su propia sangre.

—¿Qué será de nosotras? —pregunté.

—Sólo el futuro puede decirlo —replicó ella.

Jennet volvió a nuestro lado, ruborizada y con expresión algo gazmoña. En efecto, estaba embarazada.

—Lo sabías y lo mantuviste en secreto —la acusé.

—No me atreví a decírselo —repuso Jennet, avergonzada.

—Por eso lo ocultaste. Estuviste soltándote las enaguas.

—Pues tuve que hacerlo, señorita.

—Y estás embarazada de cinco meses...

—En realidad de seis, señorita —repuso Jennet.

Entrecerrando los ojos, la miré.

—Vaya, fue antes de tu partida de Inglaterra —comenté.

—Estas parteras pueden equivocarse, señorita.

—Ve a mi dormitorio, Jennet —ordené—. Se me acaba de ocurrir algo que quiero decirte.

Ella obedeció.

Honey estaba diciendo cuánto la aliviaba saber que la partera se encontraba cerca. Yo dejé que siguiera hablando; pensaba en lo que le diría a Jennet.

Jennet me miró con expresión avergonzada.

—La verdad, Jennet —dije.

—Oh, señorita, usted sabe.

Aunque no estaba segura, dije:

—No creas poder engañarme, Jennet.

—Yo sabía que no podría ocultarlo —respondió turbada—. Pero él era tan hombre... Vaya, ni siquiera Alfonso...

Tomándola por los hombros, la miré a la cara.

—Continúa, Jennet —le ordené.

—Es suyo, sí —murmuró ella—. Sin duda alguna lo es. Quién sabe si mi hijo se parecerá al capitán.

—Al capitán Jake Pennylon, por supuesto —repuse, nombrándolo como si hablara de una serpiente venenosa.

—Señorita, decirle que no era imposible. No lo aceptaba. Él era el amo, y ¿quién podía negársele?

—Tú no, Jennet —contesté furiosa.

—No, señorita. Me tenía echado el ojo, ¿sabe?, y yo
sabía que tarde o temprano pasaría eso. Y yo estaba como
indefensa. De nada me habría valido, y por eso dije: lo
que sea, será.

—Lo mismo que con Alfonso. Nunca serías víctima de
una violación, Jennet. Te someterías con toda premura.
Fue así, ¿verdad?

No contestó ni levantó la mirada, y de nuevo me sorprendió su aspecto inocente.

—¿Cuándo? —pregunté. No sé por qué motivo, quería
saberlo en detalle. Me dije que detestaba lo sucedido, pero
necesitaba saberlo.

—Fue la noche de los esponsales, señorita. Oh, no tuve
yo la culpa. Fui tomada en lugar suyo podría decirse.

—Qué disparate dices, Jennet.

—Pues señorita, después de los esponsales, fui a su habitación, aunque le había oído decir que pasaría la noche con
la señora, porque él había ido con usted. Entré. La
ventana estaba abierta y cuando cerré la puerta, salió él,
que estaba detrás de ella, y me atrapó. La vela que yo
llevaba cayó al suelo y se apagó. Entonces le oí reír . . .

Lanzó una risita; yo la sacudí diciendo:

—Continúa.

—Me tomó la barbilla con la mano y me hizo alzar la
cabeza, era muy brusco. Él era siempre más bien brusco
en sus modales. Y dijo: "Así que eres tú. ¿Dónde está tu
ama?" Y yo le contesté: "No está aquí, señor". Él dijo:
"Eso ya lo veo. ¿Dónde está?" Y yo le dije: "No vendrá
esta noche. Está con la señora". Y él me obligó a contarle
lo que había oído decir: que como él estaba allí y usted
no confiaba en él, se quedaría con la señora. Él se enfureció y yo me asusté. Maldecía y blasfemaba y todo contra

usted. La deseaba, señorita, mucho. Enojadísimo estaba porque al oír mis pasos había creído que eran los suyos.

Rompí a reír.

—De modo que se vio burlado, ¿eh?

—Eso pensó él. Y estaba furioso. Entonces le dije que iría a avisarle que él estaba allí, y él contestó: "Tontuela, ¿crees acaso que así vendría?" Y me parece que estuvo a punto de ir a buscarla. Pero ni siquiera él podía hacer eso en casa de sus vecinos, ¿verdad? Por eso me obligó a quedarme diciendo: "Haremos de cuenta, Jennet. Esta noche serás tu ama". Y entonces sucedió aquello, señorita. No pude evitarlo. Nunca hubo otra ocasión como esa.

— ¡En mi cama!

—Me había propuesto arreglarla, señorita. Pero no hubo tiempo. Él se marchó al amanecer y yo quedé tan dormida... Es que, señorita, había sido una noche tal... y cuando desperté era tarde y fui a mi habitación para arreglarme, bueno... y cuando volví usted ya había visto la habitación y la cama y...

—La escena de tu triunfo, Jennet.

—¿Cómo dice, señorita?

—Y por eso te dejó embarazada.

Volvió a mostrarse vergonzosa.

—Hubo otras veces, señorita. Cuando usted enfermó él solía venir... y me ordenaba ir a Lyon Court, siempre.

—Y tú ibas por supuesto.

—No me atrevía a desobedecerlo.

—Eres una falsa servidora, Jennet —manifesté—. Es la segunda vez que me traicionas.

—No quise hacerlo, señorita. Fue sólo que no pude impedirlo.

—Después de él Alfonso, ¡y no dudo de que en esta casa te introducirás en la cama de alguien!

—Es en los establos, señorita. Uno de los caballerizos.

—Ahórrame esos repugnantes detalles...

No cesaba de pensar en Jake Pennylon, acechándome en esa habitación y haciendo suya a Jennet. Y pensé en la similitud de mi propia relación con Felipe González, quien fingía que la mujer a quien visitaba cada noche no era yo, sino Isabel.

—¿Y no pensaste que debido a tu lascivia podrías traer al mundo algún infortunado niño?

—Ay, sí, señorita, pero es que sir Penn tuvo tantos y siempre cuidó de ellos. Siempre tuvieron un buen sitio en alguna parte, y yo me decía que lo mismo pasaría con el capitán Jake.

—Te equivocabas.

—Todo cambió, señorita. ¿Quién pudo saber que estaríamos en alta mar y en estas tierras? ¿Quién pudo haber predicho eso?

Pese a su aire desamparado, tenía los ojos iluminados por los recuerdos de su relación con aquel hombre.

Me pregunté por qué no había notado que estaba embarazada. Ahora parecía tan evidente.

Jake Pennylon, pensé. Todo remite a Jake Pennylon. Habría querido borrar de mi mente las imágenes de él y Jennet juntos.

—Vete de mi vista. Me asqueas —le dije.

Ella se marchó cabizbaja.

Odiaba a mi padre. Odiaba a Felipe González. Odiaba a mi padre y a Kate por estropear mi vida. Tanto odio era como una enfermedad corporal. Tenía la garganta apretada con un verdadero dolor físico; quería aliviarlo, y sólo podía hacerlo actuando de alguna manera. Quería vengarme principalmente de Jake Pennylon, pero él se hallaba fuera de mi alcance. Por comparación con él, casi sentía simpatía hacia Felipe González. Este al menos, se estaba vengando de Jake Pennylon. Tal vez fuese una venganza insuficiente. Él no comprendía que Jake era un hombre distinto de él mismo. Jake podía satisfacerse con Jennet cuando no me lograba a mí. Jake jamás entendería la devoción que sentía Felipe hacia su Isabel.

Pero odiaba a Felipe por humillarme, y lo odiaba por no desearme, por obligarme a hacer lo que me hacía y disfrazarme para poder engañarse pensando que yo era Isabel.

Todo retrotraía a Jake Pennylon... pero él estaba fuera de mi alcance y no podía vengarme de él.

Quería hacer daño a alguien. Azotar a Jennet era inútil. Además, estaba embarazada y yo no deseaba perjudicar a un niño inocente, aunque fuese fruto de la lujuria de Jake Pennylon. Pensé en Felipe, y reflexionar acerca de este hombre extraño y silencioso apartó mis pensamientos de mi dormitorio en Trewynd y de Jake Pennylon acechando allí, detrás de la puerta, para atrapar a Jennet.

Empecé a meditar acerca de esas oscuras noches en que Felipe González venía a mi lado. Aunque me negaba a admitirlo, ya no me escandalizaban. Me había habituado a sus visitas. Lo recibía pasivamente, y desde que había visto a Isabel, mi simpatía hacia él había aumentado.

Empero, comenzó a dominarme un deseo... acaso deseaba vengarme de él, acaso mi vanidad femenina estaba ofendida. No lo sabía con certeza, pero empecé a pensar en él más que antes, y mi actitud hacia él iba cambiando.

Una vez, cuando llegó, fingí estar dormida. Me quedé totalmente inmóvil. La habitación estaba siempre a oscuras, pero penetraba la tenue luz de una luna en cuarto creciente y de las brillantes estrellas. Aunque mantuve los ojos cerrados, lo sentí de pie junto a la cama, mirándome.

Siempre dejaba su vela del otro lado de la puerta. Pienso que estaba avergonzado y no quería que la luz lo turbase.

Siempre con los ojos cerrados, lo sentí acostarse. Permanecí inmóvil. Sabía que él me observaba. Siguiendo un impulso, tendí una mano y le toqué la cara. Dejé que mis dedos se demorasen en sus labios, y podría jurar que los besó.

No di señales de reaccionar. Seguí acostada como si durmiera. Él me miró durante unos minutos; luego se marchó en silencio.

Me quedé escuchando sus pasos que se alejaban. Mi corazón latía con violencia. Sentí cierto regocijo. Nuestra relación empezaba a cambiar. En mí comenzaba a manifestarse un deseo: no de amor, sino de venganza.

Se acercaba el momento para Honey, y la partera vino a instalarse en la casa.

Yo fui al escritorio de Felipe, ostensiblemente para agradecerle lo que había hecho por Honey, pero en realidad para hablarle y ver si podía intuir algún cambio en su actitud hacia mí.

Él había vuelto otras noches, pero no todas. Como nunca sabía cuándo vendría, permanecía despierta, a la espera de oír sus pasos. Me encolerizaba cuando venía y también cuando no venía. No lograba entenderme a mí misma.

Cuando entré, se incorporó y se quedó cortésmente de pie. Después me indicó una silla.

Sentándome, dije:

—Vine para agradecerle. Llegó la partera. Mi hermana la necesitará pronto.

Él inclinó la cabeza.

—Es usted bondadoso al tratarnos como seres humanos —continué, infundiendo a mi voz cierto sarcasmo que él, empero, no pareció notar.

—Si está aquí, no es por su culpa. Debe recibir atención, claro está. Traerá al mundo a un buen católico.

—Tengo fuertes sospechas de estar embarazada.

—Las sospechas no bastan. Necesito certeza.

—¿Cuánto tardaré en partir, una vez que se sepa?

—Sobre esa cuestión debo reflexionar. Su hermana no deseará viajar por un tiempo. Tengo entendido que su criada también dará a luz pronto.

No pensaba decirle quién era el padre del hijo de Jennet.

—Fue violada por uno de sus marineros —declaré.

—Eso es deplorable —repuso, levantándose a medias en su sillón, en actitud de despedida.

—Se nos mantiene prisioneras aquí —continué—. ¿Acaso teme que logremos llegar a la costa y volvamos nadando a nuestra patria?

—No hay motivo para que se las tenga prisioneras. Cuando quede embarazada, tendrá más libertad de acción. Se la mantiene encerrada porque el niño debe ser mío.

Enrojecí con violencia.

—¿Y me cree acaso capaz de buscar amantes entre sus compatriotas de La Laguna? Me ofende, señor.

—Le pido perdón. No quise decir tal cosa. Su sirvienta fue tomada contra su voluntad. Hay en usted algo extraño... un aspecto de forastera... que podría ponerla en peligro. Y quizá yo no estuviese cerca para protegerla.

—Confío en estar pronto fuera de su protección.

—No puede desearlo más que yo.

Recordé su llegada, cómo me había mirado y cómo había reaccionado al tocarle yo los labios.

Había imaginado todo eso. Conmover a ese hombre extraño y silencioso era imposible.

El parto de Honey fue largo. Un día y una noche tardó en nacer su hija: una niñita endeble, pequeña, pero viva.

No era extraño después de todo lo que había soportado.

Honey yacía en su lecho, increíblemente hermosa de ver, con su negra cabellera suelta y esa expresión maternal en sus bellísimos ojos violetas.

—La llamaré Edwina —anunció—. Es lo más parecido a Edward. ¿Qué te parece, Catharine?

El nombre me gustó, pero tanto era mi alivio al ver que Honey había superado el trance sana y salva, que cualquier cosa me habría sonado bien. En ciertos momentos había empezado a temer por ella, y entonces comprendí cuánto significaba para mí. Rememorando nuestra infancia juntas en la Abadía, me pregunté qué estaría haciendo mi madre y si pensaría en nosotras... sus dos hijas perdidas, en manos de los españoles.

La pequeña ocupaba nuestro tiempo y nuestros pensamientos. Creo que su llegada fue un acontecimiento decisivo. Mirando esos deditos minúsculos, no podía sino alegrarme, y la niña pasó a ser el centro de nuestras vidas. Dejamos de pensar en venganza y en regreso mientras nos preguntábamos cuánto había crecido la pequeña desde el día anterior.

Más o menos una semana después de nacer Edwina, tuve la certeza de estar embarazada.

Triunfante, lo enfrenté en su escritorio.

—No hay dudas —anuncié—. He visto a la partera. Su desagradable deber ha concluido.

Él bajó la cabeza.

—Ahora es tiempo de que volvamos a nuestro país —agregué.

—Lo hará en el momento conveniente.

—Dijo que de mí quería sólo esto. Me ha mancillado, humillado, impregnado con su simiente. ¿No basta con eso? ¿No estoy libre ya?

—Lo está —repuso.

—Entonces quiero volver a casa.

—Le hará falta una embarcación.

—Usted las tiene. Envió en mi busca, lléveme ahora a casa.

—En este momento no hay ninguna nave en el puerto.

—No obstante, envió el galeón.

—Fue conveniente hacerlo.

—Le ruego entonces que halle conveniente cumplir su trato.

—No hice trato alguno con usted. Hice un juramento a los santos.

—Ha prometido que volvería a mi casa.

—A su debido tiempo partirá hacia su bárbaro país y podrá relatar a su amante, el pirata, lo que aquí ha visto. Podrá decirle lo que le ha ocurrido a una noble dama y lo que le ha ocurrido a usted. Podrá decirle que arruinó la vida de ella y que me he vengado de él. Le llevará su bastardo, tal como él me dejó el suyo.

Me puse de pie.

—¿De modo que cuando llegue un barco, me iré?

—Así se dispondrá —repuso—. Pero quiero estar seguro de que tendrá un hijo.

—Jake Pennylon jamás vio el suyo. ¿Por qué va a ver usted el suyo? ¿Eso forma parte del juramento?

—Su hijo nació —replicó él—. Debo comprobar que el mío nace también.

—No ha logrado una venganza completa —repuse—. No soy como Isabel. Me ha insultado y humillado, pero no me ha privado de la razón. Su venganza está inconclusa.

—Tendrá este hijo —insistió—. No saldrá de esta isla hasta que ese niño nazca. Me aseguraré de que lo tenga y entonces será llevada de vuelta.

Salí del escritorio pensando: dijo que podría marcharme cuando estuviera embarazada. Pero no desea que me vaya. Reí jubilosa mientras pensaba: es vulnerable. Cuando compruebe hasta qué punto, podré vengarme.

Sin duda alguna, la venganza es dulce. Da motivos para vivir cuando la vida se torna demasiado trágica.

Empezaba a entender a Felipe.

Nuestras vidas habían experimentado un cambio, debido principalmente al hecho de que él ya no venía a mí. Me sentía de nuevo en total posesión de mí misma. Y la circunstancia de que hubiera un bebé en la casa no dejaba de tener efecto.

Nos había sobrevenido cierta normalidad. Cosa extraña, nos habíamos tranquilizado, lo cual me maravillaba con frecuencia. Pero la naturaleza humana es tal, que puede habituarse a cualquier cosa, por extraordinaria que sea. Uno se adapta ... o al menos, parecíamos adaptarnos.

Ahora el dormitorio era para mí sola ... y qué habitación agradable era. Desde que ya no constituía el escenario de mis humillaciones nocturnas, mis sentimientos hacia él cambiaron. Podría disfrutar de los decorados elegantes, aunque sombríos; el tapiz que colgaba en una de las paredes; la gruesa tapicería de Arras que impedía penetrar la luz; la arcada con cortinas que comunicaba con la sala de tocador. Había en eso un toque oriental; más tarde supe que la familia de Felipe había vivido en la parte de España donde predominaba la influencia morisca.

Tal vez porque estaba embarazada, me dominaba cierta serenidad. La había notado en Honey y Jennet, aunque en esta era una actitud constante. Me sorprendía que me entusiasmara la idea de dar a luz ese hijo que me había sido impuesto. Lo cierto es que ya estaba olvidando cómo había sido concebido, y sólo era consciente de que una nueva vida se agitaba en mi interior y que iba a ser madre.

Soñaría con mi hijo y esperaría ansiosa su llegada...

212

no sólo porque significaba que cuando lo tuviese volvería a casa, sino porque anhelaba tenerlo en mis brazos.

Se nos permitió ir al poblado. Honey dejaba al bebé al cuidado de Jennet y salíamos montadas en mulas y acompañadas por Richard Rackell y John Gregory, quienes —acaso porque hablaban inglés— habían sido designados nuestros guardias.

Ellos cabalgaban uno delante nuestro y otro detrás. Yo sentía que se me levantaba el ánimo cuando divisábamos el poblado en pleno valle. El brillante sol refulgía sobre las blancas casas y la Catedral que, según nos explicó John Gregory, había sido erigida a principios de siglo. Desde ese sitio no podíamos ver la alta cima montañosa, pero la habíamos visto desde el mar cuando llegábamos a la isla: el gran pico de Teido, que según las antiguas creencias, sostenía el cielo y marcaba el sitio donde terminaba el mundo. Gregory sugirió que tal vez un día se nos permitiera internarnos más y entonces veríamos esa milagrosa montaña.

Dejando nuestras mulas en un establo, seguimos a pie por las calles empedradas, custodiadas de cerca por los dos hombres. Las mujeres, en su mayoría, iban de negro, pero en los balcones de algunas casas había damas que se apoyaban en las balaustradas de hierro forjado para mirarnos con atención, y algunas de ellas lucían faldas y mantillas de vivos colores.

—Les interesamos —comentó Honey.

—Saben que son extranjeras y que vienen de la Hacienda —repuso John Gregory.

—¿Están informadas de cómo se nos trajo aquí? —pregunté.

—Saben que han venido de otro país —replicó John Gregory.

Nos condujo a la Catedral. Los otros tres se persignaron ante el magnífico altar, mientras yo contemplaba las esculturas y los bellos ornamentos que lo adornaban. Nunca había visto una catedral tan grande. El olor a incienso pesaba en el aire. Con todo, la figura de la Madonna era el objeto más sorprendente; la rodeaba una verja de hierro labrado y lucía un vestido de sedosa tela, donde se habían cosido relucientes gemas. Tenía en la cabeza una corona de joyas, y en los dedos diamantes y piedras de brillantes colores y de toda clase.

John Gregory, que estaba a mi lado, dijo:

—La gente dona sus riquezas a la Madonna. Hasta los más pobres dan lo que tienen. Ella nada rechaza. —Al ver que yo me apartaba, susurró—: mejor sería que obrase como una buena católica. No sería prudente que se viese que es lo que se llamaría una hereje.

—Ya he visto bastante de la Catedral. Esperaré afuera —declaré.

Él me acompañó, mientras Honey permanecía de rodillas junto a Richard Rackell. Me pregunté por qué estaría agradeciendo a la Virgen: ¿la muerte de su bondadoso marido, su rapto, el nacimiento de su hija?

Afuera brillaba el sol. Dije a John Gregory:

—De modo que es un devoto católico. ¿Acaso ha confesado el daño hecho a dos mujeres que nada hicieron para perjudicarlo?

Él titubeó levemente. Siempre se inquietaba cuando yo lo reconvenía, cosa que hacía a menudo. Entonces unía las manos, y cuando lo hizo volví a notar las cicatrices que tenía en las muñecas y me pregunté cómo las habría adquirido.

—Hice lo que me vi obligado a hacer —declaró—. No deseaba hacerles daño.

—¿Creyó entonces que se nos podía arrancar de nuestros hogares, violar y humillar sin perjuicio alguno?

No contestó y en ese momento llegaron los otros dos.

¡Qué sensación de libertad se experimentaba caminando por esas calles! En el poblado también reinaba una atmósfera de excitación. Las tiendas nos cautivaron. Hacía mucho que no veíamos tiendas. Se abrían hacia la calle, como cavernas encantadas. Había aromáticos alimentos y pan caliente, distinto de la variedad que conocíamos en nuestro país; pero lo que más nos fascinó fueron las telas de diversas clases que vimos en una tienda.

No pudimos resistirnos a tocarlas. Honey pasó las manos sobre ellas extasiada, y una mujer de oscuras pupilas, vestida de negro, se nos acercó y nos mostró telas: una de ellas era terciopelo de un subido color azul.

—Oye, Catharine, qué bien te quedaría esta —exclamó Honey—. ¡Qué vestido podrías hacerte con ella!

La sostuvo contra mi cuerpo y la mujer de negro asintió sentenciosamente con la cabeza.

Honey me envolvió en la tela. Yo dije:

—Honey, ¿qué estás haciendo? Si no tenemos dinero.

Entonces recordé que llevaba puesta la ropa de Isabel y decidí no seguir haciéndolo. Honey se había hecho vestidos. Yo también lo haría, pero ¡cuánto habría gozado luciendo ese terciopelo!

—Vámonos, Honey, esto es absurdo —dije, e insistí en que nos marcháramos.

En la taberna se nos sirvió una bebida con extraño sabor a menta. Como estábamos sedientos, la bebimos con avidez, tras lo cual montamos en nuestras mulas y emprendimos el regreso a la Hacienda.

Más tarde, al ir a mi habitación, encontré sobre mi cama un envoltorio. Lo abrí: contenía un rollo de terciopelo. Era el que había visto en la tienda.

Lo miré asombrada. Lo apreté contra mí. Era hermoso... Pero ¿qué significaba? ¿Acaso la dueña de la tienda creía que lo habíamos comprado? Habría que devolverlo de inmediato.

Fui en busca de Honey. Esta se sorprendió tanto como

yo; decidimos que la mujer habría entendido mal, creyendo que habíamos comprado la tela.

Debíamos encontrar de inmediato a John Gregory y explicarle. Cuando lo hicimos, declaró:

—No es ningún error. La tela es suya.

—¿Cómo vamos a pagarla?

—Se arreglará.

—¿Quién lo arreglará?

—La dueña de la tienda sabe que vive en la Hacienda. No habrá dificultad.

—¿Significa eso que don Felipe pagará esto?

—En efecto.

—Por cierto que no lo aceptaré.

—Debe aceptar.

—He sido obligada a venir aquí. He sido forzada a someterme, pero no aceptaré regalos suyos.

—Devolverlo sería imposible. Esa mujer está convencida de que se halla bajo la protección de don Felipe. Es el caballero principal de la isla. Si devolviese el terciopelo, sería un desaire para él. Eso no sería permitido.

—En tal caso, que le sea llevado a él, ya que yo no lo usaré.

Inclinándose, John Gregory se llevó la tela que arrojé en sus brazos.

—Es una pena —comentó Honey—. El vestido te habría sentado muy bien.

—¿Pretendes acaso que acepte regalos de quien me ha seducido? Eso equivaldría a darle mi aprobación por lo que ha sucedido. Jamás le perdonaré lo que se me ha hecho.

—¿Jamás, Catharine? Esa es una palabra que se debe usar con cuidado. Todo podría haber sido mucho peor. Al menos él te ha tratado con cierto respeto.

—¡Respeto! ¿Estuviste presente tú? ¿Presenciaste mi humillación?

—Al menos no fue lo que sufrió Isabel a manos de Jake Pennylon.

—Fue lo mismo... aunque el método haya sido un poco distinto. Ella parió el hijo de Jake Pennylon y yo debo parir el suyo. Pensarlo me asquea, Honey.

—En fin, lo siento por el terciopelo —concluyó Honey.

Me llegó una invitación a cenar con don Felipe. Era la primera vez desde aquella otra ocasión en que me había dicho con qué fin se me había llevado allí.

Me pregunté qué significaba eso.

Me vestí con cuidado. Honey y yo habíamos hecho para mí un vestido con la tela hallada en la sala de costura. Al ponérmelo, pensé cuán ilógico era aceptar esa tela y rechazar altaneramente el terciopelo traído de la tienda. En esa casa todo le pertenecía a él, y también, naturalmente, todo lo que hubiera en la sala de costura. Vivíamos de su generosidad.

Pero el terciopelo era un tipo de regalo suyo directo que yo insistía en rechazar.

Me aguardaba en el fresco y oscuro salón donde habíamos cenado antes. Como en aquella ocasión, ocupé yo un extremo de la mesa, él el otro. En su jubón negro con adornos de ese encaje deslumbradoramente blanco, tenía todo el aspecto de un minucioso caballero. La última vez que habíamos cenado así juntos, no había tenido lugar ninguno de aquellos embarazosos encuentros; ahora ellos se interponían entre nosotros... recuerdos que, pensaba yo, tampoco él podía borrar.

Aunque reservado en sus modales, se mostró cortés, y tal como antes, unos criados de silencioso andar nos sirvieron la comida que ya me resultaba familiar. Yo era consciente de cierta inquietud que antes desconocía. Percibía con intensidad su presencia. Me hacía preguntas acerca de él y no cesaba de pensar en aquella noche, cuando había tocado dulce y tiernamente su rostro, fingiendo dormir.

En presencia de los criados, él habló de la isla. Lo hacía sin entusiasmo y sin evidenciar interés, pero tras esa fría actitud pude intuir que sus sentimientos hacia la isla eran fuertes. Él la gobernaba, la dirigía en nombre de su señor, Felipe Segundo (hombre extraño y silencioso, como él mismo). Estos españoles eran distintos; no reían fuerte, como nosotros; nos consideraban bárbaros.

Después me contó que los guanches –que eran los nativos de la isla– se teñían la piel con la resina rojo oscura de los árboles, y que momificaban a sus muertos.

Eso era interesante y yo quise saber más y más acerca de la isla. Me dijo que los guanches veían en el pico de Teido una especie de dios al que se debía aplacar. Y qué bello paisaje presentaba elevándose sobre las llanuras con su nevada cima que jamás cambiaba, aunque abajo reinara un calor abrasador.

Finalizada la cena y cuando quedamos solos, comprendí por qué razón me había invitado a comer con él.

—Fueron a La Laguna y visitaron la Catedral —comentó.

—Sí —repuse.

—No debe obrar como hereje en La Laguna . . .

—Obraré como me plazca, y puesto que sin duda soy lo que llama una hereje, no puedo obrar sino como tal.

—Cuando visite la Catedral, debe mostrar un respeto *católico* hacia la Virgen y el altar; debe arrodillarse y orar como los demás.

—¿Pretende que sea hipócrita?

—Estoy decidido a que dé a luz al niño. No quisiera que le ocurra nada que pueda impedirlo.

Me toqué el cuerpo con las manos. Solía ilusionarme imaginando que tocaba al niño. Esto era absurdo, ya que

218

era demasiado pronto, pero yo era muy consciente de su presencia.

—¿Qué podría impedirlo? —inquirí.

—Podría ser llevada ante la Inquisición. Podría ser interrogada.

—¡Yo! ¿Qué tengo que ver yo con la Inquisición?

—Esto es España. Oh, ya sé que nos encontramos en una isla lejos de España; pero España está dondequiera nos establecemos, y eso será en todas partes del mundo.

—En Inglaterra no —manifesté con orgullo.

—También allí. Le aseguro que así será a su debido tiempo.

—Pues yo le aseguro que eso nunca ocurrirá.

Tuve la visión de Jake Pennylon, con los ojos relampagueantes de burla, blandiendo su alfanje y gritando a los hispanos que vinieran a ver lo que encontrarían.

—Escúcheme —insistió él—. Dentro de poco, el mundo entero será nuestro. Llevaremos a su país la Santa Inquisición... tal como está aquí y en todos los lugares de la Tierra donde España ha puesto su mano. Nadie puede eludirla. Si fuera apresada, ni siquiera yo podría salvarla. La Inquisición está por encima de todo... aun por encima de nuestro Supremo Rey, Felipe.

—No soy española. No se atreverían a tocarme.

—Han tocado a muchos compatriotas suyos. Sea sensata. Escúcheme. Mañana iniciará su instrucción en la Verdadera Fe.

—No haré tal cosa.

—Es más necia de lo que creía. Habrá que mostrarle lo que ocurre a quienes desafían la verdad.

—¿Qué verdad? ¿La suya? Usted que pisotea a inocentes para obtener venganza... Ha arrancado de sus hogares a tres mujeres; las ha sometido a la degradación y el dolor; ha matado a un buen hombre porque intentó proteger a su esposa. Y usted me habla de su fe, la verdadera, la única.

—Calle —exclamó; por primera vez lo vi alterado—. ¿No sabe que los criados oyen?

—Recuerde que no hablan mi bárbaro idioma, salvo esos dos villanos a quienes empleó para que nos trajeran aquí.

—Seré tolerante. Le ruego que tenga calma. Le pido que escuche de modo civilizado.

—Usted me habla de su conducta civilizada. Es tan cómico como hablar de sus virtudes religiosas.

—Hablo por su bien. Hablo por usted y el niño.

—Su bastardo, que me fue impuesto —respondí. Y sin embargo, mientras pronunciaba estas palabras, tranquilizaba mentalmente al niño: "No, no, pequeñín, quiero tenerte. Me alegro de que estés allí. Espera a que te tenga en mis brazos".

Mi voz debe haber vacilado, ya que él dijo con suavidad:

—Eso ya es cosa del pasado. Y no se lo puede anular. Estar desposada con ese canalla fue su desgracia. Tiene un hijo. Delo a luz y acepte su destino. Yo le juro que desde ahora en adelante no le haré daño alguno. ¿Me cree?

Le creía, pero contesté:

—Acaso sea sincero, ya que me ha perjudicado de un modo que me dejará marcada para siempre.

—Le aseguro que sí. Nunca me propuse dañarla. Era necesaria para que yo cumpliese mi juramento. Ahora quisiera ofrecerle la comodidad necesaria hasta que nazca el niño.

—Prometió que volvería a mi país cuando el niño fuera concebido.

—Ya dije que debo verlo nacer. Por ese motivo permanecerá aquí, pero mientras esté aquí quiero que viva tranquila y en paz. Y por esa razón debe prestarme oídos...

—No piense que se me puede aplacar regalándome terciopelo —exclamé.

—No fue un regalo mío. La tendera lo envió para usted.

—¿Por qué?

—Porque le compramos mucha tela y quiso complacerme ofreciéndole ese regalo.

—¿Por qué lo iba a complacer eso?

—Sin duda comprenderá. Como muchos otros, ella está convencida de que es mi amante. Que se la ha traído aquí para vivir conmigo, en cuyo caso complaciéndola se me complace, y la persona que hace el regalo se prestigia.

—¡Su amante! Qué atrevida...

—Es lo que es, en cierto sentido. Veamos los hechos tal como son... Y en estas circunstancias, tendrá cierta protección. Pero como le dije, ni siquiera yo puedo protegerla de la poderosa Inquisición. Por eso deseo que se la instruya en la Verdadera Fe. John Gregory, que es un auténtico sacerdote, la instruirá. Debe escucharme. No quiero que sea apresada... antes de que nazca el niño.

—Me niego —contesté.

—No es sensata —suspiró él—. Le contaré lo sucedido en su país durante su ausencia. Su reina es una mujer necia... Podría haberse casado con Felipe al morir su hermana. Habría sido una oportunidad para unir a nuestros países. Así se habrían evitado muchos problemas.

—No podía aceptar al marido de su hermana. Además, me parece que él no tuvo muy buen desempeño como marido...

—Fue culpa de esa pobre mujer estéril. Y ahora su estúpida hermanastra, la bastarda Isabel, ocupa el trono.

—Por lo cual su país se regocija —declaré—. Ojalá viva muchos años.

—Hace mucho que dejó su país... Ahora el reinado de Isabel tambalea. No ocupará el trono durante mucho tiempo. Será reemplazada por la verdadera reina, María de Francia y Escocia, y entonces será restaurada en Inglaterra la Verdadera Fe.

—¿Acompañada por su Santa Inquisición?

—Será necesario. En su isla habrá un gran exterminio de herejes.

—¡No lo permita Dios! —exclamé—. De eso estamos hartos. Recordamos las hogueras de Smithfield y no las aceptaremos más.

—La Fe será restaurada. Es inminente —insistió él.

—El pueblo respalda firmemente a la reina —afirmé, recordando su coronación, la nobleza con que había hablado al entrar en la Torre. "Debo mostrarme agradecida a Dios y misericordiosa con los hombres . . ." Y mi corazón se colmó de lealtad hacia ella y de odio hacia todos sus enemigos.

—Ya no lo hará —repuso él—. Ciertos hechos han cambiado los sentimientos del pueblo respecto de la reina.

—No le creo . . .

Me escrutó con tranquilidad a la luz de las velas.

—La reina designó su caballerizo mayor a Robert Dudley. Según los rumores, deseaba casarse con él. Él tenía esposa. Se había casado antes; impulsivamente, según algunos, ya que dada la situación pudo haber estado destinado a una elevada posición. Nada menos que rey (aunque quizá sólo nominalmente), ya que la reina lo idolatraba. Es una mujer frívola, que coquetea con todos los hombres, pero nos hemos enterado de que su sentimiento hacia Robert Dudley es más hondo. Ahora la esposa de él, Amy Robsart, ha muerto de manera un tanto misteriosa. Su cadáver fue hallado al pie de una escalera. ¿Quién sabe cómo murió? Algunos dicen que se arrojó desde lo alto de la escalera porque ya no podía soportar más el olvido en que la tenía su esposo; quienes ansían complacer a su

222

reina y lord Robert le dirán que sufrió un accidente. Pero muchos dirán que fue asesinada...

—¿Y la reina se casará con ese hombre?

—Se casará con él y este será su fin. El día en que se case con lord Robert se convertirá en cómplice confesa de asesinato. Perderá su reino, y ¿quién recibirá su corona? La reina de Francia y Escocia, que es la auténtica reina de Inglaterra. Nosotros apoyaremos sus pretensiones. Ella pasará a ser vasallo nuestro. Le ordeno que reciba instrucción de John Gregory. Insisto en esto por su propio bienestar.

—No puede volverme católica si no quiero.

—Qué tonta es —dijo él con voz queda—. Le digo esto para salvarla.

Por encima de las velas miré su rostro. Alguna emoción lo conmovía, y comprendí que temía por mí.

Después de eso, comenzaron mis sesiones diarias con John Gregory. Al principio me negué a escucharlo. Me decía que debía aprender el *Credo* en latín, y solía salmodiarlo sin cesar.

—Si no pudiera hacerlo, sería condenada como hereje sin más trámite —declaró.

Me aparté de él, pero no pude guardar silencio; yo no era callada por naturaleza.

—Es inglés, ¿verdad? —pregunté, y él asintió con la cabeza—. Y se ha vendido a estos perros españoles...

En mi fuero interno, me burlé de mí misma por hablar como Jake Pennylon.

—Podría contarle tantas cosas —repuso él—. Tal vez entonces no me detestaría tanto.

—Lo detestaré siempre. Me llevó de mi hogar, me sometió a esto, vino a nosotros, aceptó nuestra hospitalidad y mintió... jamás olvidaré eso.

—La Virgen rogará por mí —manifestó.

—Sus oraciones no tendrían influencia alguna en mí —fue mi severa respuesta.

Más tarde le dije:

—Nunca me convertirá. Nunca me apresuré a elegir un bando contra otro, pero cuanto más se empeñen en obligarme, más me resistiré. ¿Creen acaso que puedo olvidar el reinado de esa a la que llamaron María la Sanguinaria? Permítame decirle esto, John Gregory: mi abuelo perdió la vida por proteger a un amigo... un sacerdote como usted, de su misma fe, porque esa era la fe de mi abuelo. El padrastro de mi madre fue quemado en Smithfield porque se hallaron en su casa libros defensores a la Fe Reformada. Alguien lo delató, como fue delatado mi abuelo. Y todo esto en nombre de la religión. ¿Le sorprende acaso que la rechace?

—No, no me sorprende —contestó él con vehemencia—. Pero debería escucharme. Debería prepararse por si surgen peligros.

—Entonces me estoy preparando para salvar mi cuerpo, no mi alma.

—No hay motivo para que no salve a ambos.

Hablamos mucho; yo pensé en él, y durante las semanas subsiguientes mi actitud hacia ese hombre empezó a modificarse. Todo estaba cambiando. Era casi como si una bruma se estuviera despejando ante mis ojos.

Los días pasaron y se convirtieron en semanas. Yo misma me sorprendía: estaba volviéndome feliz en aquellas extrañas tierras. Entendía la serenidad de Honey, su absorción en Edwina. La gravidez de Jennet tocaba a su fin. A veces se sentaba con nosotras en el jardín español, hecho por un jardinero que don Felipe había traído de España. En días calurosos, reinaba en los jardines una sensación de paz. Solíamos coser las tres, porque en la sala de costura habían aparecido bellos lienzos y encajes. No me gustaba aceptar esas cosas para mí, pero para mi hijo accedía a cualquier cosa.

A veces advertía la incongruencia de todo eso; pensaba en mi madre en sus jardines o visitando a mi abuela. Hablarían de nosotras. Mi pobre madre estaría triste, ya que había perdido a sus dos muchachas. ¿Nos considerarían ya muertas? Entonces me entristecía, pues ella había sufrido mucho y nos quería entrañablemente a las dos ... en particular a mí, su propia hija.

Pero todo eso era lejano, como otra existencia; y aquí estábamos en el jardín español. Mi bebé, al moverse en mi interior, me recordaba que crecía día a día, y que se avecinaba el feliz momento en que lo tendría en mis brazos.

Jennet era complaciente. Con una barriga enorme, totalmente plácida, aceptaba la vida como yo suponía que jamás podría aceptarla. Ahora que se había librado del peso de su secreto, parecía haber hecho a un lado toda preocupación. Acostumbraba tararear para sí, lo cual me irritaba un poco, porque eran las canciones de mi país que yo recordaba.

Estábamos sentadas a la sombra, protegidas del sol, más cálido allí que en Inglaterra. Honey jugaba con su pequeña, Jennet tarareaba mientras cosía y yo, sentada, zurcía. De pronto comencé a reír. ¡Qué incongruente era aquello! Tres mujeres, una de ellas madre y dos que pronto lo serían, tan serenas después de las violentas aventuras sobrellevadas.

Honey me miró sonriente. Esa risa no la asustaba. No era una risa histérica; en ella había un elemento de felicidad. Habíamos pactado con la vida.

Yo amaba a la hija de Honey, pequeña y delicadamente conformada. Dudaba de que fuera a ser tan hermosa como su madre; en esa época tenía ojos de color azul porcelana y piel delicada. Me gustaba tenerla conmigo; solía llevarla al jardín español y mecerla con suavidad. Ella me miraba entonces con grandes ojos extrañados. Yo estaba convencida de que me reconocía. Se portaba muy bien conmigo. Muchas veces le cantaba canciones que mi madre solía cantar para mí. "La cacería real ha terminado" y "Mangas verdes", que según se decía habían sido compuestas por nuestro gran rey Enrique en persona.

Un día me encontraba sentada en la glorieta enrejada del jardín español, meciendo a la pequeña, cuando noté que me observaban.

Al levantar la vista vi a don Felipe de pie a pocos metros de mí.

Me ruboricé, acalorada, mientras él seguía observándome con ese desapego al que ya estaba habituada. Fingiendo ignorarlo, miré a la niñita, pero él permaneció inmóvil. La niñita empezó a lloriquear, como si percibiera alguna presencia extraña.

—Duérmete, Edwina —murmuré—. Estás a salvo. Catharine está aquí, queridita.

Cuando alcé la vista, él ya se había ido. No sabía que estuviera en la Hacienda, pues había oído decir que se encontraba en otra parte de la isla.

Cuando él estaba en la casa, me sentía siempre inquieta. No era que me impusiese su presencia, pero yo la advertía. Si él estaba presente, la vida en la casa cambiaba. Los criados cumplían sus tareas con renovado vigor; en todas partes reinaba una atmósfera de tensión.

Esa noche tuve un susto, porque estando acostada en mi cama oí pasos en el corredor: pasos lentos, furtivos. Irguiéndome en la cama, escuché. Lentamente se acercaron; se detuvieron junto a mi puerta.

"Viene a mí", pensé, y recordé cómo me había mirado en el jardín. Mi corazón latía con tal violencia, que creía que me ahogaría. Obedeciendo a mi instinto, me tendí y fingí dormir.

A través de los párpados semicerrados vi la luz de la vela; vi la sombra en la pared.

Era la sombra de él.

Permanecí muy quieta, con los ojos cerrados. Él se detuvo junto a mi lecho, con la vela que oscilaba levemente en su mano. Siempre con los párpados bajos, y fingiendo hallarme profundamente dormida, esperé lo que ocurriría.

Sabía que él estaba junto a mi cama, mirándome.

Pareció permanecer allí largo rato; después la luz de la vela desapareció y oí cerrarse con suavidad mi puerta. Por un rato no me atreví a abrir los ojos, temiendo que él estuviese en la habitación, pero al oír sus pasos que se alejaban con lentitud, miré y vi que estaba sola.

Había llegado el momento para Jennet. La partera vino a la Hacienda. A diferencia del parto de Honey, el de Jennet fue breve: pocas horas después de iniciados sus dolores, oímos los fuertes gritos del pequeño.

Era varón, y juro que desde el primer momento se pareció a Jake Pennylon. Dije a Honey:

—¿Nunca escaparemos de ese hombre? Ahora el bastardo de Jennet nos lo recordará.

Pensaba tener antipatía al niño, pero ¿cómo era posible? En pocas semanas fue más grande que Edwina. Y también evidenciaba su temperamento. Nunca hubiera creído que un niño pudiese vociferar tanto cuando quería algo.

Jennet rebosaba de orgullo. Era no sólo su bebé, sino

también del capitán Pennylon. Estaba convencida de que nunca había habido un niño semejante.

—Es lo que creen todas las madres —comenté.

—Es cierto, señorita, pero en este caso es verdad. Sólo de un hombre así pudo salir un bebé como este.

Cada día se parecía más a su padre.

En verdad, nunca nos libraríamos de Jake Pennylon.

—Tan pronto como nazca mi hijo —dije a Honey—, no habrá excusas para mantenernos aquí. Volveremos a nuestro país. Yo regresaré a la Abadía. Anhelo estar junto a mi madre. Hay tantas cosas que quiero decirle. Antes no sabía nada de nada. Con frecuencia pienso en ella y en su vida junto a mi padre. Supongo que los hijos nunca conocen a sus padres, pero lo que me ha sucedido y las terribles aventuras que ella sobrellevó nos acercarán más que nunca cuando volvamos a vernos.

En la mirada de Honey vi que también ella ansiaba volver.

Sentadas en el jardín, hablábamos de otros tiempos en la Abadía, de cómo mi madre solía llegar con su cesta cargada de ungüentos, golosinas y flores, y de cómo hablaba siempre de sus hijos mellizos, que a veces la acompañaban.

Y cuando recordábamos esas épocas, Honey empezó a confiarme secretos.

—Siempre tuve celos de ti, Catharine —dijo—. Siempre recibías tú lo que yo deseaba.

—¡Tú, celosa de mí! Pero si la bella eras tú.

—Yo era hija de una sirvienta y del hombre que saqueó la Abadía... Mi bisabuela fue bruja.

—Pero te fue muy bien, Honey. Después de todo, te casaste con un hombre rico, que te idolatraba. Entonces fuiste feliz.

—Siempre lo fui a mi modo, un modo algo improvisado. Era la hija adoptada, a quien el señor de la casa no recibía...

—Pero tu belleza te liberó de eso. Edward Ennis habría sido lord Calperton, y tú una dama de alto rango.

—Acepté a Edward porque era un buen partido.

—Claro que lo era. Mamá quedó encantada.

—Sí, todos estaban encantados. La huérfana había salido de su pobreza; había conseguido un buen partido, tenía al más bondadoso y tolerante de los maridos. ¿Eso es ser feliz, Catharine?

—Si lo amabas.

—Llegué a amarlo. Era tan bondadoso. Yo le tenía afecto. Era lo mejor que yo podía esperar.

—¿Qué me estás diciendo, Honey?

—Que amé... como amaste tú, pero él no era para mí. Hice mis planes... Pero él no me amaba. Amaba a otra. Eso fue evidente mucho tiempo antes de que él o ella lo advirtiesen. Yo lo noté y te odié, Catharine, como nunca te había odiado en mis celos infantiles.

—¿Me odiabas *a mí*?

—Sí... Nuestra madre te quería como nunca podía quererme. Tú eras su propia hija. Y Carey te amaba. Siempre te buscaba. Se burlaba de ti, te trataba con brusquedad, solían pelear... pero él siempre te buscaba; no estaba contento y feliz si no en tu presencia. Yo lo sabía. Solía llorar de noche.

—¿*Tú* amabas a Carey?

—Por supuesto que lo amaba. ¿Quién podía evitar el amar a Carey?

—Oh, Honey, tú también —murmuré.

Guardamos silencio pensando en él... Carey, el amado Carey, que debía haber sido mío. Pero lo perdí y Honey también.

229

—Nuestro amor estaba condenado —dije—. No había motivos para que el tuyo lo estuviera.

Ella rió al responder:

—Si no se puede tener al ser amado, no por eso se acepta a cualquiera.

—Pero él te tenía cariño.

—Como a una hermana. Y yo sabía que él te amaba. Por eso acepté a Edward. No supe la verdad hasta después de casarnos.

Apartándome de ella, contemplé el deslumbrante cielo, las palmeras en el horizonte, y pensé en los trágicos vericuetos de nuestras vidas que nos habían llevado a ese momento.

Esa confesión nos había acercado más. Ambas habíamos amado y perdido a Carey.

El bebé de Jennet, tal como Edwina, fue bautizado con el ritual católico. Honey había sido católica antes de salir de Inglaterra, y Jennet estaba muy dispuesta a adoptar cualquier religión que se le pidiera. Alfonso la había iniciado en esa senda; John Gregory le había instado a seguir. Me pregunté qué diría Jake Pennylon de haber sabido que un hijo suyo aunque bastardo era bautizado en la fe católica. Pensar en eso me causó cierto placer.

Jennet lo llamó Jack, sin atreverse a usar un nombre más parecido al de su padre, y no tardó en conocérsele como Jacko.

Ahora nuestras vidas estaban dominadas por los dos niños; y por ese entonces otro entró en ellas.

Fui yo quien halló a Carlos. Pobrecito Carlos, bastaba verlo para que se oprimiera el corazón de cualquier mujer, y tanto más cuanto que en él había algo de gallardo, algo de alegre y osado.

Yo pensaba en don Felipe más de lo que deseaba admitir. Él estaba mucho tiempo ausente, aunque iba solamente a La Laguna. Cuando permanecía en casa, yo me esforzaba mucho por evitarlo, pero gustaba de observarlo cuando él no lo advertía. A veces lo divisaba desde mi ventana y lo miraba desde las sombras. Como él alzaba la vista con frecuencia, yo tenía la sensación de que notaba mi presencia allí.

Pensaba mucho en su relación con Isabel. Era su esposa. ¿La visitaría a menudo? ¿De qué hablaban entonces? ¿Advertía ella mi presencia en la Hacienda? Y en tal caso, ¿qué pensaba de ella? ¿Sabía que yo iba a parir un hijo de su esposo?

Con frecuencia pasaba cerca de la Casa Azul; en esas ocasiones miraba, a través de la puerta de hierro forjado, el jardín donde las adelfas arrojaban sombras sobre el empedrado, y pensaba en el hermoso rostro de la niña que jugaba con muñecas, y me preguntaba cómo sería su vida junto a su cariagria dama de compañía.

La casa se había convertido para mí en una especie de obsesión. Comprobé que mis pasos me conducían allí cada vez que quedaba sola. Atisbando por la puerta de hierro forjado, pensaba en Isabel y en lo que sucedería cuando don Felipe la visitaba.

Un día encontré la puerta abierta y entré. Era la hora de la siesta, por la tarde. La casa parecía dormir, como lo hacían sin duda todos sus moradores. Me gustaba pasear a esa hora; me agradaba la quietud reinante, el silencio, y pese al calor volvía espiritualmente reanimada. Durante mis solitarios paseos solía pensar en mi hogar y en mi madre, deseando que no se acongojase demasiado por mí. Empezaba a sentir que mi antigua vida había concluido y que debía iniciar otra nueva allí, pues me preguntaba si don Felipe nos permitiría irnos alguna vez.

A causa de ese hombre extraño que dominaba entonces mis pensamientos, había llegado yo a esa casa. Quería saber más respecto de él. ¿Cómo había vivido en España antes de llegar allí? ¿En verdad había amado apasionadamente a Isabel? Así debía ser, puesto que había llegado a tales extremos para vengarse. Empero, eso podía obedecer a su orgullo.

La tranquilidad del patio me envolvió. Levanté los ojos hacia el balcón donde había visto a Isabel. Las puertas estaban cerradas; no se veían señales de vida. Sin ruido, me encaminé hacia el costado de la casa, donde había una pérgola umbrosa y fresca porque las plantas cubrían el enrejado. Me encontré frente a una puerta, de hierro forjado como la otra, más allá de la cual se veía un terreno y en él una casita, una especie de choza.

Mientras yo miraba desde esa puerta, salió de la casa un niño. Tendría, según calculé, unos dos años; estaba sucio y descalzo, y vestía una prenda informe que le llegaba a las rodillas. Se frotaba un ojo con el puño y evidentemente estaba afligido, ya que cada pocos segundos un sollozo lo estremecía.

Como había llegado a interesarme apasionadamente por los niños, la congoja de este me emocionó en lo hondo, inspirándome el deseo de aliviarla, si era posible.

De pronto me vio y se detuvo; clavó en mí su mirada y por un momento pensé que iba a huir. Entonces le dije en voz alta:

—Buen día, pequeño.

Al verlo desconcertado, repetí mi saludo en español. Mi voz debe haberlo tranquilizado, ya que se aproximó a la puerta, donde se detuvo. Dos ojos pardos se elevaron hacia mí. Su cabello, espeso y lacio, era de un castaño intermedio; su piel, aceitunada. Pese a la suciedad, era un niño atractivo, y aunque estaba apenado, se notaba su gallardía.

Le sonreí arrodillándome de modo que nuestros rostros quedaron en un mismo nivel. Luego le pregunté qué le pasaba. Entonces le temblaron los labios y me mostró un brazo. Los magullones que vi en él me dejaron atónita. Él, advirtiendo mi comprensión, me tendió el brazo, que yo toqué suavemente con los labios. Él sonrió. Esa sonrisa deslumbrante, como sólo había visto una, me indicó enseguida quién era el niño. Era el hijo de Jake Pennylon, resultante de la violación de Isabel.

En ese momento odié con toda mi alma a Jake Pennylon, que esparcía sus bastardos por todas partes sin pensar jamás en lo que les pasaba. En aquel remoto paraje había dos. Y porque odiaba a Jake Pennylon, mi compasión hacia ese desdichado niño se intensificó. Pero también me habría encolerizado ver cualquier niño abandonado.

A través de los barrotes, toqué con mis labios los magullones.

Oí que una voz llamaba:

— ¡Carlos, Carlos! —y una serie de palabras que no entendí, posiblemente algún dialecto.

Dando media vuelta, el niño huyó corriendo hasta ocultarse precipitadamente tras un matorral que había en aquel terreno. Me aparté de la puerta al ver salir a una mujer. El cabello le caía alrededor del rostro; su boca era cruel, penetrantes sus negros ojos; los fláccidos senos casi le caían del vestido suelto y escotado.

—Carlos —la oí repetir, y la observé preguntándome qué hacer si ella encontraba al niño, pues supe que era ella la autora de esos magullones.

Habría querido abrir la puerta y entrar. Habría querido reconvenirla, pero sabía que con eso no haría más que empeorar la situación del pequeño.

La mujer pareció satisfacerse con gritar, y al cabo de un rato volvió a la cabaña. Yo esperé a que el niño saliera, pero no lo hizo; pensé que acaso se hubiera quedado dormido entre las matas.

Volví pensativa a la Hacienda y hablé con Honey.

233

—Creo haber visto al hijo de Jake Pennylon —manifesté, y le conté lo del pequeño Carlos.

—No debiste ir allá —declaró Honey—. Se te indicó claramente que no fueras.

—Qué hogar extraño es este, Honey —comenté—. ¿Qué crees que ocurrirá en esa casa? ¿Don Felipe entra en ella a menudo?

—¿Qué te importa eso a ti?

—Nada, por supuesto. Oh, Honey, cuando nazca mi hijo volveremos a casa...

No podía olvidar a Carlos. La expresión de esos grandes ojos pardos cuando le besé los magullones, y esa demostración de temor al oír aquella voz... Lo imaginé encogido bajo los golpes de esa mujer. Al día siguiente me llevé un muñequito de trapo que Honey había hecho para Edwina. La niña no le había hecho caso; sin duda era demasiado pequeña para saber qué era.

Carlos, cosa extraña, me aguardaba en la puerta; supe entonces que había anhelado mi regreso. Al verme se tomó de los barrotes y comenzó a saltar. Cuando me arrodillé, tendió el brazo para que se lo besara. Ese además me arrancó lágrimas.

Al darle yo el muñeco de trapo, lo tomó riendo. Lo apretó contra sí y luego me lo tendió. Comprendí que era para que yo lo besara.

—Carlos —dije, y él movió la cabeza asintiendo—. Catalina —agregué entonces, pronunciando la versión española de mi nombre.

—Catalina —repitió él.

Después echó a correr, volviéndose constantemente, lo cual interpreté como que deseaba que me quedase. Volvió con una flor, una adelfa que me ofreció. Yo la acepté y la introduje en mi corpiño. Entonces rió: ya éramos amigos.

Ansiaba hacerle preguntas, pero era difícil superar la barrera del idioma. De pronto oí voces; de nuevo el pequeño corrió a ocultarse tras el matorral. Al amparo de las adelfas, yo observaba. De la casa salieron dos niños; uno tenía unos ocho años, el otro alrededor de seis. Ambos corrieron al matorral y sacaron a rastras a Carlos. Lo oí gritar. Le quitaron el muñeco de trapo y el niño más grande empezó a destrozarlo. Carlos gritó de ira, pero no pudo evitar que el muñeco quedara hecho pedazos en la hierba.

Tendido en el suelo, Carlos se lamentaba acongojado. Pero cuando el niño más grande se le acercó y le dio un puntapié, Carlos se incorporó de un salto. Los dos niños rodaron sobre la hierba y entonces apareció la mujer. Los niños más grandes huyeron corriendo. Carlos se incorporaba dificultosamente cuando la mujer le dio un puntapié.

Eso fue demasiado para mí. Empujé con todas mis fuerzas la puerta que, para sorpresa mía, se abrió, y la traspuse. Apartando del niño su atención, la mujer me miró con fijeza y soltó un torrente de insultos.

Carlos, que ya no gritaba, se puso detrás de mí; sentí que se aferraba a mis faldas con las manos.

La mujer trató de apresarlo, pero yo la contuve, protegiendo al niño. Qué fea era esa mujer . . . vil, primitiva. En su rostro no había inteligencia, solo astucia, y también crueldad . . . una horrenda crueldad irracional. Y esa era la mujer que tenía a su cargo al hijo de Jake Pennylon.

Sus ojos relampaguearon de perverso deleite. Comprendí que estaba planeando lo que haría al pequeño. De su boca brotaba un hilo de saliva. Yo me alejé de ella. Era repugnante, horrible, y yo no iba a dejar ningún niño a su merced.

Sin reflexionar, levanté a Carlos en mis brazos y salí por la puerta. Sentía sus manos que me apretaban con fuerza, su rostro sucio y acalorado junto al mío.

La mujer nos persiguió corriendo. Intenté cerrarle la puerta en la cara, pero como llegué demasiado tarde, me apresuré a salir al patio con el niño.

Vi entonces que había allí otra persona: la dama de compañía a quien había oído llamar Pilar.

Pilar clavó en mí esos ojos penetrantes que brillaban bajo sus hirsutas cejas.

—Este niño necesita cuidados —dije yo.

Acercándose a mí, Pilar intentó quitarme al niño, que gritó aferrándome con más fuerza todavía. Yo continué:

—Es evidente que le causan terror, lo cual me indica el mal trato que ha recibido de ustedes. Lo llevaré a la Hacienda conmigo.

Pilar, que evidentemente entendía algunas palabras de inglés, exclamó:

—A la Hacienda... No, no —y gritó algo acerca de don Felipe.

—Me importa un bledo de don Felipe —declaré, lo cual era una necedad, ya que él era el amo de todas nosotras.

En ese instante salió al patio Isabel, que al ver al niño corrió hacia nosotros y procuró quitármelo. Carlos empezó a gritar con verdadero terror.

—Isabel, Isabel es la favorita —exclamó Pilar.

Comprendí que debía proteger al pequeño. Comprendí que no debía permitir que su madre se apoderase de él. Estaba loca. Era la primera vez que veía una mujer demente. Algunos habrían dicho que estaba poseída por demonios, y si alguna vez vi un caso de posesión, fue entonces. Prorrumpió en alaridos; de no haber estado Pilar a su lado, habría caído al suelo. La vi allí tendida, mientras Pilar le introducía algo entre los labios; ella se retorcía como atormentada.

Pisando la hierba, volví corriendo a la Hacienda.

—Bueno, Carlos, bueno —dije—. Ahora estás conmigo.

Don Felipe estaba ausente, y quizá fuera mejor así. Yo sabía que todos los moradores de la Hacienda estaban asombrados por la enormidad de mi acción. No podía haber hecho nada más atroz. La terrible tragedia de esa casa había comenzado el día en que el *León Rampante* llegó a Tenerife; esos acontecimientos la habían ensombrecido durante tres años, cambiando la vida de todos los que en ella habitaban. Y al auténtico modo español, ese hecho que lo había cambiado todo debía ser ignorado; cada cual debía conducirse como si no hubiese ocurrido, aunque la esposa de don Felipe vivía en una casa aparte porque estaba loca y él se había apoderado de una mujer extraña para completar su venganza. Y ahora yo —esa mujer extraña— había traído a su casa al resultado de aquel desastre. No me importaba. Iba a tener un hijo propio y amaba a todos los niños. No iba a quedarme quieta viéndolos maltratados para salvaguardar el orgullo de ningún noble español.

Ver cómo me miraba Carlos era patético. Evidentemente yo era para él una especie de diosa, capaz de hacer cualquier cosa. Era yo quien había besado sus magullones, quien lo había sacado de la escualidez para llevarlo a una hermosa casa. Lo bañaba en mi bañera, curaba los abundantes magullones de su cuerpecito, y verlos suscitaba mi furia a tal extremo, que habría infligido sin vacilar igual castigo a esa mujer de maligna expresión. Lo alivié con lociones, lo envolví en una túnica de algodón y lo hice dormir en mi lecho. A la mañana siguiente, cuando desperté, lo hallé tendido junto a mí, sujetando con fuerza mi camisa de dormir. Creo que lo había apretado mientras dormía, tan aterrado estaba de perderme. Entonces supe que nunca podría abandonarlo.

Oh, Jake Pennylon, me dije. Voy a pelear por tu hijo.

Jennet no se cansaba de él. La semejanza entre su hijo y este niño era evidente. Aunque uno era de tez clara y el otro moreno... eran hermanastros.

En la Hacienda nadie protestó, aunque nos rodeaba una atmósfera de tensión.

—Están esperando el regreso de don Felipe —comentó Honey.

Volvió tres días después de que yo llevara a Carlos a la Hacienda. Para ese entonces el niño había cesado de tener miedo; me seguía, pero ya no manifestaba creer necesario aferrarse a mis faldas. Gracias a mi tratamiento, los magullones comenzaban a desaparecer de su cuerpo y también de su espíritu. Tenía yo la esperanza de que en poco tiempo esa desdichada época de su vida inicial pasara a ser algo así como una pesadilla que desaparece con la luz del día. Estaba decidida a que así fuese.

Todos estaban a la espera de lo que ahora iba a ocurrir. Intuí que estaban convencidos de que mi breve despliegue de autoridad había concluido.

Durante todo el día no sucedió nada. Yo, tensa, me sobresaltaba cada vez que se me acercaba un sirviente: esperaba un llamado. El menos inquieto era el más interesado: Carlos. Él tenía una fe total en mí. Además, no tenía la más remota idea de su identidad.

Anochecía cuando don Felipe me hizo llamar: debía ir a su escritorio.

Cuando entré, se puso de pie. Se lo veía tan impasible como siempre; su rostro no mostraba señales de cólera, pero claro está que nunca había visto en él ninguna emoción.

—Siéntese, por favor —dijo, y así lo hice.

Paseé la mirada por las paredes artesonadas y el emblema de España sobre el sillón de don Felipe.

—Muestra gran temeridad al traer al niño a la Hacienda. Bien sabe quién es.

—Eso es obvio.

—En tal caso sabrá también que es un estorbo para mí.

Reí con furia.

—Y usted, ¿sabe que es diabólicamente cruel con él? Estos tres últimos días ese niño ha sido feliz por primera vez en su vida.

—¿Por esa razón escarnece mis órdenes?

—Es la mejor de las razones —contesté sin titubear.

—¿Porque es el hijo de su amante?

—Porque es un niño. No es hijo de mi amante. Jake Pennylon jamás fue mi amante. Odio a ese hombre tanto como lo odio a usted, pero no aceptaré ver que se maltrate a un niño.

Dicho esto, me erguí con los ojos llameantes. Estaba decidida a quedarme con Carlos como pocas veces había estado decidida hasta entonces. Alguien había dicho respecto de mi madre (creo que fue Kate) que cuando tuvo una hija se convirtió en madre de todos los niños. Pues yo estaba por tener un hijo. Siempre había tenido afecto a los niños, pero ahora estaba dispuesta a conducir una ferviente cruzada en pro de ellos. Carlos había fijado en mí su mirada implorante... y aunque percibía su semejanza con Jake Pennylon cada vez que lo miraba, iba a salvarlo de la desdicha. Haría de él un niño feliz a cualquier costo.

Don Felipe dijo:

—Está desposada con el capitán Pennylon. Iba a casarse con él.

—Nunca lo habría hecho. Ya ve que sus planes de venganza han fracasado. Me desposé con él porque me obligó a hacerlo. Si yo no hubiera accedido, él habría delatado a mi hermana y su marido.

—Es defensora de causas ajenas —comentó él. No supe con certeza si hablaba con un dejo de ironía.

—Ese hombre no tiene piedad. Quiso forzarme como forzó a su Isabel. Yo lo eludí, aunque tuve que desposarme con él. Más tarde fingí estar apestada hasta que su nave partió. Eso es lo que sentía hacia Jake Pennylon.

Él me miraba de manera extraña.

—¡Cuán vehemente es! ¡Cuán fogosa!

—He hallado necesario serlo. Pero sepa esto: no tiene derecho a juzgar a Jake Pennylon. Él arruinó vidas con su lujuria; usted lo hace con su orgullo, y estoy convencida de que un pecado es tan mortal como el otro.

—Calle.

—No callaré. Don Felipe, tan grande es su orgullo que ha arrebatado a una mujer de su hogar. Es culpable de violación. La ha dejado embarazada. Además, ha infligido tortura al inocente resultado de la lujuria de otro hombre. Y todo esto para apaciguar su orgullo. El diablo se lleve su orgullo . . . y a usted con él.

—Tenga cuidado. Olvida...

—Nada olvido. Tampoco olvidaré lo que usted y Jake Pennylon han hecho a mujeres y niños. ¡Ah, ustedes, los grandes hombres! Tan poderosos, tan fuertes ¡Sí! Cuando reprimen a los débiles y a quienes no están en situación de luchar contra ustedes.

—No veo que sea tan débil —comentó.

—¿No lo vio cuando tuve que someterme a sus perversos motivos?

—Dígame, ¿no se resignó con rapidez?

Sentí que un lento rubor inundaba mi rostro.

—No lo entiendo, don Felipe González.

—En tal caso, abandonemos el tema y volvamos al motivo por el cual la hice llamar. El niño debe volver. No puedo permitir que esté aquí.

—No puede enviarlo de vuelta... ahora no. Sería peor que antes para él.

—¡Ya ve! Mire lo que ha hecho.

Me acerqué a él, sintiendo lágrimas en mis ojos, porque pensaba en la vuelta de Carlos a esa casucha donde lo aguardaba aquella malvada mujer. Para salvarlo de eso, estaba dispuesta a humillarme mil veces.

Le toqué el brazo; él me miró.

—Me ha perjudicado . . . hondamente. Ahora le suplico. Déme este niño.

—Tendrá un hijo suyo.

—Quiero éste.

—Nunca debió traerlo aquí.

—Por favor —insistí—. Me ha maltratado. Esto le pido. Es lo único que le he pedido jamás. Deme el niño.

Tomó mi mano, que yo apoyaba en su brazo; la apretó un instante y después la soltó.

Luego volvió a su escritorio y yo salí de la habitación. Sabía que había triunfado.

En efecto, fue un triunfo. Todos preveían que el niño sería enviado de vuelta. Esa noche, acostado junto a él en mi cama, yo aún temía; pero por la mañana lo seguía teniendo a mi lado. Sentí ansiedad durante dos días, pero mis temores eran infundados. Don Felipe había decidido permitir que el niño se quedara.

Eso me inspiró más afecto hacia él. Una vez lo encontré en los jardines y le hablé. El niño estaba conmigo, pues aún se negaba a perderme de vista.

—Gracias, don Felipe —le dije.

—Espero que mantenga al niño lejos de mí —repuso él.

—Así lo haré —prometí—. Pero le agradezco por él.

Sintiendo la mano de Carlos sobre mi falda, la tomé firmemente en la mía y nos alejamos.

Intuí que don Felipe nos seguía con la mirada.

Trascurrieron algunas semanas. Mi embarazo era ya perceptible. Edwina estaba cobrando una personalidad propia; era un bebé satisfecho. A veces yo, asomándome a su cuna, pensaba: Edwina queridita, tan risueña, que no tiene idea de que su padre fue asesinado por piratas y que su madre la dio a luz precariamente en medio de aterradoras aventuras.

Carlos ya se instalaba en el cuarto de juegos como si hubiera vivido allí siempre. Yo hice que le trajeran un jergoncito, que fue colocado en mi habitación, junto a mi lecho. Allí estaba contento, aunque seguía yendo a mi cama por la mañana. Creo que al principio, lo hacía para comprobar que yo estaba todavía allí.

Don Felipe se ausentó de nuevo y nosotras reanudamos nuestra vida normal, pero antes de partir me hizo llamar. Yo temía que fuese a anular su decisión de permitir que el niño se quedara, pero me equivocaba. Quería hablarme de otra cuestión.

—Me dice John Gregory que no avanza bien en su instrucción...

—Mi corazón no está en ella —le contesté.

—No sea tonta. Le digo que es necesario que se haga buena católica.

—¿Es posible hacerse bueno en algo contra la propia voluntad?

Mirando la puerta, respondió:

—Hable en voz baja. Hay gente que escucha. Aquí hay quienes entienden inglés. Mal le iría si se supiese que es hereje. Creo que no se da cuenta de los beneficios de que goza bajo mi protección —agregó al ver que yo hacía un ademán de impaciencia.

—No deseo su protección.

—No obstante, la tiene. Ya le he dicho que hay ciertas fuerzas sobre las cuales no tengo poder alguno. No sólo su bien, sino por el hijo que va a tener y ese otro niño a quien ha tomado bajo *su* protección, le pido que se cuide.

—¿Qué quiere decir?

—Que podría correr grave peligro si no aprovecha las instrucciones de John Gregory. Tiene enemigos. Estos han

242

aumentado en las últimas semanas. Será vigilada, espiada, y como le digo, quizá no estuviera en mi poder salvarla. Piénselo. Es impetuosa. Tenga cuidado. Eso quería decirle.

Le sonreí, pero él evitó mi sonrisa, como si temiera en ella algo perverso.

—Supongo que debería agradecerle. Me lo dice por mi bien —comenté.

—Me preocupa que dé a luz este hijo.

—Y cuando lo haya tenido, ha prometido que me llevará de vuelta a mi país.

No contestó. Luego dijo:

—Faltan algunos meses para el nacimiento. Mientras tanto, habrá que tener cuidado.

Dicho esto, me despidió.

Dos días más tarde, John Gregory me dijo que debía ir a La Laguna según instrucciones de don Felipe.

—¿Para qué quiere que vaya? —inquirí.

—Desea que vea cierto espectáculo.

—¿Y mi hermana?

—Creo que usted sola. Debe ir conmigo y con Richard Rackell.

Quedé intrigada.

El día era caluroso y el sol nos azotaba cuando montados en mulas llegamos al poblado. De la campiña llegaban multitudes que se internaban en la ciudad.

—Nunca he visto aquí tanta gente —comenté—. Debe ser un gran festival.

—Ya verá —repuso John Gregory con voz queda.

Lo escudriñé. Desde nuestras entrevistas había llegado a comprender que ese hombre tenía secretos. Para empezar, era inglés. ¿Por qué entonces se sometía a los españoles? Ya había notado las marcas que tenía en una mejilla y en ambas muñecas. Había visto otra en su cuello. Durante su instrucción, a veces parecía ferviente en exceso, otras, casi lánguido. Había intentado hacerle preguntas acerca de él mismo, pero siempre las eludía.

Ahora advertí que estaba hondamente conmovido.

—¿Ha ocurrido algo que lo inquieta, John Gregory? —pregunté.

Él meneó la cabeza negativamente.

En la plaza había una muchedumbre. Se habían erigido varios estrados; fui conducida a uno de los más adornados, que ostentaba un emblema.

Subí a la plataforma y allí me senté en un banco. John Gregory estaba de un lado, y otros moradores de la Hacienda del otro.

—¿Qué va a pasar? —pregunté a Gregory.

—No hable en inglés —susurró él—. Hágalo en español y en voz baja. Es preferible que no se sepa que es extranjera.

Entonces comenzó a dominarme una sensación de horror. Adivinaba ahora que lo que iba a presenciar era tan horrendo, que sólo en mis pesadillas había visualizado tales acontecimientos. Recordé los días en que el olor a humo había llegado desde Smithfield por el río. Al ver ahora los montones de haces de leña, supe lo que significaban. Rememorando mi última conversación con don Felipe, comprendí entonces por qué había querido que yo fuese allí.

—Me siento mal. Quiero volver —dije a John Gregory.

—Es demasiado tarde —repuso él.

—Esto será malo para mi hijo.

—Ya es demasiado tarde —se limitó a repetir.

Jamás olvidaré aquella tarde. El calor, la plaza, las voces que salmodiaban, el fúnebre doblar de las campanas de la catedral; las figuras en sus mantos, con las caras encapuchadas y mirando a través de las hendiduras, amenazadoras y terribles. Nadie podría haber dejado de percibir que algo horrendo estaba por tener lugar.

Quería dejar de ver esa escena. Ansiaba levantarme e irme. Cuando me incorporé a medias en mi asiento, el brazo de John Gregory me rodeó con firmeza, sujetándome.

—No puedo soportar esto —susurré.

—Debe hacerlo —susurró a su vez—. No se atreva a marcharse; sería vista.

Entrecerré los ojos, pero algo en mi interior me obligaba a abrirlos.

Todavía está vívido en mi memoria: es como un caleidoscopio que cambia ora en un sitio, ora en otro, hasta presentarme todo aquel horror.

La plaza estaba colmada; sólo quedaba despejado el centro donde se iba a desarrollar la espantosa tragedia. Contemplando aquel mar de rostros, me pregunté si alguno de ellos habría acudido a ver la agonía mortal de algún ser querido. ¿Eran todos "buenos católicos"? ¿Acaso su fe religiosa (que se suponía basada en el amor hacia sus congéneres) los ligaba a la desgracia que estaban por presenciar? ¿Podían resignarse a esa cruel intolerancia por estar convencidos de que quienes pensaban distinto de ellos debían morir? Quería ponerme de pie y gritarles, sublevarme contra la crueldad y la intolerancia.

Y entonces llegaron ellos... Las míseras víctimas con su trágico "sambenito"... esa toga informe con llamas y diablos pintados... grises los rostros por el prolongado encierro en celdas fétidas y húmedas; algunos habían sido tan cruelmente torturados, que no podían caminar. Me disponía a taparme la cara con las manos cuando John Gregory susurró:

—No. Recuerde que será observada.

De modo que permanecí allí sentada, con los ojos bajos para no contemplar esa terrible escena.

Súbitamente todos se incorporaron; salmodiaban palabras que, según advertí, eran el Juramento de Lealtad a la Inquisición. John Gregory se puso delante de mí para ocultarme. Me sentí enferma, a punto de perder el sentido. En ese momento mi hijo se movió como recordándome que, por su bien, debía fingir que era igual a esas personas y simular que compartía sus creencias. Para eso estaba allí. Así me indicaba don Felipe el peligro que corría. Con cuánta facilidad podía ser *yo* uno de los que estaban allí abajo, con el "sambenito" amarillo; podía ser conducida a mi montón de leña para quedar allí mientras las llamas crecían a mi alrededor.

Debía vivir por mi hijo . . . Además, no deseaba morir. Supe una vez más que me aferraría a la vida, sin importarme lo que esta me ofreciera.

Estuve presente cuando fueron encendidas las hogueras. Vi que las autoridades eran piadosas con algunos, ya que los estrangulaban antes de entregar sus cuerpos a las llamas. Los impenitentes, aquellos que proclamaban atenerse a sus convicciones, no recibían tal beneficio; las llamas eran encendidas debajo de ellos cuando aún vivían.

Allí sentada, recordé las hogueras de Smithfield y el día en que se llevaron al padrastro de mi madre. Recordé que mi abuelo había muerto en el patíbulo por dar refugio a un sacerdote y que el padrastro de mi madre había ardido en la hoguera por seguir la religión reformada. Y surgió en mí un vehemente odio hacia todo abuso religioso, ya fuese católico o protestante.

Nunca debíamos permitir que la Inquisición se estableciera en Inglaterra . . . Cuando volviera a mi país, les hablaría de ese día. Debíamos luchar contra ello con todas nuestras fuerzas.

Experimenté entonces un gran deseo de aplastar toda intolerancia, de combatir contra toda crueldad.

Oí los alaridos de dolor cuando las llamas lamieron esos cuerpos ya mutilados y atormentados.

—Dios mío —rogué—, llévame lejos de esto. Llévame a casa.

Yacía en mi lecho, en la habitación a oscuras. Durante el trayecto de regreso había desfallecido, resultándome difícil permanecer sentada en la mula. Tan pronto como llegué a la Hacienda, fui a mi dormitorio y me tendí en la cama.

No podía borrar de mi mente lo que acababa de ver.

Entró don Felipe y se sentó junto a la cama. Vestía traje de montar, lo cual quería decir que acababa de llegar a la Hacienda. Era significativo que hubiera ido a verme antes que nada.

—Concurrí al *auto de fe* —dijo.

—Ojalá nunca vuelva a presenciar semejante espectáculo —exclamé—. Y ante todo me maravilla que todo esto se haga en nombre de Cristo.

—Quise que viera con sus propios ojos, que advirtiera el peligro —repuso él con suavidad—. Lo hice para prevenirla.

—¿No se alegraría de verme entre esos pobres seres? Sería un nuevo giro de su venganza.

—Eso no entra en mi plan —replicó.

Permanecí tendida inmóvil, mirando el techo donde había esculturas de ángeles subiendo al cielo, y dije:

—Don Felipe, odio lo que he visto hoy. Odio su país. Odio su fría y calculadora crueldad. Se cree hombre religioso. Pronuncia sus oraciones con regularidad. Todos los días agradece a Dios por no ser como otros hombres. Tiene influencia y riqueza, y sobre todo tiene orgullo. ¿Cree acaso que eso es bondad? Esos hombres que hoy fueron asesinados ¿los cree mucho más pecadores que usted?

247

—Son herejes —manifestó él.

—Se atrevieron a pensar de otra manera que ustedes. Adoran al mismo Dios, pero de otro modo; por consiguiente, se los condena a las llamas. ¿No dijo Jesucristo que amen a sus semejantes, y no son estos sus semejantes?

—Hoy ha visto lo que ocurre a los herejes. Le pido que tenga cuidado.

—Porque soy hereje. ¿Debo acaso cambiar de fe por temor a la crueldad de hombres malvados?

—Calle. Es necia. Ya le he dicho que quizá la escuchen. Lo que ha visto hoy es una advertencia. Quiero que comprenda el peligro que podría correr. Desperdicia su compasión en esos herejes. Están condenados a arder en el infierno para toda la eternidad; ¿qué pueden importar veinte minutos en la tierra?

—No irán al infierno . . . son mártires. La condena eterna será para quienes han gozado con su desgracia.

—He procurado salvarla . . .

—¿Por qué?

—Porque quiero que el niño nazca.

—Y cuando nazca, él y yo abandonaremos su odioso país. Volveré a mi patria. Cómo anhelo ese día.

—Está sobreexcitada —declaró él—. Descanse un poco. Le haré traer una bebida calmante.

Cuando se marchó, me quedé acostada pensando en él, ya que me aliviaba dejar de pensar en aquella terrible escena, y me maravilló su tolerancia hacia mí. Lo que había dicho bastaba para condenarme a ser interrogada y torturada por la Inquisición; empero, él me trataba con dulzura. Me había dado al pequeño Carlos . . . y cuando pensé en ese niño y en el que estaba por nacer, me desprecié por desahogar mis sentimientos. Debía tener cuidado. Debía preservarme . . . por ellos. No debía hacer nada que pusiera en peligro mi situación. Debía estar agradecida a don

Felipe por mostrarme el peligro que tan fácilmente podía correr.

Presté oídos a John Gregory. Aprendí el *Credo*. Pude responder a las preguntas que él me formulaba. Estaba progresando.

De vez en cuando hablábamos un poco. Él era un hombre triste y angustiado, que sin duda lamentaba haber tomado parte en esa incursión que me había traído allí.

Un día, después de la instrucción, dije:

—Tendría algo que contar si quisiera.

—Así es —repuso él.

—A veces está triste, ¿verdad? —insistí, y como no me contestó, proseguí—: ¡Usted, un inglés, haberse vendido a los españoles!

—Todo ocurrió de modo tal que no pude hacer otra cosa.

Y poco a poco me contó su historia.

—Era yo un marinero inglés a las órdenes del capitán Pennylon...

—¿De modo que lo conocía?

—Cuando nos encontramos cara a cara, temí que me reconociese, y me conoció... Me aterró que advirtiese quien era yo cuando me vio en Devon.

—Dijo creer haberlo visto antes.

—Sí, así era, aunque con otro atavío. Me conocía como marinero inglés, miembro de su tripulación... Eso fui, y eso habría sido sin duda hasta hoy de no haber sido capturado. Nos habíamos visto en medio de una tormenta, en pleno mar embravecido. Y no habríamos salido de allí con vida de no haber sido por nuestro capitán, Jake Pennylon... Verlo recorrer la cubierta vociferando, dando órdenes, prometiendo a quienes lo desobedecían que ser condenados al infierno sería preferible al castigo que él les

249

aplicaría, fue un magnífico espectáculo para nosotros, marineros fatigados y asustados. Circula entre los marineros la leyenda de que los Pennylon son invencibles...

No naufragaron, lo cual parecía deberse a la pericia de Jake Pennylon. Sin embargo tuvieron que tocar puerto para reparar la nave. Mientras tanto, John Gregory y otros tripulantes partieron en un bote para averiguar dónde se encontraban.

—Un barco español nos abordó y fuimos llevados a España —explicó John Gregory.

—¿Y una vez allí?

—Fuimos entregados a la Inquisición.

—Tiene cicatrices en la mejilla y las muñecas... en el cuello... y sin duda hay otras.

—Las hay. He sido torturado como nunca lo creí posible. He sido condenado a la hoguera.

—Ha estado cerca de una muerte terrible, John Gregory. ¿Cómo se salvó de ella?

—Comprendieron que podían utilizarme bien. Yo era un inglés que había adoptado la religión de ellos bajo coacción. Pedí hacerme sacerdote. Me habían torturado, recuérdelo. Yo sabía lo que significaba morir de manera horrible. Me retracté y me fue concedida la libertad. Yo no entendía por qué; pocas veces eran tan indulgentes... y después comprendí que sería usado como espía. Durante el reinado de la anterior reina hice varios viajes a Inglaterra. Luego fui puesto al servicio de don Felipe, quien me envió en esta misión.

—¿Por qué no se quedó en Inglaterra cuando tuvo tal oportunidad?

—Me había hecho católico y temía lo que me sucedería si alguna vez caía de nuevo en manos de ellos.

—¿Y si lo hubieran atrapado espiando en Inglaterra?

Se encogió de hombros y levantó la vista. Yo continué:

—¿Y Richard Rackell?

—Es un católico inglés que trabaja para España.

—Y don Felipe lo envió para ayudar a completar su venganza. ¡Y usted fue de buen grado!

—De buen grado no, pero sin hallar otra alternativa. Por el bien de su hijo, olvida usted su orgullo y sus principios. Lo mismo ocurre con los demás. Mi vida es valiosa para mí. Recuerde que sufrí tortura a manos de la Inquisición. Debido a eso, cambié de religión. Actué contra mis propios compatriotas para evitar a mi cuerpo nuevas torturas y para seguir viviendo.

—Grande fue la tentación —observé.

—Confío en que ahora pensará en mí con un poco menos de dureza.

—Al menos, comprendo su dilema. Se trataba de salvar su cuerpo de la tortura, su vida de la extinción.

Él respiró más libremente.

—Hace mucho que deseaba decírselo, y esa tarde, en la plaza, decidí que lo haría.

Asentí con la cabeza, mientras él, apoyando la barbilla en las manos, se remontaba con el recuerdo . . . hasta el lejano pasado, pensé, antes de entrar en la prisión de la Inquisición española, antes de ir a Inglaterra a raptar tres mujeres inocentes; mucho antes, cuando era un inocente marinero bajo las órdenes del capitán Jake Pennylon.

Fui a la Catedral; confesé mis pecados al sacerdote que prestaba servicios en la Hacienda; encendí mis velas a los santos y me rocié con agua bendita.

Fingiría hacer lo que se esperaba de mí hasta que naciera mi hijo.

Anhelaba ese día. Casi no hablaba de otra cosa. Ahora ansiaba que concluyeran los largos meses de espera.

A veces don Felipe me invitaba a comer con él. Yo esperaba esos encuentros con impaciencia. Sabía que no le era tan indiferente como pretendía hacerme creer; sino ¿por qué invitarme a comer con él?

Yo ya estaba muy gruesa. Los meses de verano habían pasado y yo preveía que mi parto sería en enero. La partera me visitaba con regularidad. Lo hacía cumpliendo órdenes de don Felipe. Solía reír meneando la cabeza:

—Este niño tendrá todo de lo mejor. Órdenes de don Felipe ... nada menos —decía; orgullosa de hablar inglés, le gustaba demostrarlo—. Fue muy distinto cuando ese otro pobre pequeño vino al mundo.

Se refería a Carlos; me pregunté qué habría ocurrido cuando Isabel, pobre demente, estaba esperando a su hijo. Y resultaba irónico que el hijo de su propia esposa hubiese sido tan mal recibido, mientras que el mío sería introducido en el mundo con todo aquello que podía facilitar su llegada.

De nuevo su orgullo, pensé, ya que después de todo este hijo es suyo.

Una nueva relación había surgido entre nosotros.

De vez en cuando me contaba lo que sucedía en mi país, aunque siempre con un dejo prejuicioso que decidí ignorar. Nuestras cenas me permitían escapar de la compañía de Honey y Jennet. Y no es que yo procurase eludirlas. La serenidad de Honey, el deleite de Jennet por su situación, eran para mí un continuo solaz. También Carlos les había tomado cariño. Jennet lo adoraba. Sólo quería a su hijo Jacko; y lo cierto es que los dos niños se estaban pareciendo cada día más. Tal incongruencia me causaba risa. Teníamos allí dos hijos de Jake Pennylon cuya existencia este ignoraba...

Era evidente que don Felipe se interesaba mucho por Inglaterra. Al parecer, otros en España compartían ese interés, ya que él recibía sus informaciones a través de

España y de los visitantes que llegaban a la Hacienda.

Con pesadumbre admitía que no se habían producido los acontecimientos profetizados por él. Había creído que se avecinaba el fin del reinado de Isabel cuando la esposa de Robert Dudley —el hombre que ella quería— había sido hallada muerta al pie de una escalera. Pero Isabel había superado ese problema con incuestionable soltura. Puede que haya habido rumores, pero nada se demostró contra ella ni hubo casamiento con Dudley.

—Es más lista de lo que creímos muchos —reflexionaba don Felipe cuando ambos estábamos sentados a la mesa—. Si hubiera tomado a Dudley como marido, eso le habría costado la corona, y ella lo comprendió así. Su decisión es clara: Dudley no vale una corona.

—¿Admira entonces su ingenio?

—Ha evidenciado cierta sabiduría en este asunto —repuso él.

En otra ocasión se refirió a la muerte del joven rey de Francia, Francisco Segundo, que tuvo lugar en diciembre del año anterior, aunque no lo supimos hasta ese momento.

La noticia entusiasmó a don Felipe por las consecuencias que tendría para la reina de Escocia.

Francisco había muerto de una infección en el oído, y su joven reina, María de Escocia, había decidido que en Francia no había lugar para ella. Debía entonces regresar a su reino de Escocia.

—Ahora será menos poderosa —comenté.

—Será una amenaza mayor para la mujer que se hace llamar reina de Inglaterra —replicó él.

—Dudo que a nuestra reina le importe mucho la gente más allá de la frontera.

—Tendrá partidarios en todas partes, no sólo en Escocia, sino en Francia. Además opino que en Inglaterra hay muchos gentileshombres católicos que acudirían junto a su estandarte si ella se dirigiera al sur.

—¿Acaso desea que en mi país haya guerra civil?

No contestó: no hacía falta.

La vida trascurría sin sobresaltos; los días de mi gravidez tocaban a su fin y yo ansiaba que mi hijo naciese. Un pequeño capullo de contento me envolvía.

Los preparativos para el nacimiento fueron casi ceremoniosos. La partera ya estaba instalada en la casa cuando comenzaron mis dolores; fui al dormitorio (esa habitación que tantos recuerdos encerraba) y fue allí donde nació mi hijo.

Jamás olvidaré el momento en que fue depositado en mis brazos. Era pequeño... mucho más que Jacko al nacer; tenía ojos negros y un vello oscuro en la cabeza.

Tan pronto como lo vi pensé: ¡mi españolito!

Me tenía encantada. Estrechándolo contra mí, me sentía apabullada de amor, un amor como no lo había sentido por ningún otro ser humano... salvo, quizás, por Carey en otro tiempo. Pero entre ese niño y yo no había barreras; era mío.

Y cuando lo tenía en mis brazos, don Felipe entró en la habitación. Se detuvo junto a la cama y por un instante lo recordé allí de pie con una vela en la mano, cuando yo había fingido que dormía.

Cuando le mostré el bebé, lo miró maravillado y vi que sus mejillas oliváceas se coloreaban apenas. Después sus ojos se cruzaron con los míos: resplandecían con una luminosidad que nunca había visto en ellos hasta ese momento.

"Es el cumplimiento de su venganza", pensé.

Después me miró; su mirada nos incluyó a los dos, y ya no supe con certeza qué estaría pensando.

Don Felipe determinó que el niño se llamaría Roberto. Yo dije que para mí sería Robert, pero el caso es que pronto empecé a llamarlo Roberto. Le sentaba mejor.

Fue bautizado en la capilla de la Hacienda con toda la ceremonia que habría recibido el hijo de esa familia.

Durante las primeras semanas posteriores a su nacimiento, no pensé en otra cosa que en su bienestar. Recordando cómo solía sufrir Honey porque había llegado antes que yo y no era hija propia de mi madre, quise evitar tales congojas al pequeño Carlos. Procuré interesarlo en el bebé y lo conseguí; adoptó hacia él una actitud protectora porque era mío, y fue dulce con él. Vivíamos todos felices, como en un cuarto de juegos. Jennet se hallaba en su elemento con los bebés; el hecho de que el suyo y el mío fuesen ilegítimos no la inquietaba en lo más mínimo.

—Bendito Dios —dijo en una ocasión—; son bebés... niños pequeñitos. Para la gente como yo, eso basta.

Don Felipe venía con frecuencia a ver al niño. Yo lo había visto mirarlo fijamente, inclinado sobre la cuna. Sabía que tener un hijo así satisfacía su orgullo.

Un día fui al escritorio y dije a don Felipe:

—Ha cumplido su plan. Tuve su hijo. ¿No es tiempo de que cumpla su promesa? Dijo que volveríamos a nuestros hogares.

—El niño es demasiado pequeño para viajar —adujo él—. Debe aguardar a que crezca un poco.

—¿Cuánto? —pregunté.

—Espere un poco —insistió—. Espere a que sea más grande.

Volví a mi habitación y medité acerca de lo dicho por don Felipe.

En mi fuero interno, reí: ama a su hijo y no quiere perderlo. ¡Amor! ¿Qué sabe de amor un hombre como ese? Está orgulloso de su hijo. ¿Quién no lo estaría de Roberto? Y no quiere perderlo.

Nada nos faltaba. Teníamos cuanto deseábamos. La única condición que se nos pedía era que nos mostráramos como buenas católicas. Eso era fácil para Honey y Jennet, ya que lo eran. Por mi parte, debía pensar en mis pequeños Roberto y Carlos, y para mí los niños eran más importantes que la religión. No tenía pasta de mártir.

La actitud de don Felipe hacia mí cambió. Me invitaba a cenar con él frecuentemente. Solía ir al jardín donde estaba yo con los niños, y hasta dirigía a veces la palabra a Carlos, que empezó a perderle el miedo. Pero quien lo cautivaba era Roberto. No cabían dudas de que el pequeño era suyo; Roberto ya se le parecía. Esto, cosa extraña, me divertía en lugar de repugnarme; no por ello quería menos a Roberto. De igual modo, en Carlos veía claramente a Jake Pennylon, y esto, en cierto modo, hacía que le tuviera más cariño.

Y los meses comenzaron a pasar sin incidentes. Roberto tenía casi seis meses y se avecinaba el invierno.

—Ya es más grande. Pronto nos marcharemos —dije a don Felipe.

—Espere a que pase el invierno —repuso don Felipe.

Y así llegó la primavera y Roberto cumplió un año.

LAS ESPOSAS DE DON FELIPE

Había cenado con don Felipe y ahora, sentado a la luz de las velas, hablábamos de Roberto: que tenía un diente, que ya gateaba, que tenía yo la certeza de haberle oído decir "madre".

Alcé después la vista y mirándolo con fijeza, dije:

—Con frecuencia pienso en mi país. ¿Qué noticias hay de Inglaterra?

—Nada interesante. Lo único que recuerdo es que la aguja de la catedral de San Pablo se incendió, y que aunque se creía que la había alcanzado un rayo, un jornalero ha confesado ahora, en su lecho de muerte, que por descuido se dejó un perol con carbones en un campanario.

—Debía haber sido un gran incendio. Lo habrían visto en el cielo, bordeando el río. Mi abuela habría salido al jardín a verlo, y tal vez mi madre estuviese con ella. Acaso recordarían cómo llegaba antes el humo desde Smithfield. Y mi madre recordaría a sus dos muchachas, a las que había perdido.

"Mis queridas Cat y Honey", diría. Tendría lágrimas en los ojos. Qué sola debía estar sin nosotras.

—¿En qué piensa? —me preguntó él.

—En mi madre. Debe estar muy triste pensando en mi hermana y en mí. Las dos fuimos capturadas y llevadas lejos. Qué tragedia para ella, que tuvo tantas en su vida...

Al cabo de un rato de silencio, él dijo:

—Ahora sonríe.

—Pensaba en nuestro regreso. Mi madre adorará a Roberto, su nieto. Quiere tanto a los niños. Eso creo haberlo heredado de ella. Y Carlos no será olvidado. Le diré: "Madre, este es mi hijo adoptivo, tal como Honey fue tu hija adoptiva. Ahora su lugar está a nuestro lado". Seremos de nuevo felices —continué, mientras él se mantenía impasible—. Roberto tiene un año. Ya es lo bastante grande como para viajar. Ahora debe cumplir su promesa. Es tiempo de que regresemos.

Don Felipe sacudió la cabeza diciendo:

—No puede llevarse al niño.

—¡Que no me lleve a mi hijo!

—Es mi hijo también.

—Su hijo. ¿Qué le importa él?

—Es mi hijo.

—Pero este niño es parte mía. Me pertenece. Jamás lo cedería.

—Es parte de mí. Y tampoco *yo* lo cederé —repuso él, sonriéndome con dulzura—. ¡Cómo centellean sus ojos! Hay una alternativa. No quisiera despojar a una madre de su hijo, y como yo no renunciaré al mío, si quiere conservarlo debe quedarse aquí.

Guardé silencio. Luego dije:

—Siempre me ha dado a entender que no me deseaba ningún mal.

—Y es cierto.

—Me ha dicho que si estoy aquí, es sólo a causa de un

juramento. Me hizo creer que cuando hubiese cumplido ese juramento, yo quedaría en libertad de irme.

—Está en libertad . . . pero no de llevarse al niño.

Me puse de pie. Quería irme a pensar. Él, adelantándose, me cerró el paso.

—Nunca abandonará a su hijo —declaró—. ¿Por qué no aceptar lo inevitable? Aquí puede ser feliz. ¿Desea algo? Pídamelo y será suyo.

—Quiero volver a mi país, a Inglaterra.

—Pídame cualquier cosa menos eso.

—Es lo que quiero.

—Váyase, pues.

—¿Y abandonar a mi pequeño?

—Nada le faltará. Es mi hijo.

—Creo que se alegra de que haya nacido.

—Nunca estuve tan complacido con ninguna otra cosa.

—Podría haberlo estado si hubiera nacido de Isabel.

—No habría sido Roberto. Él tiene algo suyo.

—¿Y eso lo complace?

—Me complace, porque si se marchase, quedaría un recuerdo suyo.

—¿Y acaso *desea* un recuerdo mío?

—No lo necesito. Jamás olvidaré —replicó mientras me atraía a su lado y me abrazaba—. Quisiera que pudiésemos tener más hijos como este.

—¿Cómo sería posible?

—Puede comprenderlo sin dificultad.

—Tiene esposa. ¿Lo ha olvidado?

—¿Cómo podría olvidarlo?

—Jamás la ve —observé.

—Ella grita al verme.

—Se la podría curar.

—Es incurable.

—Antes la amaba . . .

—Sólo he amado a una mujer —contestó él—. Todavía la amo. La amaré hasta el fin de mis días.

Y me miró con fijeza.

—¿Me dirá acaso que siente amor hacia mí, su víctima? Detestaba sus visitas a mí tanto como yo. Necesitaba fingir que yo era Isabel. Tenía que recordarle constantemente su juramento.

Tomándome las manos, se llevó a los labios primero una, después la otra.

—Si me amase, desearía complacerme —insistí—. Me dejaría ir.

—Pídame cualquier cosa, menos eso —repitió él.

Sentí un gran regocijo. Era una victoria. El destino había invertido la situación. Ahora era él quien estaba a mi merced, y no yo a la suya.

—Dígame que no me guarda rencor —continuó él—. Dígame que no me odia.

—No, no le odio —repuse—. En cierto modo, le tengo cariño. Ha sido bondadoso conmigo... aparte de haberme violado, y eso, lo admito, fue llevado a cabo con cortesía... si es que se puede imaginar una violación cortés. Ha procurado protegerme de las perversas leyes de su país. Pero no me ama lo suficiente como para hacerme feliz, lo cual conseguiría dejándonos ir.

—Pide demasiado —replicó—. Ahora será distinto. No me odia. ¿Podría llegar a quererme?

—No puede ofrecerme matrimonio, don Felipe, y ese puede ser el único modo de lograr lo que sugiere.

—Dime entonces; si yo pudiera...

—Pero no puede, don Felipe. Tiene una esposa. Sé que está loca, que no es mujer para usted, y esa situación es penosa. Sé que Jake Pennylon fue responsable en parte, pero ¿lo fue totalmente? ¿Hasta qué punto estaba loca Isabel antes de venir aquí? Ahora, déjeme ir. Quiero pensar en lo que ha dicho.

Se apartó, pero sin soltarme las manos, que besó luego con una pasión desconocida en él. Yo las aparté, y con el corazón latiéndome enloquecido, volví a mi cuarto y me encerré en él para pensar en esta revelación.

Don Felipe partió a la mañana siguiente. Yo había pasado una noche intranquila. Parecía absurdo pensar siquiera en la posibilidad de casarme con él; sin embargo, no lo era. Él era el padre de mi querido hijo, y este nos ligaba. Roberto empezaba ya a evidenciar que percibía su presencia, y don Felipe era siempre dulce y tierno con él.

"Es ridículo", pensé... pero debí confesar que la situación me desconcertaba.

Al saber que había salido de la Hacienda me desilusioné; me sentía inquieta, deseosa de saber más acerca de sus sentimientos hacia Isabel.

Esa tarde, cuando casi todos disfrutaban de la siesta, dejé a Jennet cuidando a los niños y me alejé hacia la casa de Isabel.

El sol calentaba; todo semejaba dormir tras la puerta de hierro forjado, y estando yo allí apareció la persona en quien pensaba. Llevaba consigo la muñeca que yo había visto antes, y al cruzar el patio me vio y vaciló. Cuando le sonreí, se aproximó murmurando un saludo. Como ahora sabía español suficiente para conversar un poco, le contesté. Ella se quedó inmóvil, mirándome, lo cual me dio la ocasión de estudiar sus rasgos. Si la belleza es perfección en los rasgos, era bella de verdad. Su rostro no tenía tacha ni expresión; era, en verdad, una hermosa cáscara vacía, ya que ninguna inteligencia daba personalidad a sus facciones.

Me ofreció la muñeca. Le sonreí, y ella también sonrió. Luego abrió la puerta y yo entré en el patio.

Me encontraba allí por primera vez desde el día en que me había llevado a Carlos. Ella, confiada, me tomó la

261

mano y me condujo al asiento. Una vez que nos sentamos, comenzó a parlotear respecto de su muñeca. Logré entender que la llevaba consigo a todas partes. Repetía sin cesar la palabra "muñeca", en español. Pilar le hacía ropas que se podían poner y sacar.

De pronto Isabel frunció el rostro, mostrándome que la muñeca tenía puesto un solo zapato.

—Se le cayó —dije—. Lo buscaremos . . .

Ella asintió con aire conspirativo y yo empecé a buscar por el patio mientras ella me seguía. Me alegró encontrar el zapatito cerca de la puerta de hierro. Isabel palmoteó. Volvimos al asiento y pusimos el zapato a la muñeca.

De pronto Isabel se incorporó y, tomándome de la mano, me condujo hacia la puerta y al interior de la casa. Noté el tenue perfume que ya conocía; adentro estaba oscuro porque la casa, al igual que la Hacienda, había sido construida de modo que no entrase el sol.

Una imponente escalinata partía desde la sala, que tenía piso de mosaico azul. Las balaustradas estaban exquisitamente talladas, y en el techo de la sala se habían pintado ángeles que flotaban sobre nubes. Aquello era más espléndido de lo que yo habría creído posible.

Sin soltarme la mano, Isabel me condujo a una habitación contigua a esa sala. Estaba oscura —como ya lo preveía yo— y reinaba en ella una sensación de misterio . . . aunque acaso esa impresión se debiera a mi estado de ánimo.

Isabel me hizo señas de que me sentara. De pronto apareció Pilar, que se detuvo en la puerta. Isabel comenzó a hablar con entusiasmo sobre el zapatito de la muñeca que yo había encontrado, y luego anunció que deseaba mostrarme más muñecas suyas. Yo debía subir a verlas.

—Tráelas abajo, Isabel —dijo Pilar.

Isabel puso gesto de enojo.

262

—Oh, sí, será mejor —insistió Pilar—. Ven, vamos a buscarlas.

Se llevó a Isabel de la mano, dejándome sola en la habitación. Mirando a mi alrededor, contemplé los ricos cortinados y el elegante moblaje español. Pensé que esa era la casa de don Felipe, y aquella su esposa, aunque su mente fuera la de una niña.

¡En qué extraña situación me había visto arrojada! No olvidaba su mirada apasionada al decir que se casaría conmigo. ¿Cómo podía hacerlo mientras se lo impidiera aquel ser infantil?

Súbitamente se abrió la puerta y apareció una mujer joven, de cabello oscuro y grandes ojos negros en un rostro de color aceitunado y en forma de corazón.

—Perdóneme, señorita —dijo.

—¿Quién eres? —pregunté.

—Me llamo Manuela y trabajo aquí. Si me lo permite, quisiera hablar con usted, señorita.

—¿Qué querías decirme?

—Se trata del niño... del pequeño Carlos —explicó, mientras una agradable sonrisa le iluminaba el rostro.

—Ah, sí.

—Quisiera preguntarle... ¿Es feliz ahora?

—Más de lo que ha sido jamás.

—Es un niño bueno —sonrió ella—. Qué muchacho... María era tan cruel con él.

—¿María? ¿Esa es la mujer que vive aquí? —pregunté, señalando hacia el patio donde por primera vez había visto a Carlos jugando.

Ella asintió con la cabeza.

—Era la madre adoptiva del niño. Fue un error... Es una mujer estúpida, que no ama a los niños, aunque tiene cinco propios. No se le debió encomendar al niño. Yo solía hablar con él.

Sentí afecto hacia ella. Había sido bondadosa con Carlos; su rostro lo indicaba.

—No tienes por qué preocuparte más —le aseguré—. Yo me ocuparé de que Carlos sea bien cuidado.

—Yo solía llevarle dulces... Pobrecito, nadie lo quería, y los niños necesitan cariño como necesitan·dulces. Gracias por llevárselo señorita.

—Debes ir a ver a Carlos.

—¿Me lo permite? Qué buena es.

—¿Cuál es tu trabajo aquí? —pregunté.

Un leve ceño apareció entre sus ojos.

—Ayudo en el tocador. Soy doncella de doña Isabel.

—¿No estás contenta?

—Amo a los niños, señorita. Y doña Isabel es una niña en muchos aspectos.

—Comprendo —repuse.

De pronto ella me hizo una reverencia y se marchó de prisa. Tal vez habría oído pasos, ya que muy poco después entró Pilar. Isabel no venía con ella.

—Está durmiendo —explicó Pilar—. Comprenderá... Cuando llegó a su habitación se había olvidado de usted. Así ocurre a veces.

—Pobrecilla —comenté.

—Pobrecilla, en verdad.

—¿Hice mal en hablarle?

—Hablar con usted la alegró, y encontró el zapatito de su muñeca, lo cual la complació... Pero a veces olvida.

—Esto no habrá ocurrido de la noche a la mañana —sugerí.

Guardó silencio un rato; luego dijo:

—Siempre fue un poco simple. No lograba aprender sus lecciones, aunque esto no importaba en una dama de tan elevada alcurnia. Estaba destinada a casarse bien; su dote era cuantiosa, su familia tenía conexiones con la casa real.

—Por eso su simpleza no importaba...

—Se pensaba que sería una buena esposa... produciría hijos y estaba desposada con don Felipe. Él es un noble bastante adinerado, que era muy bien mirado en la Corte. Eran una buena pareja.

—Aun cuando ella todavía jugaba con sus muñecas...

—Era una niña. Quince años. Muchas veces decíamos: "Cuando tenga un hijo, crecerá" —Pilar entrecerró los ojos—. Si pudiera poner las manos encima del que la violó, le infligiría torturas como nunca se han visto. Arruinó una vida que recién comenzaba...

—¿No estaba arruinada antes de que él llegara? Desde su nacimiento, ella era distinta de otros niños.

—Al crecer, se habría curado, habría tenido hijos.

No quedé convencida. No pretendía defender a Jake Pennylon; él había satisfecho su lujuria irreflexivamente, y esa joven era la víctima. Pero no era el único culpable de su situación. Sin embargo, había irrumpido brutalmente en su mente a medio formar, despertándola de un modo que era como una pesadilla.

—¿Preferiría que no viniera aquí? —pregunté.

—No. Venga cuando quiera —respondió Pilar—. Usted la comprende... Le hace bien. Se llevó al niño... Hizo bien; ya no es una carga para nosotros. No logro entender cómo persuadió a don Felipe para que le permitiera quedarse en la Hacienda.

Al decir esto, me lanzó una mirada penetrante. Me pregunté cuánto sabría. ¿Estaría enterada de que yo había sido llevada allí para satisfacer la sed de venganza de don Felipe?

Al salir vi a un hombre trabajando en los jardines. Para ser español, era muy alto y ancho de hombros. Al verme, se irguió y se tocó la gorra. Pilar me acompañó hasta la puerta de hierro.

—Ese era Edmundo —me explicó—. Es fuerte, y si hace

falla, puede ayudarme. Sabe qué hacer si Isabel se siente mal. Puede levantarla y llevarla con suma facilidad.

Me despedí diciéndole que muy pronto iría a ver a Isabel.

Conté a Honey lo sucedido, pero ella aún no sabía, por supuesto, que don Felipe me había hablado de matrimonio.

Nos pareció triste que Isabel hubiera sido idiota, e incongruente que se la hubieran dado en matrimonio a un hombre tan estricto e intelectual como don Felipe. Mencioné a Honey que la joven Manuela había preguntado por Carlos.

—Estaba un poco triste —comenté—. Debe haberle tenido cariño.

—Nos vendría bien alguna ayuda con los niños. ¿Crees que podríamos traerla aquí?

—No me cabe duda —respondí, segura de que don Felipe no me negaría tal pedido.

Cuando discutimos el interés de Isabel por las muñecas, Honey sugirió que hiciéramos ropas de muñeca y se las lleváramos. Así lo hicimos, tejiendo un vestido con unos trozos de terciopelo y una bella lechuguilla de encaje.

Cuando las llevamos a la Casa Azul, Isabel quedó encantada. Fue aquella una tarde tranquila. Nos sentamos en el patio y ella trajo dos muñecas que nos mostró con orgullo. Entre exclamaciones de deleite, probó el vestido de terciopelo, que le quedaba perfecto a la muñeca.

Pilar trajo una bebida mentolada con unos pastelitos aromatizados. Isabel reía alegremente, mientras parloteaba como una niña sobre sus muñecas.

Como nuestra visita hizo feliz a Isabel, Pilar nos recibió bien.

Después de esa tarde fuimos con frecuencia a la Casa

Azul. Isabel solía esperarnos en el patio. De vez en cuando veíamos al corpulento Edmundo, que trabajaba en el jardín sin perder de vista a Isabel. A veces se hacía presente Manuela, lo cual dio oportunidad a Honey para evaluar sus méritos. Opinó que sería una excelente adquisición para ayudarnos con los niños.

Y así trascurrieron los días hasta que don Felipe regresó a la Hacienda.

El día de su regreso me pidió que fuera a su escritorio. Nuestras entrevistas siempre tenían lugar allí. En otras habitaciones no habríamos tenido la intimidad necesaria, y el piso que había llegado a ser mío guardaba demasiados recuerdos de nuestras primeras reuniones, que (bien lo sabía yo) habrían sido desagradables para él.

Tan pronto como entré, salió a mi encuentro y, tomando mis manos en las suyas, las besó con fervor.

—Tengo muchas cosas que decirte —anunció—. Durante mi ausencia estuve pensando en todo esto. Debo hallar algún modo de que nos unamos. De lo contrario, mi vida será tan estéril como un desierto. Sé que no me odias, Catalina. —Pronunció mi nombre con lentitud, infundiéndole una cualidad que antes no tenía—. Podrías acceder a casarte conmigo . . .

—Pero un matrimonio es imposible.

—He discutido la cuestión conmigo mismo —suspiró él—. Temo que sería imposible tener una dispensa del Papa. Sin embargo, no me quedan esperanzas de tener hijos legítimos si no vuelvo a casarme; yo podría dar hijos a la Iglesia, a mi patria. La familia de Isabel es influyente, más que la mía. Jamás me sería concedida una dispensa.

—En tal caso es inútil continuar con estas suposiciones.

—Tiene que haber un modo. Siempre lo hay. Debo decirte algo... dentro de poco llegará don Luis Herrera.

Me reemplazará en la gobernación, aunque no de inmediato. Le hará falta un año, tal vez más, para aprender lo que debo enseñarle. Estas islas son valiosísimas para España; son la vía de acceso al nuevo mundo. Debemos conservarlas, y somos continuamente atacados. Por consiguiente, el nuevo gobernador tiene que entender qué se espera de él. Dentro de un año... dos a lo sumo... regresaré a Madrid. Te llevaré conmigo, Catalina... como esposa.

—¿Acaso los nobles españoles tienen dos esposas?

—La pobre Isabel no está sana —repuso con lentitud—. Esos ataques se están haciendo más frecuentes.

—Estás deseando su muerte.

Después de guardar silencio un rato, murmuró:

—¿Qué puede ser su vida? ¿Qué posee?

—Parece bastante feliz con sus muñecas.

—Muñecas... ¡ella, una mujer adulta!

—No es una mujer; es una niña. Antes la amabas.

Me miró con fijeza al replicar:

—Sólo una vez he amado, y hasta el final de mis días seguiré amando a una sola mujer.

—¡Don Felipe!

—No digas don Felipe. Para ti soy Felipe. Dilo como si estuvieras junto a mí; oírte me daría mucho placer.

—Cuando lo diga, lo diré de modo natural.

—Así será, lo sé —insistió él.

—Entonces nunca amaste a Isabel —insistí—. Dime la verdad.

—Era un casamiento meritorio. La suya es una de las más grandes familias de España.

—¿Y sólo por ese motivo querías casarte con ella?

—Por ese motivo se disponen casamientos.

—Y cuando al regresar, la encontraste después de que Jake Pennylon estuvo aquí, enloqueciste de furia, no por amor hacia esta niña idiota, sino por el agravio a tu orgullo. Esto le había ocurrido a ella estando bajo tu protección. Por eso juraste vengarte...

—Empero, todo eso te trajo hasta mí.

—De eso mejor no hablar más. Déjame volver a Inglaterra. Mi hijo es ya lo bastante grande como para viajar.

—¡Y perderlos a los dos!

—Para ti es mejor así. Eres un hombre muy prestigioso. Cuando vuelvas a Madrid, ocuparás un puesto de gran importancia. A su debido tiempo, quizás estés en situación de casarte. ¿Quién sabe? Pero debes permitir que me marche.

—No puedo perderte a ti y al niño. Para mí eres lo más valioso que hay en el mundo.

El hecho de pronunciar estas palabras de modo tranquilo, contenido, les infundió vigor. De pronto me atemorizó la pasión que yo había suscitado en ese hombre tan frío.

Él continuó hablando con ansiedad:

—Si nos casáramos, yo podría legitimar a Roberto. Tengo en España ricas tierras y propiedades. Sería mi heredero y quedaría una porción considerable para otros hijos que pudiésemos tener. Viviríamos con elegancia. Tal vez yo abandonaría la Corte. Nuestros niños tendrían todas las comodidades que tú pudieses desear para ellos.

Me permití meditar acerca de esta perspectiva, lo cual era extraño, pues —aunque amaba a Roberto más que a nadie y en cierto modo quería para él esas cuantiosas propiedades—, anhelaba volver a mi país. Quería ver a mi madre, presenciar su felicidad cuando supiera que sus muchachas estaban vivas y sanas; quería ver florecer en primavera los árboles frutales. En suma, quería volver a casa.

—Hablas de sueños —le dije—. Ya tienes esposa. Lo siento por ti. Lo siento por todos nosotros. Pero Isabel se interpone entre tú y lo que anhelas.

Y me marché, pues quería reflexionar acerca de mis sentimientos, que de ningún modo estaban claros para mí. A veces sentía un gran alivio al pensar que Isabel se interponía entre nosotros y que esto impedía todo cambio en nuestra relación... pero otras veces no estaba tan segura.

Las semanas se volvieron meses. Reinaba en la casa una inquieta tensión. Constantemente percibía la pensativa mirada de Felipe fija en mí. Visitaba con frecuencia los cuartos infantiles y Roberto, que lo conocía bien, solía palmotear al verlo.

A Jennet se había agregado Manuela, y aunque no eran tan amigas como yo lo habría deseado, no había roces manifiestos.

Mi hijo tenía casi dos años. O sea que hacía tres años que habíamos salido de Inglaterra... En gran parte, todo aquello parecía lejano, pero había momentos que podía recordar con tanta claridad como si hubiesen ocurrido apenas un día antes. La mayoría de esos momentos se referían a mi madre. Si hubiera podido verla, y si ella hubiera podido vivir cerca de mí, y si no hubiera existido Isabel, creo que habría accedido a casarme con Felipe.

No estaba enamorada de él, pero era imposible vivir en la Hacienda y no respetarlo. Su dignidad era indiscutible. Su sentido de la justicia se manifestaba en el trato que daba a quienes lo ofendían... aunque no muchos se atrevían a hacerlo. Era admirable. Era un hombre poderoso, y a mí me atraían los hombres que mandaban. Sabía bien lo que significaría estar casada con él; no era ningún desconocido en mi cama. Sabía que podía esperar de él cortesía, suavidad y ahora ternura en nuestra relación. Me amaba con una tranquila intensidad que me reconfortaba. Veía abrirse ante mí una vida placentera. No esperaba amarlo como había amado a Carey, pero podía aceptarlo, y además pensaba en todos los beneficios que él podía traerme a mí y a mi hijo. Roberto heredaría grandes propiedades. Recibiría la mejor educación. Sería criado según los mandamientos de la Iglesia Católica, por supuesto. Iría a España y aunque su madre fuera inglesa, esto no sería para él ningún impedimento, ya que estaría respaldado por el poderío de don Felipe.

Algo así dije durante una de mis conversaciones con Felipe. Si no hubiera estado allí Isabel, habría sido distinto. Por otro lado, sentía gratitud hacia ella por impedirme el tener que tomar una decisión, cosa que habría sido dificilísimo para mí.

Por consiguiente, vivía un período de indecisión. Ya sabía que Felipe no me permitiría regresar a Inglaterra... con mi hijo o sin él. Tampoco yo aceptaría irme sin Roberto. Y también sabía que Isabel nos impedía tomar cualquier decisión.

Comprendimos que este no era sino un período intermedio cuando llegó Luis Herrera, el hombre que poco después reemplazaría a Felipe.

Don Luis era un hombre guapo, algo más joven que Felipe... cautivante, bien parecido, cortés. Desde el primer momento en que vio a Honey, fue evidente que ella lo afectaba hondamente.

Cada vez que la miraba, me preguntaba yo por qué Felipe se habría prendado tanto de mí estando ella presente. Era soberbiamente bella con sus ojos violetas y su oscuro cabello. Sabía que ella era menos vital que yo, que no era combativa como yo. Siempre había preferido dejar que la vida fluyera por encima de ella, o si sus sentimientos eran profundos, encerrarse en sí misma a meditar.

Con dos Luis, empero, no hizo ni lo uno ni lo otro, y fue evidente que les agradaba estar juntos desde un primer momento.

Don Luis traía noticias del mundo exterior. Cenamos los cuatro: Honey y Luis, Felipe y yo. Para ello, Felipe adujo que constituíamos un grupo agradable.

Luis habló mucho acerca de Inglaterra. Nos enteramos de que la reina se sentía tan insegura en el trono que había encerrado en la Torre a lady Catherine Grey (que tenía ciertas pretensiones) por casarse sin autorización real.

—Teme que haya descendientes que cuestionen sus derechos —comentó don Luis—. Sin embargo, permanece soltera... Y ¿cómo puede tener herederos una mujer soltera?

Yo me sobresalté, aunque solamente Felipe lo advirtió.

—Estuvo muy enferma de viruela, lo cual hizo temer su muerte en Inglaterra y esperarla en España... Ni aun entonces accedió a designar un heredero.

—Don Luis, olvida que está hablando de nuestra reina —intervine.

—Le pido mil perdones. Sólo pensé en decirle la verdad.

—Queremos la verdad, por supuesto —continué—. Pero si nuestra reina se niega a designar un heredero, es porque sabe que le quedan muchos años y ella dará a luz el suyo propio.

Don Luis, demasiado cortés, no quiso discutir la cuestión. Honey le tocó el brazo diciendo:

—No permita que Catalina le impida contarnos las novedades... Ansiamos oírlas.

(Todos habían empezado a llamarme Catalina, en español).

—Otra cosa le diré —agregó don Luis—. Uno de sus capitanes, John Hawkins, ha comenzado a comerciar con esclavos.

—¡Comerciar con esclavos! —exclamé.

—En efecto. Aparejó tres naves, que condujo a la costa de Guinea. Allí captura negros y los lleva a cualquier parte del mundo, donde cree obtener el más alto precio por ellos.

—Quiere decir que simplemente recoge personas como si fuesen... plantas y las lleva lejos de sus familias. ¡Es monstruoso!

Felipe me miraba sin pestañear.

Me imaginé... esclava. Vi a mi pequeño Roberto arrebatado de mi lado... tal vez para ser esclavo también, o para quedar abandonado mientras a mí me llevaban encadenada. Más que la mayoría de la gente, creo, me he colocado siempre en el lugar de los demás; por ese motivo, entre otros, me ponía vehemente cuando pensaba que se había cometido una injusticia.

—Su capitán inglés, Hawkins, ha hecho eso —dijo Felipe—. No deberías añorar esa isla tuya. Luis, ¿no es cierto que algunas de las naves utilizadas por Hawkins pertenecían a la reina de Inglaterra? Y eso, Catalina, equivale a su aprobación de tan horrible comercio.

—Deberían agradecer el estar aquí —declaró Luis, sonriéndonos a las dos—. Quizá todos tengamos motivos de gratitud —agregó con una mirada sentimental hacia Honey—. En la isla de ustedes se vive en la inseguridad. Cada día aumenta la amenaza que significan los ingleses para nosotros en alta mar. Somos una nación grande y poderosa. Nos proponemos colonizar el mundo entero. Y algún día nos apoderaremos también de su isla. Se convertirán en vasallos de España.

—No nos conoce —respondí con vehemencia.

Y entonces pensé en Jake Pennylon. Enfrentado con estos gentileshombres cortesanos, apostaría a su favor cuanto poseía. Aun odiándolo como lo odiaba, sabía que su coraje era supremo y que amar a su país era para él tan natural como respirar.

—Empezamos a conocernos —repuso Luis con dulce sonrisa—. Son un enemigo formidable... ¡El más formidable que tenemos! Debería haber paz entre nosotros. Deberíamos unirnos sin pelear.

—Eso es imposible —declaré.

—Yo también lo creo, pero lo lamento —intervino Felipe con suavidad.

—Su país está perdiendo sus posesiones en el continente europeo —prosiguió Luis—. Warwick ha entregado El Havre a los franceses. Los ingleses jamás recobrarán un punto de apoyo en Francia, y el único botín de guerra que Warwick llevó a Inglaterra desde Francia son las pestes. Una de ellas mató a veinte mil personas en la ciudad de Londres y sus alrededores.

Empalidecí pensando en mi madre y en la época en que la enfermedad acompañada de sudores había llegado a la capital inglesa.

Con todo, nos alegró oír noticias de Inglaterra, aunque no fuesen buenas. Pensé que estaban teñidas de modo favorable a España, y eso podía entenderlo, pero lo extraño era que quienes nos amaban (ya que evidentemente Luis estaba enamorado de Honey) estuvieran tan satisfechos con las desgracias que sufrían aquellos a quienes nosotras queríamos.

Honey me explicó:

—Hace mucho que estoy sin marido, Catalina. Y soy joven.

—Eres mayor que yo.

—Pero joven, Catalina, admítelo. Y siento afecto hacia Luis . . .

—No estás enamorada de él.

—Puedo aceptarlo.

—¿Y Edward?

—Edward está muerto. Tú sabes, ¿verdad?, que nunca saldremos de este sitio. Pasaremos aquí el resto de nuestras vidas. Aunque don Felipe accediera a dejarnos ir, ¿cómo podríamos hacerlo? ¿Acaso podríamos llegar a Inglaterra en un galeón español? "¡Aquí les devolvemos sus mujeres!" Imagínalo. En casa nos habrán olvidado. ¿Qué sería de nosotras?

—¿Crees que nuestra madre se olvidaría de nosotras? Y abuela también... Ansío volver junto a ellas.

—Yo también, pero será imposible. Sabemos que lo será. Eso es evidente. Don Felipe te ama y también a Roberto. Jamás permitirá que se marchen. Sé razonable; él es un buen hombre.

—Un hombre tan empeñado en vengarse que obliga a una mujer a compartir su lecho... no por lujuria, sino por venganza.

—Eso terminó.

—¡Que terminó! Tal vez para ti, que no fuiste violada.

—Y esa violación te dio a Roberto, a quien tanto quieres. Procura mirar la vida de modo razonable, hermana mía. A veces del mal surge el bien. Fuiste traída aquí contra tu voluntad, y como resultado tienes un hijo a quien amas profundamente. El hombre que buscaba la venganza encontró el amor. Sé razonable. La vida no te ofrece exactamente lo que más quieres, pero sí un plato muy digerible. Sé sabia, Catalina, no lo rechaces.

—¿Y convertirme en su amante?

—Tendrías todos los honores de una esposa.

—Habla de ti, Honey, pero a mí dejame fuera —dije con frialdad.

—Pues yo voy a casarme con Luis —manifestó ella.

—Un extranjero, y enemigo de nuestro país...

—¿Qué significan los países para mujeres enamoradas? Yo soy mujer. Hace mucho que no tengo marido. Necesito uno, y Luis es bueno. Será un padre para Edwina —continuó con voz queda, mientras yo guardaba silencio—. Tal vez al cabo de un tiempo tú te marches, pero yo me quedaré, ya que Luis será gobernador dentro de poco.

—Entonces nos diremos adiós.

—Solamente *au revoir*, Catalina. Porque una vez cumplido nuestro período, que dura sólo ocho años, iremos a Madrid, y te veremos en tu hermoso hogar con Roberto y Carlos jugando allí junto a sus hermanos y hermanas. Piénsalo un poco.

—Lindo cuadro —comenté—. Cásate con tu Luis si tanto necesitas casarte. Ten hijos. Qué importa, un hombre vale tanto como otro.

—¿Por qué me hablas así? Ah, ya sé. Es porque mi senda está clara. La tuya, no. Felipe no te es indiferente. Cuando él está en la casa, cambias. Catalina, lamento que Isabel se interponga en tu camino.

"Isabel se interpone en tu camino". Esa frase me perseguía. A menudo soñaba con Felipe. Lo veía junto a mi cama, y a su lado Isabel... una pálida niña espectral, con una muñeca en los brazos.

Honey y Luis se casaron en la Catedral. Ella fue la novia más hermosa que hubiera visto en mi vida; la circundaba la misma serena felicidad que antes de nacer Edwina.

Honey siempre había querido ser amada, había florecido con el amor, y no cabían dudas de que Luis la adoraba.

La boda fue celebrada en la Hacienda. Hubo fiesta; se invitó a la gente de los poblados aledaños a ir a bailar, cosa que hicieron en los jardines. Fue un maravilloso espectáculo, con las muchachas y jóvenes en sus vestimentas tradicionales, bailando las danzas andaluzas traídas desde el continente. Bailaban y cantaban al ritmo tocado en la pandereta; por primera vez oí la "Isa" y la "Folias".

Se cantaron canciones en alabanza de los recién casados y del matrimonio en general. Más tarde la novia y el novio volvieron al dormitorio sin que hubiera ninguna de las bromas intencionadas que habrían acompañado esa ceremonia en mi país.

Esa noche permanecí largo rato despierta, pensando: estamos más lejos que nunca de nuestro hogar. Honey aceptó su destino, y si ahora pudiéramos volver, ella no abandonaría a su marido. Honey se ha convertido en una de ellos. Y ¿cómo podría yo irme dejando aquí a Honey?

Pensé: si mi madre supiera dónde me encuentro, si pudiera verla de vez en cuando, casarme con Felipe no es lo peor que me podría ocurrir. Él sería un marido bueno y afectuoso; Roberto amaba a su padre... ¿cómo podría yo separarlos?

Me estaba convenciendo cada vez más de que mi vida estaba allí.

En mis sueños aceptaba la mano de don Felipe, e iba a casarme en la Catedral, ya que adoptaría su religión... y entonces oía la tintineante risa infantil de Isabel.

Y cuando desperté, resonaban en mis oídos aquellas palabras: "Mientras Isabel viva, no".

Felipe quiso que hiciéramos un viaje al interior de la isla...

Dijo que a los niños les haría bien. Yo no había visto la gran montaña del pico de Teido sino desde el mar; debía verla en su verdadera magnificencia. Por su parte, él tenía que ir a otra parte de la isla, y durante su ausencia nuestro cuarto de los niños sería trasladado a una casa en el valle que él utilizaba a veces. Sus criados nos cuidarían. Volveríamos reanimados después de nuestras breves vacaciones.

Yo sabía que esta sugerencia suya ocultaba alguna razón. Felipe era un hombre misterioso. A menudo daba motivos para preguntarse hasta qué punto sus sentimientos íntimos contradecían los que expresaba, pero esto, en cierto modo, era para mí fuente de fascinación.

Cuando me enteré de que habría en La Laguna un *auto da fe,* creí comprender. Se esperaría que concurrieran los moradores de su casa, y yo era uno importante: la amante del gobernador... Mi ausencia sería notada. Él no deseaba exponerme a algo que, como bien sabía, me resultaba aborrecible. Además, sin duda temería que yo delatara mi repugnancia. A eso se debía nuestro viaje a las montañas.

Su preocupación por mí me conmovió. Empezaba a disfrutar cada vez más de sus atenciones hacia mí.

Partimos en mulas, con caballos de carga para llevar cuanto quisiéramos. Teníamos una litera donde iban los niños; Honey, Jennet, Manuela y yo nos turnamos para acompañarlos. A veces llevábamos a uno de ellos en nuestra mula. Para ellos era todo un gran juego.

Carlos era temerario, y Jacko lo seguía. Pensé que eso era previsible, tratándose de los hijos de Jake Pennylon. Creo que ya había olvidado los días de pesadilla vividos en la cabaña, detrás de la Casa Azul. Ese niño pasaría por la vida ileso, como su padre. Nada había en él de la pobre Isabel; era puro Jake Pennylon. Jacko sería igual, ya que siempre imitaba a Carlos.

El trayecto no fue largo (unos cincuenta kilómetros en total) y a mí me impresionó la exótica belleza del paraje. Pasamos cerca de un viejo y magnífico árbol del dragón, del cual se decía que tenía más de dos mil años. Según recordé, con la resina de ese árbol se teñían la piel los guanches nativos cuando iban a combatir contra sus conquistadores españoles. Esto me lo dijo John Gregory, con quien había llegado a una especie de acuerdo. También nos acompañaba Richard Rackell; además, llevábamos unos seis criados y un grupo de cinco a seis hombres fuertes por si necesitábamos protección.

Me regocijó ver cuántas molestias se había tomado Felipe para alejarnos de La Laguna.

A su debido tiempo llegamos a la casa en las montañas donde nos alojaríamos. Fuimos tratadas con sumo respeto, dado que veníamos de la Hacienda del gobernador. Y allí, a la sombra del pico de Teido con su cima nevada, pasamos unos días placenteros.

Nos internamos a caballo en las montañas; recogimos doradas naranjas; jugamos con los niños. Fue un período de felicidad. Honey echaba de menos a don Luis, que había quedado a cargo de todo en ausencia de Felipe. Por mi parte, me bastaba con estar allí, en ese notable entorno dominado por la gran montaña cónica. Felipe me había dado libros en español para que pudiera perfeccionar mi conocimiento de ese idioma. En ellos había leído también datos sobre las Canarias, y en particular sobre Tenerife, a la que se había denominado el Jardín de Atlas, donde crecían manzanas de oro. Estas eran las naranjas, y los árboles del dragón estaban allí para custodiar tan delicioso lugar.

Cuando emprendí el regreso a La Laguna, fue con cierto pesar.

Allí nos esperaba una terrible sorpresa: Isabel había muerto.

Un temor espantoso surgió en mí y me cubrió como una oscura sombra, pues Isabel había caído de lo alto de la escalera de la Casa Azul, quebrándose el cuello. Esto había ocurrido cinco días después de nuestra partida . . . el día del *auto da fe.*

Quedé consternada. Qué limpiamente había sucedido

todo. Yo estaba ausente; Felipe también. ¡Cuántas veces había dicho él: " ¡Si no fuese por Isabel! "

Deseé que jamás me hubiera hablado de matrimonio. Deseé que Isabel estuviera todavía en el patio de la Casa Azul, jugando con sus muñecas.

Felipe, que había vuelto, me saludó cortésmente, aunque con frialdad, pero yo percibí la intensidad de la pasión que él ocultaba.

Jennet estaba anhelante de excitación. Fue ella quien nos relató lo sucedido; su amante, el que trabajaba en los establos, se lo había contado en detalle.

La obligué a que me contara cuanto sabía.

—Fue así, señorita —dijo ella—; fue el día del *auto*, cuando todos habían ido a Laguna...

—Pilar no la habría abandonado.

—Lo hizo. Esta vez lo hizo. Era el día del *auto*, ¿comprende? , cuando asistir es un deber sagrado.

Cerré los ojos, pensando: "Dios mío... Todos fueron alejados ese día porque asistir al *auto da fe* era un deber sagrado. Cada uno temía no concurrir... y hasta Pilar fue. ¿Acaso él lo había planeado precisamente así? "

—¿Y ella... la pobrecita criatura?

—Pues ella no fue, señorita. Nadie esperaba que lo hiciese. Debía quedarse aquí con sus muñecas.

—¿Alguien la acompañaba?

—Edmundo, ese grandote... —explicó Jennet, sin poder evitar que se le animara la voz al mencionar a Edmundo el grandote, aunque fuese al relatar un hecho semejante—. Él estaba allí, trabajando en el jardín. Desde allí podía verla si ella se ponía mala. Dicen que cuando ella pataleaba y gritaba, él podía levantarla como si hubiera sido una muñeca de trapo.

—¿Supongo que en la casa habría alguien más?

—Dos de las criadas... las muy tontuelas.

—¿Adónde estaban?

—Dijeron que la habían dejado durmiendo. Hacía calor ... y ella dormía su siesta. Y después la encontraron al pie de la escalera.

—¿Quién la halló?

—Esas dos criadas. Al ir a la habitación de ella, no la encontraron. Entonces bajaron la escalera y allí estaba tendida ... Dijeron que había algo extraño en el modo en que estaba tendida. Y entonces fueron, miraron y luego corrieron gritando en busca de Edmundo. Cuando él vio lo que pasaba, la dejó tal como había caído. "Está muerta", dijo. "Pobrecita loca, está muerta".

Yo había cerrado las celosías y estaba acostada en mi lecho. Quería yacer en la oscuridad, pero aun así ese brillante sol penetraba entre las celosías e iluminaba un poco la habitación.

La puerta se abrió con lentitud y Felipe se acercó a mi cama, mirándome.

—No debías estar aquí —dije.

—Tenía que verte.

—Hay otros lugares.

—Verte a solas —insistió—. Ahora que ella ha muerto ...

—Tan recientemente y de modo tan extraño —lo interrumpí.

—Cayó y se mató. Lo extraño es que no se haya caído antes.

—Cayó estando más o menos sola en la casa. Todos, salvo las dos criadas y Edmundo, habían ido al *auto da fe*. Pilar se había marchado.

—Ir era su deber. Pocas veces Isabel quedaba casi sola en la casa.

—Con una vez bastó.

—Ella ha muerto. Ya sabes lo que eso significa. Estoy libre.

—No conviene decir esas cosas. Los criados escuchan.

—Antes era yo quien te advertía eso —comentó él con leve sonrisa.

—Ahora es más importante que antes.

—Tienes razón. Aguardaremos... pero esperar es fácil porque al final obtendré lo que mi corazón anhela.

—Recordarás a mi reina y su amante... Él tenía una esposa, Amy Tobsart. Ella murió. Cayó de una escalera. Vaya, ¡qué semejante a esto! Casi podría parecer que alguien, impresionado por ese incidente, hubiese decidido repetirlo.

—Lord Robert Dudley asesinó a su esposa con la connivencia de la reina.

—¿Ah, sí? Creo que estás en lo cierto. Algunos dicen que fue un suicidio, otros que fue un accidente...

—Pero muchos supieron la verdad.

—La reina no se atrevió a casarse con él.

—Fue porque no podía tolerar un rival en el trono.

—Por eso... y porque casándose con él habría sido cómplice de un asesinato... y tal vez habría corrido el riesgo de que sospecharan de ella.

—Es posible.

—Tú estás en situación similar, Felipe —declaré—. Los criados de Amy Robsart fueron a una Feria; los tuyos a un *auto da fe*. Y entonces, cuando la casa está casi vacía, tu esposa muere...

—Muchas veces se la salvó de hacerse daño.

—Y esta vez no hubo nadie para salvarla. Habrá quienes murmuren. Si te casases ahora, Felipe, puede que algunos digan que te deshiciste de una esposa para hacerlo.

—Yo soy aquí el amo... el gobernador de estas islas.

—Mi reina era el ama de Inglaterra. Fue sensata.

Por un instante, se mostró abatido; después levantó la

cabeza y vi su severo orgullo, su decisión de triunfar. Eso lo había llevado a emprender la intrincada operación de llevarme a Tenerife. Ahora estaba igualmente decidido a casarse conmigo, a proclamar a Roberto como su legítimo heredero. No se detendría ante nada.

Y yo me pregunté: Felipe, ¿qué papel has jugado en esto? No estabas aquí cuando Isabel murió... Pero tampoco fuiste a Inglaterra a buscarme. Te fijas un objetivo y otros se encargan de ejecutarlo. Ten cuidado, don Felipe.

Me tendió una mano, pero yo no la tomé.

—Vete ahora —dije—. Ten cuidado. Que nadie vea en qué dirección está lo que ambicionas.

Se marchó entonces, y yo me quedé acostada en mi habitación a oscuras.

Isabel fue sepultada con toda ceremonia.

Se dijo que cuando intentaba bajar la escalera, había sido poseída por demonios, y que al caer (como tantas veces se le había visto hacer) había hallado la muerte.

La muerte ensombreció la residencia. En el único sitio donde no logró penetrar fue en el cuarto de los niños, donde Honey y yo pasábamos gran parte de nuestro tiempo. Las semanas comenzaron a trascurrir; reanudamos nuestra rutina.

A menudo pensaba en Isabel, preguntándome qué habría sucedido en realidad. ¿Habría echado de menos súbitamente a Pilar? ¿Habría ido en su busca? A menudo pensaba en ella de pie en lo alto de esa escalera y luego, de pronto, cayendo. Pobrecita Isabel.

Con cuánta frecuencia había dicho él: "Si no fuera por Isabel"... Pero él estaba ausente en ese momento.

Lord Robert Dudley había estado lejos de Cumnor Place cuando murió su esposa... pero eso no lo exoneraba de un asesinato.

Hombres como sir Robert y don Felipe no cometían maldades con sus propias manos. Empleaban a otros para que las cometiesen en su lugar.

Edmundo estaba en la Casa Azul; él era el hombre fuerte, que levantaba a Isabel y la llevaba como si fuera una muñeca de trapo. Era sirviente de Felipe. ¿Acaso haría cualquier cosa que le pidiera su amo... cualquier cosa?

Así continuaban mis atormentados pensamientos.

Seis meses pasaron, y Felipe me dijo:

—Es tiempo de que nos casemos.

—Es demasiado pronto —repliqué yo.

—No puedo esperar eternamente.

—Hace seis meses tenías esposa.

—No la tengo ahora... ni la tuve nunca.

—Sé que es insensato.

—Yo te protegeré. Dentro de poco iremos a España. Debo llevarte conmigo.

—Deberíamos esperar un tiempo.

—No esperaré más.

—Estoy indecisa. Suelo pensar en mi país. Mi madre nunca me olvidará. Ahora llora por mí.

—Dime que te casarás conmigo y yo haré enviar un mensaje a tu madre. Es un desatino. Es peligroso. Pero lo haré para que veas cuánto te quiero.

Lo miré y sentí que una gran ternura me inundaba. Cuando me tendió los brazos, fui a su encuentro. Él me ciñó con fuerza. Ya no podía resistir a un amor como el que él me ofrecía.

¿Acaso no había aprendido muy amargamente que no es posible aferrarse a la perfección de los sueños propios? Honey lo sabía. Aceptando a Edward, había gozado de cierta felicidad, y ahora con Luis. Y este hombre me había demostrado que sentía hacia mí una tierna devoción que a mí misma me asombraba. No podía rechazar eso.

—Amor mío, escribirás una carta a tu madre —dijo

él—. Le dirás que estás bien y eres feliz. John Gregory la llevará, tomaremos medidas para ello. Irá en la próxima nave que parta. Hay una sola condición: no debes mencionar a nadie, no debes mencionar dónde estás. No puedo correr riesgos. Pero, Catalina mía, esto se hará. ¡Ya verás cuánto te amo!

Y así prometí casarme con don Felipe.

Nos casamos sin alboroto en la capillita privada de la Hacienda. Yo no era desdichada; a veces reía por dentro, pues no podía sino recordar mi anterior humillación, cuando no tenía otra alternativa que someterme a él. Recordaba cómo él había ordenado que me pusiera vestidos hechos para Isabel, que usara un perfume que era el de ella, para así poder imaginarse, al acostarse conmigo, que yo era la hermosa novia-niña. Ahora no quería pensar en otra que en mí... Pero Isabel era una sombra entre nosotros; más para él que para mí.

Cómo había cambiado todo. ¡Cuánto me amaba ese hombre extraño y silencioso! Qué raro que él, cuyas emociones pocas veces se despertaban, sintiera tan ardiente pasión hacia alguien de una raza enemiga, una raza a la cual despreciaba por bárbara. Y sin embargo amaba a alguien que era típica de esa raza...

Nunca olvido que me había permitido enviar una carta a mi madre. Solía soñar con ella en el jardín de la antigua Abadía, y sostener conversaciones imaginarias con ella. Estaba convencida de que sus pensamientos nunca se alejaban mucho de mí.

A veces me decía: tal vez ahora esté recibiendo esa carta. La lee llorando, la guarda en su corpiño y dice: "¡Las manos de mi querida Cat han tocado esto!" Y nunca se separará de ella.

Por eso debía estarle agradecida a Felipe.

Él me amaba y amaba a nuestro hijo. Solamente nos mostraba a nosotros esa parte de su carácter que era capaz de amar. Una vez se me había ocurrido pensar que cuando él amara, lo haría con devoción constante. ¡Cuánta razón había tenido al pensarlo! Ahora él daba al amor esa intensidad pasional que antes había dedicado a la venganza.

Se abandonaba a momentos de gran felicidad, y en el centro mismo de esa felicidad estábamos nuestros hijos y yo.

Gustaba de acostarse en nuestra cama, conmigo en sus brazos, y hablar de nuestro futuro. A mí me encantaba oírle pronunciar el nombre de nuestro hijo. Lo decía de un modo distinto cuanto estábamos solos y juntos. Yo me sentía inundada de emoción al ver que un hombre tan severo podía amar tanto.

—Catalina, Catalina, mi amor —solía susurrarme.

Era de veras feliz, y es halagüeño advertir que se ha causado tanta alegría a otro ser humano.

En primer lugar, se ocupó de legitimar a Roberto. De vez en cuando llegaban barcos de España a Tenerife, trayendo hombres desde el Escorial, donde el señor de Felipe vivía con espartana majestuosidad. De Madrid llegaron documentos que él me mostró jubiloso, diciendo:

—Roberto es nuestro primogénito. Ahora es como si hubiésemos estado casados cuando nació. No habrá obstáculos para su herencia.

—¿Y Carlos? —pregunté.

Se le ensombreció el ceño. Nunca le había gustado Carlos, aunque había aceptado su presencia en nuestras habitaciones para complacerme.

—De mí no recibirá nada, pero la familia de su madre lo hará rico.

Eso me satisfizo.

Felipe hablaba con frecuencia acerca del momento en que iríamos a España. Ahora estaba ansioso por retornar.

Don Luis ya estaba listo para relevarlo en sus responsabilidades. No había motivos para que no nos marcháramos.

Fuimos ciegos al imaginar que podríamos casarnos sin que nadie objetara. La reina de Inglaterra no se había atrevido a casarse con su amante después de que la esposa de este murió misteriosamente. ¿Acaso el gobernador de una pequeña isla podía estar más inmune que ella?

Hubo murmuraciones, y fue Manuela quien primero me las hizo saber.

—Señora —dijo arrugando la frente— dicen que usted es una bruja.

—Una bruja... ¡yo! ¿Qué desatino es este?

—Dicen que embrujó al gobernador. Nunca fue antes como es con usted.

—Por supuesto. Soy su esposa.

—Antes tenía esposa, señora.

—Esto es disparatado. Ya sabes cómo era la primera esposa del gobernador.

—Estaba poseída por demonios.

—Era idiota, medio loca.

—Poseída, dicen. Y que usted envió los demonios que la poseyeron.

Estallé en risas.

—Espero entonces que les digas que necios fueron. Ella estaba poseída antes de que yo supiera de su existencia. Tú lo sabes.

—Pero dicen que estaba poseída y que usted envió los demonios para que la poseyeran.

—Ellos también están locos.

—Sí —repuso Manuela, inquieta.

Pero ese fue el comienzo.

Me vigilaban furtivamente. Cuando iba a La Laguna, percibía miradas de reojo, y si me volvía bruscamente comprobaba que la gente me estaba observando. Una vez oí susurrar la palabra "bruja".

En la Casa Azul, las celosías estaban cerradas. Oí decir que Pilar recorría la casa entre lamentos. Se detenía en lo alto de las escaleras llamando a Isabel para que volviera a su lado, para que le contara lo sucedido aquella fatídica tarde.

Felipe fingía ser indiferente a la tensión que se estaba acumulando, pero no lograba engañarme. Una noche llegó a nuestro dormitorio con expresión ceñuda y ansiosa. Había pasado en La Laguna casi todo el día.

—Ojalá estuviéramos en Madrid —declaró—. Entonces terminarían estas necedades.

—¿A qué necedades te refieres? —le pregunté.

—Ha habido muchas habladurías. Alguien estuvo en La Laguna y habló temerariamente. No queda otra alternativa; habrá que adoptar determinada actitud.

—¿Qué actitud?

—Me refiero a la muerte de Isabel. Habrá una investigación.

Sentada, Manuela remendaba la blusa de Carlos. Las manos le temblaban.

—¿Qué te ocurre, Manuela? —pregunté.

Ella elevó hacia mi rostro sus grandes ojos apenados.

—Se llevaron a Edmundo para interrogarlo. Fue él quien la encontró tendida al pie de la escalera con el cuello roto. Fue. él. Lo interrogarán.

—Sus respuestas les satisfarán —repuse—, y entonces él volverá aquí.

—Las personas que son llevadas para interrogarlas suelen no volver.

—¿Por qué no va a volver Edmundo?

288

—Cuando lo interroguen, obtendrán la respuesta que quieran —replicó ella.

—Edmundo no sufrirá ningún daño. Siempre fue tan bueno con Isabel. Ella le tenía afecto.

—Ella murió, y a él se lo llevan para interrogarlo —insistió Manuela.

Yo sabía que tanto Manuela como Edmundo formaban parte del séquito que Isabel había traído consigo de España. Manuela había sido una de sus criadas, y Edmundo sabía cuidarla cuando ella estaba "poseída". Al llegar los corsarios, Manuela se había escondido, logrando así salvarse. Después había acompañado a Isabel durante los meses de embarazo y el nacimiento de Carlos. Había querido al niño, a quien intentó proteger de la devoción y la aversión alternadas de su madre. Y cuando el niño fue puesto a cargo de aquella terrible arpía, había hecho lo posible por ayudarlo.

Era comprensible que el arresto de Edmundo la entristeciese.

El resultado de ese interrogatorio me dejó atónita. Edmundo confesó haber asesinado a su ama. Había robado de su cofre una cruz tachonada con rubíes para dársela a una joven a quien deseaba complacer. Cuando se apoderaba de la cruz, Isabel lo había sorprendido, y él, temeroso de las consecuencias, la había asfixiado tapándole la boca con un trapo mojado. Después la había arrojado escaleras abajo.

Fue ahorcado en la plaza de La Laguna.

—Así termina el caso —comentó Felipe.

Yo no podía borrar de mi mente a Edmundo, tan grande, levantando a la pobre Isabel con tal suavidad en sus brazos, como lo había visto hacer cuando ella sufría.

—Era tan gentil —murmuré—. No logro creerlo capaz de asesinar.

—Los hombres y las mujeres tienen muchas facetas —repuso Felipe.

—Es difícil dar crédito a esto respecto de Edmundo —insistí.

—Ha confesado y así termina el caso, amor mío.

Quedé alterada, aunque contenta de poder considerar resuelto el misterio.

La Navidad llegó y se fue. Pensé en mi país y en las máscaras, las juergas y el árbol de Navidad. Me pregunté si John Gregory habría llegado ya a Inglaterra, y si mi madre habría recibido mi carta.

¡Qué regalo de Navidad sería para ella!

Para desengaño de Felipe, yo no había concebido. Por mi parte, no sabía con certeza si estaba desilusionada o no. Anhelaba tener hijos, y sin embargo no lograba olvidar a Isabel. Aun cuando Edmundo había confesado haberla asesinado, ella parecía interponerse todavía entre mi esposo y yo. A veces tenía la sensación de que mi marido era un desconocido para mí. Ni por un momento pensé que él hubiera amado alguna vez a Isabel. Le creía cuando afirmaba que en su vida había habido un solo amor: yo. Eso era algo que él no podía ocultar. Su amor hacia mí se expresaba cien veces durante un solo día. Estaba en la inflexión misma de su voz. Además, yo le había dado a Roberto... tan robusto con sus tres años de edad... Pero algo había que Felipe me ocultaba incluso a mí, y tal vez por ese motivo procuré no concebir. El hecho es que no concebí, aunque no era desdichada.

En Tenerife nunca hacía frío, ya que había muy poca diferencia entre el invierno y el verano. Los únicos días desagradables eran aquellos en que soplaba el viento sur desde el África, y esto no era frecuente. Me agradaba la atmósfera cálida y húmeda, que no deseaba abandonar a cambio de las temperaturas extremas que, según creía, experimentaríamos en España. Pensaba a menudo en los fríos días de invierno allá en la Abadía. En una ocasión se había helado el Támesis y habíamos podido cruzarlo a pie. Recordaba el gran fuego de leños en la sala, nosotras sentadas en derredor, y las máscaras que habían desentumecido sus manos heladas palmoteando antes de iniciar su actuación. Cuántas cosas recordaba de mi país... y a veces sentía en la garganta un sordo dolor, tanta era mi nostalgia.

Empero, allí tenía un marido que me amaba y un hijo cariñoso.

En enero tuvo lugar la Cabalgata de los Tres Reyes Magos, y llevamos a los niños a La Laguna para que la presenciaran. Reinaba gran entusiasmo y yo escuchaba con deleite el parloteo de los niños.

Sí, disfrutaba de muchas cosas.

Pasó el tiempo y llegó la Semana Santa, que era una época de gran celebración. Hubo nuevas procesiones en la ciudad y vi las figuras cubiertas con blancas túnicas que salían de la Catedral. Entonces recordé con intensidad aquel día en que, sentada en la plaza, había contemplado la desdicha humana. De pronto sentí náuseas y me inundó una penetrante nostalgia por mi país.

Había hablado de mi súbito deseo de volver a Honey, quien admitió sentirlo también. Don Luis la adoraba, tenía a su hijita como yo a mi hijo, pero nuestro hogar era algo que jamás olvidaríamos. Y estoy convencida de que en el centro mismo de ese recuerdo estaba mi madre... tanto para Honey como para mí.

Para ver la Sagrada Procesión habíamos ido a La Laguna en mulas, dejando en casa a los niños, pues temíamos que se lastimaran entre el gentío. Honey y yo estábamos de pie, una junto a la otra. Dos caballerizos nos acompañaban; nunca se nos permitía alejarnos sin protección. Y mientras nos encontrábamos en los lindes de la multitud, sentí que alguien se apretaba contra mí.

Al volverme bruscamente, me encontré con dos ojos fanáticos fijos en los míos.

—Pilar —exclamé.

—Bruja —murmuró ella—. Bruja hereje.

Me eché a temblar. Las muchedumbres en las plazas traían consigo recuerdos espantosos.

—Vi en la ciudad a esa tal Pilar —dije a Felipe—. Me odia; lo noté en su modo de mirarme.

—Tenía mucho cariño a su pupila. La acompañaba desde que nació.

—Creo que me considera responsable por su muerte.

—Está acongojada. Ya olvidará su dolor.

—Pocas veces vi tanto odio en una mirada como en la suya al verme. Me llamó bruja . . . bruja hereje.

El cambio de expresión de Felipe me tomó por sorpresa. Con temor evidente, formó con los labios la palabra "hereje". Luego, repentinamente, ese dominio de sí mismo que era una parte tan esencial de su carácter pareció abandonarlo. Tomándome en sus brazos, me estrechó fuertemente contra él, diciendo:

—Catalina, nos vamos a Madrid. No debemos quedarnos aquí.

Un miedo terrible había comenzado a dominarme. Cuando oscurecía, solía imaginar que era vigilada. No podría decir específicamente de qué modo. Simplemente oía pasos que parecían seguirme, o el ruido de una puerta al cerrarse despacio cuando yo me hallaba en una habitación, como si alguien la hubiese abierto para observarme y luego se hubiese marchado después de cerrarla en silencio.

En una o dos ocasiones me pareció que alguien había estado en mi habitación. Algún objeto familiar había sido movido de su sitio, y yo estaba segura de no haberlo tocado.

Me reproché por permitir que mi imaginación se apoderara de mi sentido común. Desde la muerte de Isabel y mi matrimonio (lo uno secuencia natural de lo otro) la tensión venía aumentando gradualmente. No lograba olvidar la expresión de Pilar al mirarme y susurrar aquellas palabras: "¡Bruja! ¡Hereje! ", y mentalmente había conjurado tal horror, que no me atrevía a reflexionar sobre él.

Se me ocurrió que el odio me rodeaba. Alguna fuerza maligna procuraba destruirme. Supe que así era cuando hallé la imagen dentro de mi gaveta.

La había abierto sin sospechar nada y allí, como mirándome, se hallaba esa figura. Estaba hecha de cera y representaba a una hermosa joven con peinado alto, y en el cabello una peineta en miniatura. Su vestido era de terciopelo y noté el parecido inmediatamente. ¡Era Isabel! No podía estar destinada a representar sino a ella.

Cuando la levanté, me dominó el horror, ya que de su vestido, en el sitio correspondiente al corazón, sobresalía un alfiler.

Alguien la había puesto en mi gaveta. ¿Quién? Alguien había hecho ese objeto a imagen de Isabel. ¡Alguien le había atravesado el corazón y la había puesto en mi gaveta!

Me quedé inmóvil, de pie, con esa figura en la mano.

Se abrió la puerta. Sobresaltada, alcé la vista y vi un oscuro reflejo en el espejo.

Con gran alivio advertí que era sólo Manuela.

Aplastando la figura en mi mano, me volví hacia ella, mientras me preguntaba si habría notado mi turbación.

—Los niños están listos para dar las buenas noches —anunció ella.

—Ya voy, Manuela.

Cuando se marchó, me quedé mirando lo que tenía en la mano. Por fin lo eché de nuevo al fondo de la gaveta y me dirigí a la habitación de los niños.

No pude escuchar lo que estos me decían. Sólo podía pensar en aquella cosa horrible y en lo que significaba.

¿Quién la habría puesto allí? Alguien que me quería mal. Alguien que me estaba acusando de provocar la muerte de Isabel. Debía destruir a toda prisa aquel objeto; mientras estuviera allí yo corría peligro.

Tan pronto como arropé a los niños y les di las buenas noches con un beso, regresé a mi habitación.

Abrí mi gaveta: la figura había desaparecido.

Cuando relaté a Felipe mi hallazgo, percibí de inmediato el terrible miedo que eso despertaba en él.

—¿Y había desaparecido? —exclamó—. Nunca debiste ponerla de nuevo en la gaveta. Debiste destruirla de inmediato.

—Quiere decir que alguien está convencido de que maté a Isabel.

—Quiere decir que alguien procura demostrar que eres una bruja —repuso él.

No necesité preguntarle qué significaba eso.

—Fui acusada de eso en el barco —dije estremeciéndome—. Estuve cerca de una muerte horrible.

—Unos marineros deben haber dicho algo. Tenemos que alejarnos de aquí pronto.

Felipe aceleró los preparativos para nuestra partida.

Sin duda alguna, el miedo había penetrado en la Hacienda. Sobre nosotros pendía la vasta sombra de la Inquisición. A veces solía despertar gritando, pues había soñado que me encontraba en aquella plaza. Miraba desde el palco... y me veía a mí misma con el espantoso sambenito. Oía chisporrotear las llamas a mis pies. Entonces despertaba de mi sueño con un grito y Felipe me tomaba en sus brazos para consolarme.

—Pronto estaremos a salvo en Madrid —decía.

—Felipe, si vinieran a llevarme... ¿cómo vendrían? —pregunté.

—Suelen venir de noche —respondió él—. Golpearían la puerta. Oiríamos estas palabras: "Abrid en nombre del Santo Oficio". Esas son las palabras que nadie se atreve a desobedecer.

—Y entonces me llevarían, Felipe. Me interrogarían. Yo contestaría a sus preguntas. ¿Qué puedo temer?

—Todos tienen algo que temer cuando caen en las manos de la Inquisición.

—Los inocentes...

—Hasta los inocentes. Si creen que eres una bruja, vendrán en tu busca —continuó—. Si llegan de noche, yo te ocultaré. Debemos fingir que has desaparecido, que en verdad eres una bruja y has invocado al Demonio en tu ayuda. En el dormitorio hay una puerta secreta —agregó, mostrándomela—. Allí te esconderás hasta el momento en que yo pueda salvarte.

—Felipe ¿esa mujer me delataría?

—Es posible —replicó él—. Y si lo hace, vendrán por ti.

—¿Crees que lo ha hecho?

—No lo sé. Muchos temen acudir al Santo Oficio aunque sea para dar información contra otros, pues algunos se han perjudicado al hacerlo. Rogaremos que Pilar no haya dicho a otros lo que te dijo a ti. No es propio de ti tener miedo, mi amor —continuó en tono tranquilizador, pues yo temblaba en sus brazos—. Burlaremos a cualquiera que intente hacernos daño.

—Si me ocultas, Felipe ¿no estarías actuando contra la Inquisición? —pregunté, ante su silencio, proseguí—: ¿Actuarías contra la Inquisición por mí? ¿Protegerías en tu casa a una hereje porque la amas?

—Calla . . . No pronuncies esa palabra, Catalina, ni siquiera cuando estamos solos. Debemos ser prudentes. Apresuraré nuestra partida.

Pasaron los días. Esperábamos la llegada de un barco. Cuando viniera, nos despediríamos de la Hacienda y de Honey, de don Luis y de la pequeña Edwina. Había convencido a Felipe de que permitiera a Carlos ir con nosotros. También Manuela nos acompañaría, además de Jennet y su hijo Jacko.

Me desolaba la idea de separarme de Honey, pero sabía que en adelante estaba en peligro. Y la tensión que sentía al comprender que en cualquier momento podían oírse golpes en la puerta era tal, que no podía sino ansiar eludirla a toda costa.

Al enterarme de que Pilar se hallaba enferma y guardaba cama, envié a Manuela en su busca. Manuela había sido una servidora buena y fiel, que me estaba agradecida por haber rescatado a Carlos, a quien adoraba. Pensé que ella podría averiguar hasta dónde había llegado Pilar con sus acusaciones.

Cuando volvió la hice llamar a mi dormitorio, donde podríamos hablar sin ser escuchadas, y le pregunté qué había averiguado.

—Pilar está enferma, en efecto —declaró ella—. Del corazón y del cuerpo.

—¿Habló de Isabel?

—Sin cesar. Según me contaron las criadas, de noche vaga por la Casa Azul llamando a Isabel y no les permite tocar las muñecas. Las tiene allí en su habitación.

Yo moví la cabeza asintiendo.

—Manuela, quiero saberlo todo, sea lo que fuera —dije

luego—. Sé que ella me odia por haberme casado con el marido de Isabel ... Pero Isabel no era esposa para él, tú lo sabes.

—Pilar habla sin parar —respondió Manuela—. Pasa de una cosa a la otra. Maldice a Edmundo. "Todo por una cruz, una cruz tachonada de rubíes", dice. "Tú la recuerdas, Manuela; pocas veces se la ponía".

—¿Y tú la recordabas, Manuela?

—Claro que sí... Era algo muy bello. La noté especialmente, pues tengo una predilección especial por los rubíes. Y tampoco fue encontrada.

—Según tengo entendido, se presumió que Edmundo se la dio a alguien... A una mujer a quien amaba.

—¿Quién era esa mujer? Jamás dieron con ella.

—No sería de esperar que se presente por sí sola... Tendría miedo de hacerlo. O tal vez él haya escondido la cruz en algún sitio. Acaso la haya enterrado en el jardín. Supongo que tendría que ocultarla. Pero ¿qué importa la cruz?

—Edmundo era un hombre tan bondadoso. Parece raro que haya matado por una cruz de rubíes.

—Nunca se sabe lo que es capaz de hacer la gente. Tal vez, enamorado de alguien, haya querido darle la cruz. ¿Quién sabe? Y cuando lo hizo obedeciendo a un impulso, fue sorprendido y vio amenazado su futuro. Lo habrían colgado por robar una cruz tan valiosa... Por eso mató para salvarse.

Manuela meneó la cabeza.

—Fue espantoso oírla maldecirlo... Yo quise huir. Pero después habló de usted señora...

—¿Qué dijo de mí, Manuela?

—Dijo que deseaba verla. Dijo que habría venido, pero como está enferma, debe ir usted.

—Iré —repuse.

Manuela asintió con la cabeza.

No dije a Felipe adónde iba, pensando que me lo impediría. Pero sabía que debía hablar con Pilar. Debía tratar de explicar. Habría querido hacerlo durante nuestro encuentro callejero, pero en ese momento la sorpresa me lo había impedido. Quería preguntarle qué se proponía llamándome bruja. Quería asegurarle que no lo era, ni mucho menos.

Se me ocurrió pensar que ella debía saber algo respecto de la imagen. ¿La habría puesto ella en ese sitio? ¿Y cómo? Ella no iba a la Hacienda. Tal vez tuviera allí gente que colaboraba con ella, gente que me odiaba tanto como ella, que deseaba demostrar mi culpabilidad en la muerte de Isabel.

Puse en una cesta algunos manjares que saqué de la cocina y fui a verla.

Cuando abría la puerta de hierro, una terrible repugnancia me dominó. Fue como si todo mi ser me gritara una advertencia. Allí estaba el patio. Allí estaba la ventana y el balcón donde había visto a Isabel con su muñeca. Aquí la había levantado Edmundo con tanta suavidad al caer ella. Mentalmente vi el cuerpo sin vida de Edmundo colgando de una soga en la plaza de La Laguna.

¡Cuánto silencio reinaba! Empujé la puerta para abrirla. Mirar me era casi insoportable. Allí estaba la escalera. Imaginé su pobre cuerpo quebrado yaciendo al pie.

Me detuve vacilante.

Vete, me decía una voz interior. Huye . . . cuando aún es tiempo. Sal de este sitio. Estás en peligro inminente.

Alguien estaba inmóvil a mi espalda. Era una de las criadas, que sin duda al verme entrar en la casa, me había seguido.

Me miraba con ojos dilatados; era evidente que me temía.

—Vine a ver a Pilar —anuncié.

La mujer asintió con un movimiento de cabeza y

apartó la mirada, como si temiera ser contaminada con algo maligno.

Echó a correr escaleras arriba; yo la seguí.

En un descanso abrió una puerta y entré.

La habitación estaba oscura, ya que había sido construida de modo que el sol no entrara. En la cama yacía Pilar; su cabello, que le caía alrededor de los hombros, le daba un aspecto salvaje.

Dando un paso hacia el lecho, procuré hablar normalmente.

—Lamento que estés enferma, Pilar. Te traje esto. Supe que querías verme...

—¿Me cree capaz de comer nada que venga de la Hacienda... de esa casa del pecado? ¿Cree que comería algo que *usted* haya traído? ¡Usted... bruja! Usted ha hecho esto. Ha lanzado sus hechizos. Lo deseaba y lo embrujó. Y es culpable de la muerte de ella.

—Pilar, escúchame. No soy ninguna bruja. Nada sé de brujerías. No estaba aquí cuando murió doña Isabel.

Su risa fue horrible, cruel y burlona.

—¡Que no sabe nada! Lo sabe todo. Usted y sus semejantes son sabios en métodos diabólicos. Sentenció a mi pobre niña inocente. ¿Acaso no había sufrido ya bastante? No. Lo deseaba a él... Lanzó un hechizo. Y ella murió... mi pobre cordera inocente... mi pobrecita niña.

—Yo no lanzo hechizos...

—No me diga mentiras. Guárdelas para otros... cuando llegue el momento. Ellos no le creerán, como no le creo yo...

Introdujo la mano bajo la almohada, y al retirarla sostenía algo. Con horror vi que era la figura de Isabel.

—¿De dónde sacó eso? ¿Quién se la dio? —inquirí.

—Yo la tengo. Es la prueba. Esto los convencerá... Y usted morirá... morirá... como ella murió, y de un modo más cruel aún.

—¿De dónde sacaste eso? —repetí—. Lo vi sólo una vez, cuando lo encontré en mi gaveta. Tú lo pusiste allí, Pilar.

—¿Yo? No he abandonado este lecho.

—Algún cómplice tuyo, entonces...

—Dígales eso cuando esté ante el tribunal. Dígaselo cuando sienta que las llamas le lamen las piernas.

Ya no soportaba seguir allí. Sabía que nada podía decirle.

Le di la espalda y corriendo abandoné la habitación, bajé la escalera y salí al aire puro.

Corrí sin detenerme hasta llegar a la Hacienda.

Cuando se enteró de lo sucedido, Felipe quedó horrorizado.

—Si ella te ha delatado, atacarán en cualquier momento. Debemos estar preparados tan pronto como llegue la nave.

Y así pasaron los días de intranquilidad. No se puede vivir día tras día en una tensión tan grande. Uno se habitúa incluso a eso.

—No logro entenderlo —dijo Felipe—. Si ella te hubiese delatado, ya habrían venido. Su enfermedad le ha impedido actuar. Mientras esté encerrada en su habitación, no podrá hacer nada contra nosotros. Mientras se halle enferma, estaremos a salvo y la nave llegará en cualquier momento.

Yo imaginaba la vida que nos esperaba en España.

Viviríamos en la residencia campestre de don Felipe. A veces, él estaría a disposición del rey, tendría que visitar el lúgubre Escorial y acaso ser enviado en misiones a otros países, en cuyo caso nosotros lo acompañaríamos.

Sería una vida bastante parecida a la que había llevado en la Hacienda. Yo no me acostumbraría jamás a la solemnidad española, ya que nunca podría volverme parte de ella. Tampoco creía que Felipe lo deseara, ya que me había amado tal como era, y quizá por ser tan distinta de las mujeres de su país.

Tenía que esforzarme por olvidar a España. Estaba casada con un español; mi hijo era medio español.

Suponía que, si lograba averiguar que mi madre estaba sana y salva y sabía que yo lo estaba, podría resignarme con el tiempo. A menudo me preguntaba qué se habría hecho de John Gregory.

Pronto llegaría la nave y abandonaríamos esa casa donde yo había experimentado tantas emociones. Al salir de ella, procuraría empezar de nuevo... tenía que hacerlo.

Con frecuencia hablaba con Honey acerca del futuro. Ella se había adaptado con más facilidad que yo. Era menos tempestuosa... o quizá lograba disimular mejor sus sentimientos. Tal como antes se manifestaba totalmente feliz con Edward, ahora parecía serlo con Luis.

Su actitud era que debíamos aceptar la vida y hacer lo posible por ser felices en ella.

Ambas sufriríamos mucho al separarnos, pero debíamos aceptarlo. Debíamos pensar que más adelante nos reuniríamos, como lo habían prometido Felipe y Luis.

Mis temores estaban casi apaciguados cuando, aquella noche inolvidable, llamaron a la puerta.

Las velas estaban encendidas. Nos encontrábamos sentados en esa elegante habitación: Felipe y yo, Honey y Luis. Honey tocaba el laúd... y qué bella estaba con la airosa cabeza un poco inclinada y los ojos bajos, de modo que sus espesas pestañas lanzaban una oscura sombra sobre su piel. Honey, cuya belleza indestructible ninguna penuria podía disminuir.

Estaba cantando una canción española. Sólo cantábamos las inglesas cuando estábamos juntas en campo abierto, donde nadie podía oírnos.

Entonces oímos ruidos afuera.

Nos incorporamos. Felipe acudió velozmente a mi lado y me rodeó con un brazo. Quería que subiera a nuestro dormitorio para poder esconderme allí.

Pero ya oíamos voces y golpes en la puerta del pórtico. Alguien lanzó un grito; después se oyeron pasos.

La puerta del salón fue abierta de pronto. Vi a John Gregory y una gran alegría me inundó.

—Viene de Inglaterra —exclamé.

Y entonces vi al hombre a quien tantas veces había imaginado. Un fuego azul relampagueaba en sus ojos, en los que había burla y muerte. Jake Pennylon había llegado a la Hacienda.

Me miraba y al verme, rió triunfalmente.

—Vine a buscarte —gritó—. ¿Quién es el sujeto que se llevó a mi mujer?

Era aterrador, magnífico e invencible. Cuántas veces, recién llegada a Tenerife, lo había imaginado aparecer precisamente así.

Se había vuelto hacia Felipe. Cierto instinto pareció indicarle que era él. Después vi que Felipe alzaba los brazos y caía al suelo.

—Dios mío —exclamé, pues la espada de Jake goteaba sangre.

Me sentí enferma de horror.

Jake se había apoderado de mí.

—¿Dudabas de que vendría? —exclamó—. Muerte de Dios, cuánto tiempo ha pasado...

Cuán difícil es recordar los detalles de esa noche aturdidora y horrenda. Una terrible verdad dominaba mis pensamientos: Felipe estaba muerto y Jake lo había matado.

Cuando cierro los ojos, me parece ver el salón... la tapicería manchada de sangre, los cadáveres ensangrentados e inertes, tendidos sobre las baldosas de mosaico. Entre ellos estaba el marido de Honey, que yacía junto a Felipe. Al notar que los hombres de Jake desguarnecían las paredes, comprendí que se estaban llevando todos los objetos de valor.

Mientras, inmóvil y de pie, contemplaba el cadáver de Felipe —a quien ahora lo sabía, había amado profundamente—, pensé en los niños y salí corriendo hacia las escaleras que conducían a sus habitaciones. Jake Pennylon iba a mi lado. Hacía tanto que no lo veía, que había olvidado su vigor.

—¿Adónde vamos, pues? —preguntó—. ¿A la cama? Vaya, muchacha, para eso tendrás que esperar. Esta noche tenemos tareas por delante. Ya obtuvimos lo que vinimos a buscar, pero no hay por qué regresar con las manos vacías.

—Hay niños —le contesté.

—¿Cómo?

—Mi hijo.

—¿Tu hijo?

—También los tuyos —respondí.

Traté de escapar de él, pero me sujetaba con firmeza. Subimos las escaleras. Los niños estaban despiertos. Roberto corrió a mi encuentro; lo alcé en mis brazos.

—Tu hijo... este mocoso negro —exclamó Jake Pennylon.

—No te inquietes, Roberto —dije, procurando tranquilizarlo—. Nada malo te ocurrirá, hijo mío.

Los azules ojos de Jake Pennylon relampagueaban de furia.

—Así que te dejaste preñar por un hispano piojoso.

303

Muerte de Dios, no quiero ninguna sabandija española a bordo de mi nave.

Yo sostenía al niño fuertemente en mis brazos.

Habían aparecido Carlos y Jacko. Carlos miraba a Jake Pennylon con franca curiosidad.

—¿Y estos?

—Son tuyos —repuse—. Son tus hijos, Jake Pennylon . . . uno con una dama española, el otro con una moza de servicio.

Miró con fijeza a los dos niños. Luego tendió una mano, que apoyó en el hombro de Carlos.

—¡Muerte de Dios! —exclamó antes de tomarlo por la barbilla, obligándolo a levantar la cabeza.

Después hizo lo mismo con Jacko. Ambos le sostuvieron la mirada sin temor. Jake Pennylon rompió a reír. Carlos, indeciso, rió también. Jake le tiró del cabello. Su rostro expresaba cierta emoción.

Soltando a Carlos, le palmeó la espalda. Carlos se tambaleó, pero siguió mostrándose ansioso y expectante. Jacko se había adelantado un poco, pues no quería quedar excluído.

—Vaya, los habría reconocido a los dos en cualquier parte —declaró. Después me miró entrecerrando los ojos—. ¡Estos niños debieron ser tuyos y tú te dejaste preñar por un hispano pustulento! Pónganse ropas abrigadas —bramó mirando a los niños—. Traigan lo que puedan . . . cualquier cosa que encuentren. Van a navegar en el barco más bello que haya surcado los mares.

Honey, llorando quedo, había llegado en busca de Edwina. La levantó y la sostuvo en sus brazos.

—Prepárense y síganme —gruñó Jake.

Bajamos las escaleras; nos aguardaban unos caballos de carga, sacados de los establos de Felipe. Ya se había cargado sobre ellos objetos de valor. Debía ser medianoche cuando partimos hacia la costa, una luna mortecina nos alumbraba el camino; avanzábamos con lentitud.

Jake Pennylon cabalgaba a mi lado; yo sostenía a Roberto sobre mi mula. Allí estaba Jennet, con ojos dilatados de excitación; Manuela se mantenía cerca de los niños, tranquilamente decidida a seguirlos; Honey, dos veces viuda y de manera similar, impasible ahora su bello rostro, sostenía a Edwina sobre su mula. Jacko iba montado con Jennet, mientras que Carlos poseía una mula para él solo.

Yo tenía la sensación de estar viviendo en una pesadilla. No podía olvidar a Felipe tendido en medio de su sangre, él que poco tiempo antes estaba vivo y tan inquieto por mi seguridad. Todo lo sucedido esa última hora parecía totalmente irreal. Tenía la certeza de que no tardaría en despertar.

Allí estaba Jake Pennylon (yo había olvidado cuán vital podía ser un hombre), asesino de Felipe, a quien yo había llegado a amar.

Jamás olvidaría la dulce cortesía de Felipe, su honda y constante bondad hacia mí. Y Jake Pennylon lo había matado. Cómo odiaba a Jake Pennylon.

Y así llegamos a la costa y allí, como a dos kilómetros de la costa, estaba el *León Rampante*.

Llegamos a él en un bote a remo y trepamos a bordo.

Fue guardado el botín que los hombres de Jake Pennylon habían traído de la Hacienda.

Empezaba a amanecer cuando el *León Rampante* levó anclas y zarpamos rumbo a Inglaterra.

REGRESO AL HOGAR

El crujido familiar de las cuadernas, el bamboleo y cabeceo de un barco en el mar... todo lo rememoraba tan vívidamente. El camarote de Jake Pennylon se parecía al del capitán del galeón. Era menos espacioso, y de techo más bajo. Había allí el mismo tipo de instrumentos. Vi el astrolabio y la ballestilla, los compases y los relojes de arena.

A su camarote fuimos conducidas Honey, Jennet y yo con los niños. Edwina se pegaba a su madre, como Roberto a mí, pero los hijos de Jake Pennylon estaban examinando el camarote. Se inmiscuían en todo, procurando entender cómo funcionaba el astrolabio, mientras parloteaban en una especie de lenguaje propio medio inglés y medio español.

Jennet sonreía para sí, murmurando sin cesar:

—Vaya, qué cosa, era el capitán en persona...

Honey permanecía sentada cabizbaja, con la mirada fija en el aire, como estupefacta. Yo sabía lo que ella sentía. Había perdido a un marido a quien amaba... lo mismo que yo. Cientos de recuerdos debían agolparse en su mente, tal como en la mía.

Yo te amaba, Felipe, pensé. Nunca te expresé cuánto porque no lo comprendí yo misma hasta que te vi allí tendido.

Entonces volvió a mi mente aquel recuerdo espantoso... Podía ver la sangre que teñía su chaqueta, que formaba un charco alrededor de su cuerpo. Podía ver la sangre en las paredes, la goteante espada de Jake Pennylon.

Tenía que esforzarme por expulsar de mi mente ese cuadro terrible.

—Los niños deberían estar durmiendo —declaré.

—Oh, señora, ¿cree que podrán después de semejante noche? —preguntó Jennet.

—Deben hacerlo —repuse.

Agradecía que al menos no hubiesen visto los asesinatos. Me pregunté qué estaría ocurriendo en ese momento. ¿Cuántos habrían sobrevivido, qué dirían por la mañana? En la Casa Azul, Pilar clamaría que todo era obra de la bruja... de la bruja inglesa que había fascinado al gobernador, llevándolo a la muerte.

Se abrió la puerta y entró John Gregory.

—Vaya, aquí está el doble traidor —exclamé.

—¿No quería volver a su hogar? —preguntó él—. ¿No era eso lo que anhelaba y pedía?

Guardé silencio. Pensaba en don Felipe; no podía dejar de pensar en él.

—Serán conducidas a un camarote donde dormirán. Se lo indicaré.

Lo seguimos por un pasadizo hasta llegar a un camarote bastante más pequeño que el que acabábamos de abandonar. En el suelo había mantas.

—Pueden reposar todos aquí. El capitán Pennylon las verá más tarde. Estará ocupado algunas horas todavía.

Seguí a John Gregory hasta el pasadizo.

—Quiero saber qué ocurrió en Inglaterra —le dije.

—Partí de buena fe —repuso él.

—¿Alguna vez conoció la buena fe? ¿A qué amo servía?

—Sirvo al capitán Pennylon, que es mi verdadero amo, y lo era hasta que me capturaron los españoles.

—Una vez lo traicionó...

—Fui apresado y sometido a torturas. Me obligaron a obedecer, pero cuando volví a ver las verdes campiñas de mi tierra, supe a quién debía lealtad. No quiero volver a salir jamás de mi país.

—¿Encontró a mi madre? ¿Le dio mi carta?

—Le di su carta.

—¿Y qué dijo ella?

—Nunca vi tanto júbilo en un rostro como cuando puse su carta en sus manos y le dije que estaban bien.

—¿Y luego?

—Dijo que debían ser traídas de vuelta, y me ordenó que llevara un mensaje al capitán Pennylon, su prometido, diciéndole dónde estaban. Dijo que yo debía conducirlo hasta usted y que él las llevaría de vuelta sanas y salvas.

—Y usted lo hizo. Fue traidor a él y a su nuevo amo. Y ahora ha vuelto al antiguo. ¿Por cuánto tiempo le será fiel, John Gregory?

—Viaja de regreso, señora. ¿No le alegra eso?

—Hubo crímenes sangrientos en Trewynd aquella noche, cuando fuimos capturadas. Hubo crímenes sangrientos en la Hacienda. De esos crímenes es responsable, John Gregory.

—No la entiendo. Expié mi pecado.

—Su conciencia debe inquietarlo —comenté.

Me preguntaba cuán cerca había estado de amar a don Felipe. Sí, lo amaba. Sin duda ese vacío que entonces sentía, esa sorda desesperación, se debía al amor.

Volví al camarote. Como Roberto me buscaba ansioso, lo tomé en mis brazos procurando tranquilizarlo. Edwina estaba profundamente dormida. Carlos y Jacko conversaban en voz baja.

—Debemos acostarnos todos, aunque no creo que durmamos —dije.

Poco después Jennet respiraba haciendo ruido. La miré despectivamente, preguntándome con qué soñaría. ¿Con acostarse de nuevo con el capitán? Cuánta lujuria brillaba en sus ojos al mirarlo.

Honey yacía inmóvil.

—¿En qué piensas, Honey? —susurré.

—No dejo de verlo allí tendido —respondió ella—. Un hombre que ha dormido a tu lado . . . en cuyos brazos has estado . . . Cuánta sangre había, Catharine. No logro olvidarla. La veo dondequiera que mire.

—¿Amabas a Luis?

—Era dulce y bondadoso. Era bueno conmigo. ¿Y tú a Felipe, Catharine?

—Me hizo suya contra mi voluntad, pero nunca fue brutal. Creo que pronto comenzó a amarme. A veces creo que nunca seré amada como lo fui por don Felipe.

—Jake Pennylon . . . —empezó a decir ella.

—No me hables de él.

—Estamos en su barco. ¿Qué crees que pasará?

Me estremecí antes de responder:

—Ya lo veremos.

Sin duda dormitamos un poco, pues ya era de mañana. La nave se bamboleaba suavemente, lo cual significaba que reinaba la calma. John Gregory nos llevó comida: fríjoles y carne salada con cerveza. Como en la anterior ocasión, se le había asignado la tarea de custodiarnos.

—Todo va bien —anunció—. Sopla un buen viento y

vamos rumbo a Inglaterra. La tripulación recibió doble ración de ron por la labor cumplida anoche. El capitán les ha prometido una parte del botín cuando lleguemos a puerto. Desea hablar con la señorita Catharine cuando ella haya comido.

Estuve callada, sin ganas de comer. Roberto dijo que no le gustaba la comida, pero noté que Carlos y Jacko devoraban la suya. Edwina comió algunos fríjoles, y Jennet dio cuenta de su porción, pero Honey no pudo comer. Bebimos un poco de esa cerveza que, aunque amarga, al menos era refrescante.

John Gregory me condujo al camarote del capitán. Cuando golpeó a la puerta, Jake Pennylon bramó:

—Adelante . . .

Entré.

—Pasa y siéntate —dijo Jake Pennylon.

Me senté en la banqueta fija al suelo. Él continuó:

—Este es tu segundo viaje por mar. Un poco distinto del primero, ¿eh?

—El galeón era más bello —repuse.

Frunció los labios despectivamente.

—Me gustaría encontrarme con él. Entonces te mostraría quién es el amo.

—Tenía un armamento de ochenta cañones. Dudo de que pudieras hacer frente a eso.

—¡Así que nos hemos vuelto marinos desde que navegamos con los hispanos! A ese nunca volverás a verlo.

Me estremecí. Una vez más lo vi con claridad, tendido en el suelo, su sangre confundiéndose con las baldosas del mosaico.

—Me dijo John Gregory que estuviste interrogándolo . . .

—¿Exiges silencio a tus cautivas?

—¡Cautivas! ¿Quién habla de cautivas? Te he rescatado de Dios sabe qué . . . Te llevo a tu hogar.

—Don Felipe González era mi marido —dije.

Su rostro se tiñó de rojo.

—Sé que te hizo un mocoso español.

—Tuvimos un hijo —repliqué.

— ¡Tu marido! —escupió él—. No hubo matrimonio.

—Fue solemnizado según los ritos de la Iglesia —continué.

—La Iglesia Católica. ¡Cómo pudiste caer tan bajo!

Me reí de él.

—Eres un hombre muy religioso, lo sé. Tu vida es pura devoción. Todos tus actos son los que se esperaría de un santo.

—Soy tolerante. Hasta estoy dispuesto a aceptar de nuevo a mi esposa, aunque ella hizo de ramera para un hispano pustulento.

—Él era un hombre de modales finos y cultivados que tú jamás podrías entender.

Tomándome del antebrazo, me sacudió; pensé enseguida en las suaves manos de Felipe.

—Estabas desposada conmigo. Esos esponsales fueron definitivos. Equivalieron a un casamiento.

—Yo no los consideré así. De lo contrario, jamás los habría aceptado.

—Mientes. Tú me deseabas. Habrías sido mi esposa, habrías estado en Pennylon Court si no te hubieras enfermado con los sudores.

—Nunca estuve enferma con los sudores.

Me miró con extrañeza. Ah, entonces lo había engañado totalmente...

—Fue un ardid. Un modo de mantenerte alejado. Y bien, Jake Pennylon, ¿te deseaba yo? ¿Cuando me pasé en cama semanas enteras para eludirte?

—Sufrías de los sudores. Te vi la cara.

—Un preparado... una pasta con la que me unté

ligeramente el rostro. ¡Hasta tú perdiste la lujuria cuando viste eso!

— ¡Eres una . . . diablesa!

—En Tenerife me llamaron bruja, tú me llamas diablesa. En verdad sólo soy una mujer procurando escapar de un hombre a quien rechaza.

Quedó alterado. Tan grande era entonces su vanidad, que no había creído realmente en mi renuencia.

Por fin dijo:

—Cuando lleguemos a Devon, me casaré contigo. Pese a todo, cumpliré mi juramento.

—Yo te dispensaré de él —le prometí—. Me iré de Devon llevándome a mi hijo y volveré junto a mi madre. Ella nos recibirá muy contenta.

—Si he corrido tantos riesgos para llevarte de vuelta, no es para eso. Cumplirás tu promesa, y cuando tengas un hijo del cual puedas enorgullecerte, olvidarás que te rebajaste hasta el punto de pasar por una ceremonia matrimonial con un perro hispano.

—Tú eres el culpable de todo lo que pasé —exclamé—. Tú con tu lujuria, tu crueldad y tu perversidad. No fue una incursión común la que tuvo lugar aquella noche. Fue una venganza por lo que tú le habías hecho a don Felipe. Habías violado a la inocente niña con quien él iba a casarse; dejaste allí tu simiente. ¡Carlos! Ah, sí, se te iluminan los ojos al verlo. No cabe duda de que es tu hijo. Debido a esto, y al ansia de venganza de un altivo español, fui tomada como tú tomaste a esa jovencita. Porque estaba desposada contigo. Desposada contigo mediante una extorsión. ¡Nunca hubo una prometida más reacia que yo! Así, debido a tu lujuria irreflexiva, yo fui capturada y sometida a un trato similar.

Jake crispó las manos. Sabía que me imaginaba resistiéndome con todas mis fuerzas hasta ser finalmente dominada.

313

—Él no era como tú —continué—. No quería violencia. No deseaba a una mujer, sino vengarse. Tú eres responsable por todo. Tú... *tú*... desde que entraste en mi vida has destruido mi tranquilidad. Por tu culpa me ha sucedido esto.

—Él te gustaba. Accediste a casarte con él. ¿O lo hiciste por tu hijo?

—Jamás entenderías a ese hombre. No podría haber nadie más diferente de ti. Él me explicó lo que iba a pasar. No fue en persona a buscarme, y sólo una vez llegada a la Hacienda fui obligada a someterme. Me dio a elegir, pues no deseaba usar violencia. Yo estaba atrapada, por eso cedí. Después... se enamoró de mí, se casó conmigo... y la vida no era desagradable.

—De modo que mi gata salvaje fue domada... domada por un hispano sucio.

Me aparté. Para furia mía, la presencia de Jake Pennylon me excitaba como siempre. En ese momento me sentía viva como nunca desde mi partida de Inglaterra. En verdad disfrutaba peleándome con él y sentía asco de mí misma... en particular porque esto pudiera suceder tan pronto después de muerto Felipe.

Sé que él intuyó esto, ya que de súbito me tuvo sujeta, estrechándome contra sí.

Entonces me besó y yo sentí una excitación que Felipe jamás había despertado en mí.

—No permitiré que el hecho de que hayas sido la ramera de un español nos impida casarnos —declaró.

—Atrévete a repetirlo.

—Ramera de los españoles.

Levanté una mano para abofetearlo, pero él me asió la muñeca. Doblándome hacia atrás, cubrió de nuevo su boca con la mía.

—Ah, Cat, qué bueno es tenerte de vuelta —dijo lue-
—. Fui demasiado bondadoso con tu español. Debí traer-

lo al barco y entretenerme con él antes de enviarlo a los tormentos del infierno.

—Te odio cuando hablas de él —repuse—. Era un buen hombre.

—Olvidémonos de él . . . porque ahora te he recobrado, y al abrazarte así, sabiendo que dentro de poco seremos uno solo, siento un deleite como no he sentido desde que te marchaste.

Cuando pronunció estas palabras, me sentí reanimada. Sabía que lo había echado de menos, que había pensado en él con frecuencia, que aunque lo odiaba, mi odio mismo era un gozo vehemente. Era como salir al aire puro y vivificante tras una larga estadía en prisión. Estaba alborozada, y debía ser sincera conmigo misma y admitir que Jake Pennylon era la causa.

Sabía que no me permitiría eludirlo durante el largo viaje de regreso. Sabía que en pocos días me obligaría a convertirme en su amante.

Era tan inevitable como la sucesión de la noche y el día. Sin embargo, a pesar de que lloraba a Felipe, no podía contener un alocado regocijo.

Le resistí durante tres días. Creo que él lo prefería así. Quería torturarse, dejarme creer que tenía una posibilidad de vencer en esa batalla, pues lo era. Pero era inevitable que aquello no pudiese continuar. Allí estaba él, en ese mundo flotante del cual era amo indiscutible; podría haberme tomado en cualquier momento. Pero se contuvo . . . sólo tres días.

Quería mantenerme en suspenso. Disfrutaba de sus combates verbales conmigo. Físicamente yo no estaba a su altura, pero lo estaba, y más, en cuanto a ingenio. Claro que me hallaba atrapada; no tenía modo de ocultarme de él en su propia nave.

Durante esos tres días, el tiempo fue ideal. El viento era suficiente para mantenernos en nuestro rumbo. Era un espectáculo maravilloso contemplar, desde la cubierta, esas velas henchidas. A pesar de mí, comencé a enorgullecerme del *León Rampante* y admitir que poseía una cualidad de la que había carecido el majestuoso galeón. El *León* era un navío más veloz; llevaba menos carga, era arrogante y confiado. Yo sabía, además, que Jake Pennylon era su amo como el capitán nunca lo había sido de su galeón. Supuse que en el *León* de Jake Pennylon jamás habría amagos de motín.

Era el crepúsculo. Acabábamos de comer cuando me encontré con él en el pasillo, cerca de su camarote.

Me cerró el paso diciendo:

—Me alegro de verte...

—Voy a ver a los niños —le contesté.

—Nada de eso. Vendrás conmigo —replicó, y tomándome del brazo, me arrastró al interior de su camarote.

La linterna que se balanceaba en el techo arrojaba una luz mortecina.

—Ya te esperé lo suficiente —declaró él—. Mira, el viento arrecia. Quizás anuncie tormenta.

—¿Qué tengo que ver con eso?

—Todo. Estás a bordo y el tiempo te interesa mucho. Podría ocuparme de mi barco, pero quiero tiempo para dedicar a mi mujer.

—Creía que habías empezado a entender que no quiero que me molestes.

—No creías nada semejante —repuso mientras me quitaba la peineta de los cabellos, que me cayeron sobre los hombros—. Así es como te prefiero...

—Si buscas alguien en quien satisfacer tu lujuria, permíteme recomendarte a la criada Jennet —dije.

—¿Para qué quiero el sustituto cuando tengo a mano lo que busco?

316

—Si piensas que me someteré de buen grado... y ansiosamente... y que me parezco en algo a Jennet...

—Careces de la franqueza que tiene esa muchacha. Ocultas tus deseos, pero no me harás creer que no existen.

—Juraría que debe ser tranquilizador tener tan alto concepto de sí mismo.

—Basta ya —exclamó entonces, y de un solo tirón me arrancó el jubón de los hombros.

Yo sabía, por supuesto, que había llegado el momento al que me había resistido durante tanto tiempo. No era ya la jovencita inocente recien llegada a Devon. Ya había sido tomada y humillada... no por deseo, sino por venganza... y más tarde me había habituado a vivir con don Felipe. Había tenido un hijo. No era inocente, en verdad.

Sin embargo, peleé como cualquier monja pudo haber peleado por su virginidad. Tenía que hacerlo, porque eso formaba parte de esta relación. No podía negarme que la pelea me causaba un alocado regocijo. Lo que más me preocupaba era ocultarle mis sentimientos. Estaba decidida a resistir cuanto pudiera, pues sabía que el desenlace estaba previsto de antemano. Él reía. Fue una batalla que, por supuesto, él ganó. Yo no lograba entender el salvaje placer que él me daba; era algo que nunca había experimentado ni imaginado hasta entonces. Murmuraba yo palabras de odio, y él de triunfo, y no puedo explicar por qué eso me daba la mayor satisfacción experimentada en mi vida.

Por fin logré zafarme de él, que tendido en su jergón se reía de mí.

—¡Muerte de Dios! —exclamó—. No me desilusionas. Supe que esto ocurriría desde el momento en que te vi por primera vez.

—Yo no supe nada semejante —repuse.

—Pero ahora lo sabes...

—Te odio —declaré.

—Sigue odiándome. Parece que eso une más que el amor.

—Ojalá nunca hubiera ido a Devon.

—Tienes que aprender a amar el sitio donde vivirás.

—Regresaré a la Abadía en cuanto llegue a Inglaterra.

—¿Qué? ¿Llevándote a mi hijo? No harás tal cosa. Seré generoso. Me casaré contigo pese a que has sido ramera de un español y también mía...

—Eres un miserable.

—¿Por eso no puedes resistirme? —exclamó incorporándose.

—No —grité.

—Sí, claro que sí —replicó él.

Forcejeé, aunque sabiendo que no podría resistir. Quería quedarme, pero no iba a dejar que él lo supiese.

De modo que me quedé con él, y era tarde cuando volví sigilosamente al camarote que compartía con Honey.

Cuando entré, esta me miró.

—Oh, Catharine —susurró.

—Él estaba decidido —repuse—. Sabía que tarde o temprano sucedería esto.

—¿Estás bien?

—Arañada, magullada. Como es previsible después de una pelea con Jake Pennylon.

—¡Mi pobrecita Catharine! Es la segunda vez.

—Esto fue distinto —repuse.

—Catharine...

—No me hables. No puedo hablar. Duérmete. Esto tenía que ocurrir; él estaba decidido. Habría sido peor si yo fuese una muchacha inexperta como Isabel...

Honey guardó silencio, y yo me acosté pensando en Jake Pennylon.

El viaje fue largo y nada tranquilo. ¿Lo era acaso cualquier viaje por los caprichosos mares? Vino la tormenta profetizada por Jake y logramos atravesarla. No fue tan violenta como la que había azotado al galeón ¿o acaso el *León* estaba mejor preparado para soportar la furia de los elementos? ¿Se debió a su capitán, el invencible Jake Pennylon? El poderoso e imponente galeón era pesado si se lo comparaba con el arrogante *León*. Este desafiaba a las olas que lo arrojaban de un lado a otro; sus cuadernas crujían como si fuesen a ceder, pero él se alzaba desafiante bajo la violenta lluvia. El viento aullaba entre los aparejos, y las aguas tumultuosas sacudían la nave, azotada por una ráfaga tras otra.

Jake Pennylon dominó la situación. Gracias a su pericia náutica, el *León* viró hacia el viento, de modo que la superestructura lo amparaba a sotavento, donde él vociferaba órdenes para hacerse oír pese al bramido del viento. ¿Sentirían lo mismo que yo todos los que estaban a bordo? Estamos a salvo. Nada puede enfrentarse a Jake Pennylon y vencer... ni siquiera el mar, ni siquiera el viento.

Entramos así en la bahía; la tormenta persistió dos noches y un día, y luego volvió a reinar la calma.

Cuando el viento se apaciguó, hubo a bordo una ceremonia de acción de gracias. ¡Qué diferente fue de la anterior! Bastaba con ver a Jake Pennylon para comprender que, según él, no habíamos sobrevivido a la tormenta merced a la ayuda divina, sino gracias al capitán de la nave. Viendo con qué arrogancia se dirigía a Dios, me reí de él por dentro. ¡Qué actitud propia de él! ¡Qué vanidoso era, qué blasfemo! ¡Y qué altanero!

Esa noche, por supuesto, estuve con él.

Él había ido al camarote convertido por mí en habitación infantil, donde preguntó a Carlos qué opinaba de la tormenta.

—Fue una tormenta magnífica —exclamó Carlos.

—¿Y tú lloriqueaste, eh, creyendo que te ahogarías?

—No, capitán —repuso Carlos, mostrándose atónito— Sabía que usted no permitiría que el barco se hundiera.

—¿Por qué no?

—Porque es su barco.

Jake tironeó al niño de los cabellos. Era una costumbre que había adoptado respecto de Carlos y de Jacko. A veces me parecía que les hacía daño, pues los veía prepararse para ocultar una mueca de dolor. Pero ambos niños se enorgullecían cuando él les dirigía la palabra. Era evidente que lo idolatraban. Eran sus hijos, y pensarlo le causaba deleite. Los hombres como Jake Pennylon deseaban apasionadamente tener hijos. Se creían ejemplares de masculinidad tan perfectos, que cuanto más a menudo se reprodujeran, mejor era. Y siempre buscaban signos de sí mismos en sus hijos.

Ya los veía yo en Carlos y Jacko. Desde su llegada a bordo, habían cambiado; lo imitaban en muchos aspectos.

—Y pensaste que yo podría impedirlo, ¿eh?

—Sí, señor —respondió Carlos.

—Pues tienes razón, muchacho. Tienes razón, por el Cielo.

Tironeó los cabellos de Carlos, quien soportó el dolor con alegría, sabiendo que significaba aprobación.

—Vamos ya —dijo entonces Jake, apretándome el brazo.

Yo meneé la cabeza negativamente.

—Qué, ¿acaso prefieres que te obligue ante los niños?

—No te atreverás.

—No me provoques...

Roberto, a quien Jake jamás hacía caso, me miraba temeroso. Y yo, sabiendo que Jake era capaz de cualquier cosa si se lo "provocaba", como él decía, pedí:

—Concédeme unos instantes.

—Mira cómo te mimo . . .

De modo que di las buenas noches a los niños con un beso y fui en busca de Jake Pennylon.

Cuando estuvimos en el camarote, él comentó.

—Ahora vienes con presteza...

—Vengo porque no quiero que los niños vean tu brutalidad.

—Soy en verdad un bruto, ¿no es así?

—En verdad lo eres.

—Y por ello tú me amas.

—Por ello te odio.

—Cómo gozo de este odio tuyo. Me complaces, Cat. Me complaces más de lo que nunca soñé.

—Tengo que soportar esto . . .

—Tienes que hacerlo.

—Tan pronto como lleguemos a nuestro país . . .

—Haré de ti una mujer honesta. No dudo de que ya te he dejado encinta. Quiero un hijo . . . tuyo y mío. Ese Carlos es un hermoso muchacho. Y también Jacko. Son míos, ¿comprendes? . . . pero uno tuyo y mío, Cat, será algo extraordinario. Sin duda ya habrá iniciado su vida. ¿No te entusiasma pensarlo?

—Si llego a tener un hijo tuyo, ojalá no vea en él a su padre —declaré.

—Mientes, Cat. Mientes sin cesar. Habla con franqueza. ¿Acaso tu mísero amante español era como yo?

—Era un caballero.

Entonces él, riendo, se me echó encima y desahogó su salvaje pasión, que yo debía soportar, según me dije.

Y llena de gozo y exaltación, me dije que nadie había odiado jamás a un hombre como yo odiaba a Jake Pennylon.

Después de atravesar la traicionera bahía de Vizcaya, penetramos en el no menos traicionero canal; y qué emoción sentimos Honey y yo al ver las verdes tierras de Cornualles.

Poco después llegábamos al puerto de Plymouth.

Nos habían sucedido tantas cosas... yo me había convertido en esposa, madre y viuda. Era, por cierto, una mujer muy distinta de la muchacha que había partido aquella extraña noche, cinco años atrás. Aquí, empero, nada parecía haber cambiado. Se divisaban las aguas familiares, el litoral. Pronto podría distinguir la silueta de Trewynd Grange.

Cuando el buque echó anclas, bajamos a tierra con los niños; Jake Pennylon nos acompañaba. Tenía un aire de arrogante orgullo mayor que nunca. Era un marino que regresaba con su botín, habiéndose vengado del español que se había atrevido a desbaratar sus propósitos.

No estaba preparada para lo que encontré en tierra, ya que allí estaba mi madre.

Honey y yo corrimos hacia ella, que nos tendía los brazos. Nos abrazó, primero a mí, luego a Honey.

—¡Mis queridas hijas! —repetía sin cesar, mientras reía, lloraba, nos besaba, nos tocaba la cara y se apartaba de nosotros para mirarnos antes de estrecharnos de nuevo.

Los niños, inmóviles, la miraban con extrañeza. Se la presentamos a todos: a Edwina, Roberto, Carlos y Jacko. La mirada de mi madre se detuvo en Roberto.

—De modo que este es mi nietecito —dijo levantándolo.

Después no olvidó mostrar igual interés en Edwina... su nietecita, como la llamó.

Se alojaba en Trewynd Grange, puesta por lord Calperton a su disposición. Ningún miembro de la familia de él la había utilizado desde la trágica muerte de Edward. Al partir Jake Pennylon en nuestra busca, mi madre se había preparado para viajar a Devon, decidida como estaba a estar allí para recibirnos tan pronto como pisáramos suelo inglés.

Qué extraño era recorrer de nuevo Trewynd Grange, alzar la vista hacia esa ventana en la torre desde donde había visto por primera vez el galeón. Mi madre y yo íbamos tomadas del brazo, con las manos unidas. En ese momento ella no podía hablar de sus emociones, aunque más tarde lo haría, sin duda.

Apenas avistado el *León Rampante*, ella había ordenado a los sirvientes que preparasen un banquete. Fuimos recibidas por olores a sabrosas carnes y pasteles. Tales aromas, que no aspirábamos desde hacía tanto tiempo, nos despertaron el apetito pese a nuestra emoción.

Subiendo a mi antigua habitación, me asomé a la ventana de la torre para contemplar el puerto y el *León Rampante* que bailaba sobre las olas.

Mi madre me siguió y por fin estuvimos solas.

—¡Oh, queridísima Cat! —exclamó ella—. Si tú supieras . . .

—Sí que sé —repuse—. Nunca dejaste de estar en mis pensamientos.

—Qué experiencias terribles para ti . . . y eras poco más que una niña.

—Ahora soy madre también.

Me miró con ansiedad. Empecé a contarle por qué habíamos sido raptadas, pero ella ya lo sabía. John Gregory se lo había dicho.

—Y ese hombre . . . dices que fue bueno contigo.

—Sí, madre.

— ¡Y te casaste con él!

—En definitiva, parecía ser lo mejor. Yo tenía un hijo . . . Roberto fue hecho heredero de sus propiedades. Y yo le tenía afecto, pues era bondadoso conmigo.

Ella inclinó la cabeza diciendo:

—También yo me casé, Cat.

—¿Con Rupert? —inquirí.

Ella asintió con la cabeza.

—¿Y mi padre?

—No volverá jamás. Está muerto, Cat. Sé desde hace mucho que está muerto.

—Se decía que había desaparecido misteriosamente.

—En tu padre nada había de misterioso, Cat... al menos, no más que lo que hay en todo hombre y mujer. Fue colocado en la Abadía por el monje que era su pad' y así surgió la leyenda. Obtuvo sus riquezas vendiendo los tesoros de la Abadía, y murió debido a un accidente en los túneles de la Abadía. Todo eso pertenece al pasado y me he casado con Rupert.

—Debiste haberlo hecho hace mucho, madre.

—Ahora soy feliz —respondió ella—. Él quiso que yo viniese aquí porque sabe cuánto te quiero, pero aguarda mi regreso con ansiedad.

—¿Y Kate?

—Como siempre.

—¿No se volvió a casar?

—Kate no quiere casarse, aunque muchos tratan de convencerla. Desea conservar su libertad. Es rica e independiente, no quiere que ningún hombre la gobierne.

—Ningún hombre la gobernaría jamás. Ella lo gobernaría a él.

—Aún hablas de ella con amargura, Cat.

—Aún recuerdo. ¿Y Carey?

—Tiene un sitial en la Corte.

—¿Lo ves entonces a veces?

—Sí.

—¿Habla de mí?

—Todos hablamos de ti cuando te perdimos.

—¿También Carey?

—Sí, también él.

—¿Y está bien, madre?

—Por cierto que sí. Y ahora, Cat querida, ¿qué harás? ¿Te casarás, con Jake Pennylon? Quiero que seas feliz, queridísima Cat. Lo ansío por sobre todas las cosas. Jake Pennylon te rescató. Se propone casarse contigo. Antes estuvo desposado contigo y te ha esperado.

—Creo posible que tenga un hijo suyo —reí.

—Entonces lo amas...

—A veces creo que lo odio.

—Y sin embargo . . .

—Insistió. Era el capitán —repuse—. Me ofreció matrimonio, pero estaba impaciente.

Ella me tomó por los hombros y me miró a la cara.

—Mi queridísima Cat, has cambiado —dijo.

—Ya no soy tu hija virgen. Dos veces fui obligada a someterme. Qué raro, madre; los dos ofrecieron matrimonio.

—Fuiste desdichada, Cat. Ahora debes construirte una nueva vida. Vente conmigo a la Abadía.

—Ya lo pensé. Allí tal vez vería a Carey. No quiero reabrir esa antigua herida. Tal vez se case. ¿Se ha casado? —pregunté con rapidez.

Ella meneó la cabeza.

—Te casaste con el español —me hizo notar.

—Me casé con él porque pensé que me quedaría allí para siempre. Quería garantizar la posición de mi hijo.

—¿Y este otro que llevas en tu vientre?

Vacilé. ¿Comenzaba acaso a preguntarme si podía sobreponerme a mi dolor por Felipe, que se agitaba tristemente en mi corazón, mediante mi odio hacia Jake Pennylon?

—Me casaré con Jake Pennylon —declaré—. Es el padre del hijo que voy a tener. Me quedaré aquí, madre, pues por más que anhelo estar a tu lado, no podría volver a la Abadía.

Mi madre comprendió, como siempre.

Jake Pennylon se mostró triunfante. Los preparativos para la boda comenzaron de inmediato.

—Es preciso que nuestro hijo nazca cuando haya trascurrido un período respetable desde el día de la boda.

Durante el año anterior, el padre de Jake había muerto repentinamente, víctima de un ataque de apoplejía. Según la opinión general, había vivido con tanta disipación que había abreviado su existencia. De modo que Jake era amo de Lyon Court, y yo iba a ser el ama.

Puse condiciones.

Los niños debían permanecer a mi lado. Él quería que Roberto fuese a la Abadía con mi madre.

—Es que para serte sincero, ver a ese mocoso me indigna —manifestó Jake.

—Es mi hijo —respondí—. Mientras yo viva, no será separado de mí.

—Deberías avergonzarte de transigir con nuestros enemigos. ¡Un mocoso que te fue impuesto!

—Lo mismo podría decirte del niño que voy a parir.

—No es cierto. Tú lo quisiste. ¿Crees haberme engañado?

—Eres tú quien se engaña. Mi hijo se queda o no habrá boda.

—La habrá —replicó—. No pienses que me volverás a burlar. Esta vez no habrá sudores fingidos, muchacha.

Me reí de él antes de insistir:

—Roberto se queda.

—Y los otros dos también —repuso—. Por Dios, no me opongo a que tengamos toda una sala para niños. La colmaremos. Esos dos muchachos son animosos. Me agradan.

—Es de imaginar, ya que se te parecen. Manuela y Jennet se ocuparán del cuarto de los niños, pero déjame decirte esto: basta de jugueteos con mis criadas.

Tomándome la barbilla en la mano, me hizo levantar la cabeza en uno de sus bruscos ademanes.

—Tendrás que ocuparte de que no haya otra sino tú. Te prevengo que soy un hombre vigoroso.

—No necesito esa advertencia.

—Pues tenla en cuenta. Tú puedes lograr que sea solamente tuyo, Cat, y lo harás.

—¿Crees que podré conservar una presa tan codiciada? —pregunté con sarcasmo.

—Si eres sabia podrás, Cat.

—¿Quién sabe? Tal vez me alegre que desees a otras. Sólo digo que no será en mi casa y con mis criadas.

—Nunca me fue difícil hallar compañeras gustosas.

—Bonito tema para un hombre que está por casarse.

—Pero nosotros no somos como los demás, ¿verdad, Cat? Lo sabemos, ¿no? Eso es lo que hace tan emocionante la perspectiva de nuestra unión. Dime, ¿cómo está hoy mi hijo?

—No tengo ninguna certeza de que exista. Si no... quizás esta boda no sea necesaria.

—Si no está allí, ten la seguridad de que pronto estará.

—Quisiera ver la casa —declaré—. Tal vez desee efectuar algunos cambios.

Se rió de mí con regocijo. Yo sabía que anhelaba nuestra boda con profunda intensidad.

Amaneció el día en que me casé con Jake Pennylon. La ceremonia tuvo lugar en la capilla donde en una ocasión Jake había espiado a través de una hendija. Hubo banquete en Trewynd Grange, tras el cual fui con Jake a Pennylon Court.

De nada sirve fingir que no me excitaba ese hombre, y entrar en esa casa donde sería el amo, ir con él a nuestra cámara nupcial y encontrarme allí a su lado. Creo que esos primeros momentos él estaba emocionado casi hasta la ternura. Sabía que había logrado lo que deseaba desde hacía tanto tiempo, y cuando me rodeó con sus brazos, fue momentáneamente suave. Esto era distinto de esas aventuras habituales para él.

Ese momento no duró. Su pasión era vehemente, y yo, sabiendo que había en él la necesidad de subyugar, de pelear, me resistí.

Pero compartía su pasión. Él lo sabía. Sin embargo, yo no quería que él advirtiera cuán irresistibles eran esos encuentros, cómo desalojaban de mi espíritu todo cuanto no fuera esa intensa satisfacción física.

Mi relación con Jake era totalmente física. No podía seguir negándome a admitir el placer que sentía, pero era siempre un placer sensual, que yo no trataba de ocultar. Si él no sentía ternura hacia mí, yo no sentía ninguna hacia él. No iba a fingir que lo amaba. Ni siquiera iba a fingir que lo necesitaba. Lo hallaba grosero, tosco, arrogante, y no pensaba simular lo contrario. Me había casado con él porque iba a parir un hijo impuesto por él. Era yo una mujer de fuertes impulsos naturales, y su tremenda virilidad se equiparaba con una cualidad mía similar. Era posible compartir un encuentro sexual sin amar a su pareja.

Le expliqué esto, pero se rió de mí, diciéndome que siempre había sabido que yo lo deseaba como él a mí.

Siempre había percibido que le bastaba con llamarme para que yo acudiera a su lecho.

—Llamados hubo muchos —le recordé—, pero nunca llegué a tu lecho hasta que me obligaste a ello en tu barco, donde no podía huir de ti.

—Noté que me ansiabas.

—Como la tonta de Jennet... Recuerda que yo no soy Jennet.

—Bien lo sé. Pero eres una mujer, tal como ella, y una mujer como tú necesita un hombre como yo.

—¡Qué disparate! —repliqué.

—Demostrémoslo . . .

Y no hubo modo de contenerlo.

Sí; esos encuentros me regocijaban. No podía ocultarlo.

—Fuimos hechos el uno para el otro —manifestó él—. Yo lo sabía . . . Desde el momento en que puse los ojos en ti, en el puerto, me dije: "Esa es tu mujer Jake Pennylon. Será la mejor que hayas conocido en tu vida".

Pero después discutíamos; por lo general yo vencía y él me lo permitía con agrado.

Bastaba con que me abrazara: aunque a menudo yo resistía, él se salía siempre con la suya... en cualquier momento, en cualquier lugar.

Cuando lo llamaba desvergonzado, él me contestaba que yo también lo era.

Y así trascurrió el primer mes de mi matrimonio con Jake Pennylon.

Luego mi madre dijo que debía volver a su hogar. Había abandonado a Rupert demasiado tiempo.

Honey iría con ella. Trewynd encerraba para ella muchos recuerdos tristes. Viviría con mi madre en la Abadía; ambas dijeron que esto las consolaría al despedirse de mí.

Fue así que partió con Edwina rumbo a la Abadía; Roberto, Carlos y Jacko se quedaron, atendidos por Jennet y Manuela como nodrizas.

Ya entonces tenía la certeza de estar encinta.

Me prometí que pronto habría otro niño en mi casa.

Roberto languidecía. Sus negros ojos se agrandaban en su carita aceitunada.

—Madre, quiero volver a casa —dijo.

—Roberto, precioso mío, estamos en casa —le contesté.

Meneó la cabeza insistiendo:

—Esta no es mi casa. Mi casa no está aquí, madre.

—Ahora sí —repuse—. Tu casa es donde esté yo, y ese es tu sitio.

Admitió esto.

—Quiero a mi padre. ¿Dónde está mi padre?

—Se ha ido para siempre, Roberto. Está muerto. Ahora tienes un nuevo padre.

—Quiero mi verdadero padre, ¿Quién es ahora mi padre?

—Ya sabes.

Se encogió aterrado, diciendo:

—Ese hombre, no . . .

—Ahora será tu padre, Roberto.

Cerró los ojos con fuerza, mientras sacudía la cabeza. Me había equivocado al decirle eso; lo había atemorizado.

Atrayéndolo a mi regazo, lo mecí diciéndole:

—Yo estoy aquí, Roberto . . .

Eso sí lo consoló. Se aferró a mí . . . Pero Jake lo aterraba, y este, que no entendía de niños, nada hacía por aliviar tal situación. Carlos y Jacko, que habían estado en el *León Rampante*, jugaban alocados juegos en los que se mencionaban barcos y capitanes. Carlos era siempre el capitán Pennylon, lo cual complacía a Jake. Estaba orgulloso de esos dos . . . sus hijos. Al parecer, no le importaba que uno fuera hijo de una dama española de elevada alcurnia, y el otro, de una criada. Eran Pennylon, y eso le bastaba.

¡Qué distinto era todo para mi pequeño Roberto!

Tan preocupada estaba por el niño, que hablé de él a Jake. Llegué al extremo de implorarle que mostrara un poco de interés y bondad hacia el niño.

—¿Que me interese por el hijo de ese hombre?

—Es mío también.

—Eso no basta para que me encariñe con él.

—Debería bastar. Yo acepté a tus hijos y los cuidé.

—Eres mujer —adujo él.

—Si hay en ti algún sentimiento decente . . .

—Pero sabes que no los hay . . . sólo indecentes.

—Te lo ruego. Sé bueno con mi hijo.

—Debo conducirme según mis sentimientos.

—Ah, ¿de modo que te has vuelto sincero?

—A este respecto, sí —respondió, volviéndose de pronto hacia mí—. Te confieso que odio a ese niño. Cuando lo veo pienso en ti junto a ese hispano. Quisiera romperle todos los huesos; quisiera destruir todo lo que me recuerda eso.

—Eres inhumano. ¡Culpar a un niño!

—Debiste haberle dejado irse con tu madre.

—¡A mi propio hijo!

—Deja ya de hablar de *tu* hijo. Pronto tendrás el mío, y entonces podremos enviar lejos a ese mocoso de piel morena. Podría llevarlo cuando zarpemos y dejarlo en su antiguo hogar. ¿Qué te parece?

—Si te atreves a tocar a ese niño . . .

—¿Qué harás? —se burló él.

—Te mataría, Jake Pennylon.

—De modo que te harías asesina . . .

—Si alguien hiciera daño a mi hijo, sí.

—Oh, vamos, qué importancia tiene uno que otro bastardo. Tendrás la casa tan llena de varones verdaderos que no echarás de menos a este.

Entonces lo abofeteé. Este tipo de contienda siempre lo excitaba. Me tenía sujeta y me derribó.

El final fue inevitable, pero no resolvía nada.

Jake odiaba a mi hijo a causa de su padre y esto me inquietaba.

Cuando Roberto enfermó, pasé todo el tiempo posible a su lado. Debe haber sido el viento del sur, que empezó a soplar de pronto y fue demasiado para él.

331

Jennet y Manuela estaban preocupadas; pasé un día con ellas en la sala de los niños.

Al anochecer, Roberto mejoró un poco.

—Sí que parece reconfortado por su presencia, señora —comentó Jennet.

Era cierto. Cuando yo me sentaba junto a su lecho, él dormía un poco, apretándome la mano, y si yo intentaba retirarla momentáneamente, me aferraba con sus manecitas calientes.

Decidí quedarme con él.

Llegada la noche, Jake fue a la sala de los niños. Jennet y Manuela se apresuraron a desaparecer.

— ¿Qué significa esto? —inquirió él—. Te estoy esperando.

—El niño está enfermo —respondí.

—Que lo cuiden esas dos mujeres.

—Pasaré la noche aquí.

—No, vendrás a acostarte conmigo —insistió.

—Esta noche me quedaré con mi hijo.

—Vendrás —repitió él aferrándome un brazo.

Incorporándome, lo aparté.

—Despertarás al niño . . .

— ¿Qué me importa?

—A mí me importa —repliqué.

Salí de la habitación con él, pues temía mucho el efecto que una escena tendría sobre Roberto.

—Vete. Ya he decidido —declaré.

— ¿Y si yo he decidido también?

—Tendrás que modificar tu decisión.

—Vendrás conmigo.

—Me quedo con mi hijo —repetí.

Nos miramos sin pestañear.

—Podría llevarte alzada —dijo él.

—Si me tocas, Jake Pennylon, abandonaré esta casa

—anuncié—. Me iré con mi hijo junto a mi madre y nunca volveré a verte.

Cuando vaciló, comprendí que había vencido.

—Vete —dije—. No grites. Si despiertas al niño, si lo asustas ahora, jamás te perdonaré.

—¿No temes que, si te me niegas, pueda buscar otras?

—Si estás tan desesperadamente necesitado, debes hacerlo.

—Tú no desearías eso...

—Te digo que esta noche sólo me importa que mi hijo duerma tranquilo, y me quedaré con él para asegurarme de que así sea.

—Te deseo, Cat... ahora... en este instante —dijo él.

—Vete.

—¿No te importa entonces lo que haga?

—Haz lo que te plazca.

Sujetándome por un brazo, me sacudió.

—Bien sabes que no me atrae otra que tú...

Me reí de él. Con regocijo, sí. Por supuesto, había vencido. Volví junto a Roberto.

Por la mañana mi hijo estaba mejor, pero comprendí que Jake Pennylon lo aterraba.

Llegó el verano. Tenerife parecía haber quedado muy lejos. Yo me había adaptado a la vida en Pennylon Court. Jake no tardaría en partir de viaje. Lo había postergado a causa de nuestro matrimonio, y yo sabía que ansiaba estar conmigo, pero claro está que no podía quedarse eternamente en tierra. Creo que a veces planeaba llevarme consigo, pero yo estaba embarazada y el mar no es buen sitio para una mujer en ese estado. Era un marino que amaba el mar, quería tanto a su nave como a cualquier ser humano, y sin embargo se demoraba en tierra. Yo me reía de él. No podía abandonarme.

Nunca lograba olvidar la incursión que había tenido lugar durante su ausencia. Temía que eso pudiera volver a ocurrir. Estaba dividido entre su anhelo de aventuras en alta mar y su vida a mi lado.

Solía verlo en el puerto; se hacía llevar en bote a su barco y permanecía en él un rato. Finalmente decidió que ya no podía permanecer más tiempo en tierra.

De Saint Austell vino a visitarnos un capitán llamado Girling, un hombre de unos veinte años más que Jake. Según me explicó Jake, era un hombre sagaz, uno de los pocos a quienes se atrevía a confiar un barco suyo.

El capitán Girling pasó un mes en nuestra casa. Jake y él iban todos lo días al *León Rampante*. Había mucho trajín en el puerto, ya que se estaba llevando a bordo un cargamento de telas.

Durante la cena, la conversación versaba generalmente sobre el mar y los barcos. Me volví cada vez más entendida en esos asuntos, dado especialmente que tenía experiencia directa en dos travesías. Ellos solían interrogarme largo rato respecto del galeón; yo no podía resistir la tentación de elogiarlo subrayando que era superior al *León Rampante* y las naves inglesas que había visto. Esto los exasperaba y aguijoneaba.

El capitán Girling atacaba a los españoles y al catolicismo con tanta vehemencia como Jake. Acerca de esto coincidían, como acerca de casi todo.

Odiaban a la Inquisición, que había apresado algunos marineros ingleses, sometiéndolos a tortura y hasta quemándolos en la hoguera. John Gregory era una muestra: había sido capturado, y puesto en libertad únicamente a condición de espiar para ellos. Aunque resulte extraño, Jake parecía haberlo perdonado, pese a que Gregory había colaborado en mi captura. Sin embargo, había hecho posible que Jake me trajera de vuelta.

—Hay buenas noticias de los Países Bajos —anunció el

capitán Girling—. Hubo allí un levantamiento, que según todas las informaciones ha triunfado. Los españoles han establecido allí la Inquisición, y es por eso que el país se rebela. Por Dios, cuanto antes los expulsemos de los mares, mejor será.

Jake me miró con aire algo burlón.

—Yo degollaría a cualquier español sin vacilar... sea quien fuere.

—Degollarlos no basta —gruñó el capitán Girling.

Y yo temblé por Roberto, que cada día se parecía más a su padre.

—Si alguna vez intentan venir a Inglaterra... —comenzó a decir el capitán Girling.

El rostro de Jake se puso morado al pensarlo, aunque los ojos le brillaban de excitación.

—¡Ojalá lo hicieran! —gritó—. Entonces terminaríamos con ellos para siempre. Oye, Girling, ¿crees posible que esos bribones tengan la temeridad de intentarlo?

—¿Cómo saberlo? Ya sabes que se han apoderado de tierras en todo el mundo. Llevan a los salvajes el potro de tormento y las empulgueras y procuran convertirlos en papistas.

—¡Deja que vengan! —exclamó Jake—. Dios Santo, deja que vengan aquí. Que traigan aquí sus empulgueras. Ya les enseñaremos a usarlas.

—Nos temen... nos respetan. Prefieren jugar con salvajes —manifestó Girling.

—Juro que seguirán temiéndonos. Cuando se topen con una de mis naves en alta mar, le demostrarán respeto también.

—Hablan mucho de lo que harán si ocurren ciertas cosas —intervine—. Sabemos con exactitud cómo actuarían ellos y cómo ustedes. Pero ¿qué motivo tendrían para venir aquí? ¿Qué esperanzas tendrían?

—Armarían una flota naviera. Vendrían a nuestras costas. Intentarían desembarcar —explicó Jake—. Que lo intente. . . Dios santo, que lo intenten. . .

—Hay traidores aquí —aseveró el capitán Girling—. Debemos cuidarnos de los traidores entre nosotros.

—Papistas importunos —comentó Jake—. Y ahora, ¡con esta reina sobre la frontera! La reina de Escocia, que hasta hace poco fuera reina de Francia, podría entrar en Inglaterra a la cabeza de un ejército si pudiera hallar apoyo de los traidores en este país y del rey de España en el mar.

—¡Guerra! —exclamé—. Oh, ruego que no haya guerra.

—Hay continuas incursiones sobre la frontera —aseguró Girling—. Nuestra soberana, Isabel, es perspicaz. Procura causar roces entre los nobles escoceses, que son por cierto gente pendenciera. Se dice que ella misma hizo cuanto pudo por propiciar el matrimonio de la reina de Escocia con lord Darnley, aunque fingiera oponerse a él. Ese sujeto no le hace ningún bien a María. Es un fanfarrón jactancioso, un lascivo, un cobarde y codicia la Corona Matrimonial de Escocia. Si es sabia, la reina de Escocia lo mantendrá en su sitio. . . que no es el trono, junto a ella.

—Durante mi ausencia se ha agravado la situación entre Inglaterra y Escocia —comenté.

—Fue así desde que murió el esposo de María, el joven rey de Francia, y ella perdió su posición de la noche a la mañana —explicó el capitán Girling—. La Médici puso en claro que debía marcharse, y ¿adónde podía ir, salvo a su propio país, Escocia?

—No olvidemos que tuvo el atrevimiento de hacerse llamar reina de Inglaterra —intervino Jake—. Nuestra reina Isabel no olvidará eso, sin duda.

—Sólo por eso merece que le corten la cabeza.

—María aduce que nuestra reina es hija de Ana Bolena, a quien los católicos llaman ramera porque, según dicen,

336

nunca fue en verdad esposa del rey Enrique, mientras que María tiene descendencia legítima a través de la hermana de Enrique —le recordé.

Jake me lanzó una mirada de advertencia.

—Hablas como una papista —observó entrecerrando los ojos—. Y permíteme decirte que no aceptaré papistas en mi casa. Si descubro alguno, peor para él.

Comprendí que se refería a Roberto, ya que venía vigilándolo. Aunque temblé por mi hijo, respondí con audacia:

—Hablo sin prejuicios religiosos. Me limito a comentar lo que pasa.

—Nuestra reina Isabel lo es por derecho de herencia, es hija auténtica del rey Enrique —replicó Jake— y la defenderemos. No hay inglés digno de tal nombre que no esté dispuesto a dar su vida por ella... y a impedir que los papistas se apoderen del país.

Bebimos a la salud de la reina; yo con tanto fervor como los demás.

Sin embargo, estaba inquieta. Suponía que siempre habría intranquilidad en el país. Siempre habría este conflicto. Y cuando pensé en la serena decisión y el fervor religioso de Felipe y de sus subordinados, y en el poderío de los galeones españoles, temí que estallara una violenta conflagración.

Por la noche desperté y Jake se agitó a mi lado.

—¿Sabes por qué hice llamar a Girling? —preguntó.

—Sin duda comandará uno de tus barcos.

—¿Cuál de ellos, en tu opinión?

—Eso lo ignoro.

—El *Léon Rampante*.

—¿*Tu* nave?

—Bueno, está inmovilizada en el puerto.

—No sabía que permitieras a otros comandarla.

—Hasta ahora nunca lo hice.

—Pero ¿por qué?

—¿Hace falta preguntarlo? He hallado una amante más deseable que la aventura. Es tan traicionera como el mar, pero, por Dios, es capaz de estallar en súbita furia; también puede ser dulce a veces... aunque procura ocultarlo. A veces tomo el timón y es tan suave y gentil como podría desearse... pero nunca puedo estar seguro de ella.

—Tus fantasías exceden tus poderes imaginativos para expresarlas. En tu lugar no las intentaría.

Rió antes de responder.

—Te diré algo. Pondré a Girling al mando del *León Rampante*. Es un viaje breve. Y cuando él vuelva, partiré. Quisiera llevarte conmigo, Cat. A ti y a nuestro hijo. Pero él sería demasiado pequeño, ¿verdad? Quién sabe con qué podríamos encontrarnos en el mar. He aquí un problema... Si te dejo aquí, soñaré todas las noches, y también de día, con españoles incursionando en la costa. Si te llevo conmigo... ¿Cómo podría llevarte conmigo?

—Tendrás que irte como se van otros.

—Qué reencuentro habrá cuando regrese... Tú estarás en la costa esperándome. Nada de juegos en mi ausencia, amor mío.

—¿Crees acaso que todos son como tú? Quién sabe cuántas veces *jugarás* durante tu viaje.

—No debes tener celos, Cat. Soy hombre que necesita jugar... Pero sólo habrá una que me interesa en verdad, y por quién desecharía a todas las demás.

—No te prives. Juega cuanto deseas —declaré.

—No, tú tendrías celos... pero pronto tendremos que separarnos. Soy marino. Por primera vez, casi deseo no serlo. Mira cómo te amo... Te amo tanto, que doy a Girling el mando de mi buque para poder quedarme a tu lado.

Guardé silencio, ya que esa declaración me conmovió. Por primera vez sentí cierta ternura hacia él.

Girling había partido. Pobre Jake, se quedó mirando hasta que se perdió de vista . . . su amor, su barco, su *León Rampante*.

—Es como ver que la mujer de uno se va con otro hombre —comentó.

Pasó un día o dos malhumorado, preguntándose por qué había permitido que Girling lo sustituyese. Se ocupó en las idas y venidas de otros navíos suyos, pero había un solo *León Rampante*.

Solía seguir el trayecto mentalmente, estudiando mapas y calculando dónde se encontraría la nave. Solía decir:

—Si los vientos han sido favorables, si no ha quedado detenido, si no se ha encontrado con algún barco al que haya tenido que presentar batalla, estará aquí.

Algunas veces deseaba estar a bordo. Otras se mostraba evidentemente encantado de hallarse en casa. En medio de alguna de nuestras reyertas solía decir:

—Y pensar que cambié un león por una tigresa . . .

Pero había momentos de honda satisfacción. Comenzaba a estar satisfecha con mi vida. ¿Sería otra vez la serenidad del embarazo? Tal vez. Con bastante frecuencia, mi madre me enviaba mensajes y cartas, lamentándose: "Ojalá no estuviese tan lejos. Cuánto anhelo estar contigo en este momento".

Mi abuela enviaba recetas y hasta brebajes preparados por ella. Después de haber estado tan alejadas, parecíamos ahora relativamente cercanas, pese a los kilómetros que nos separaban.

Comenzaron a pasar los meses. Mi hijo debía nacer en febrero.

Jake estaba fuera de sí de alegría. Imaginaba al hijo robusto que tendría. Seguía detestando a Roberto, pero nunca cesaba de deleitarse con Carlos y Jacko. Estos se volvían más indomables y salvajes cada día. Cabalgaban, iban de caza con Jake, estudiaban tiro con arco y esgrima. Solían escabullirse del tutor a quien yo había empleado para que los instruyera, lo cual divertía a Jake.

Todo eso lo había hecho él antes. Cuanto ellos hicieran que le recordara sus propias hazañas era aplaudido, y ellos lo sabían. Mi Roberto mostraba su inteligencia en clase, y esto me regocijaba, ya que al menos le proporcionaba una ventaja. Lo mantenía lo más lejos posible de Jake y con frecuencia disponía las cosas de modo que no entraran en contacto durante semanas enteras. Como esto los complacía a los dos, no era muy difícil lograrlo.

—El niño habrá nacido cuando regrese el *León* —dijo Jake—. Lo llamaremos así, León.

—Ese nombre no existe en inglés —aduje.

—Pues lo inventaremos.

—¿Eres capaz de imponer al niño semejante nombre? Se reirán de él toda su vida.

—Por lo que le importará.

—Como concesión, lo llamaremos Penn, como tu padre.

Llegó la Navidad, y con ella el mensajero de la Abadía, trayendo regalos pero, lo mejor recibido de todo, cartas. Honey era feliz en la Abadía; Edwina estaba bien. Escribía diciendo: "Qué tranquilo es todo esto, Catharine. Tenerife parece muy lejano".

¿Y Luis?, me pregunté. ¿Alguna vez pensaba Honey en los dos maridos que habían sido asesinados... uno de ellos ante su vista? Por mi parte, no podía olvidar a Felipe tendido en medio de su sangre, muerto a manos del hombre que era mi segundo marido. Echaba de menos su cortesía; a veces me sorprendía comparando a Jake con él.

Vivíamos en una época violenta, en que la vida poco valía. Hombres como Jake Pennylon daban poca importancia a atravesar el corazón a otro. Yo temblaba al pensar en la matanza que habría cuando el *León Rampante* se cruzara con un galeón español en el mar.

¿Terminaría alguna vez este odio entres seres humanos? Abrigaba la esperanza de que hubiera pasado cuando mi pequeño Roberto fuese hombre.

A fines de enero regresó el *León Rampante*. Había sido un mes lúgubre con fríos vientos que soplaban del este. Después hizo calor, y con él vino la inevitable lluvia. Había una densa niebla, y de ella brotó de pronto la nave. Estaba peligrosamente cerca de la costa, y la niebla se adhería espectralmente a sus mástiles. Jake fue el primero en verla desde la ventana.

—¡Muerte de Dios! —exclamó mirándola con fijeza.

Al mirarlo vi que su tez había palidecido.

—¿Qué pasa? —grité.

—¡Muerte de Dios! —repitió él—. ¿Qué le han hecho al *León*?

Y saliendo de la casa, corrió hacia el puerto. Yo lo seguí. De pie en la orilla, observé el botecito que iba hacia la destrozada nave.

¡Qué día fue aquel! Jamás olvidaré la humedad de la niebla y ese mar quieto, casi como un lago. Y allí estaba el barco que Jake tanto amaba, con un mástil derribado y un agujero en el costado.

Era un milagro que hubiera logrado llegar a puerto.

Vi rostros de hombres, ennegrecidos por el sol, demacrados por el hambre y muchos de ellos heridos.

Poco podía hacer yo.

Sentí ternura hacia Jake al ver en su cara tanto horror y tristeza. Amaba a su nave y esta había sido maltratada.

Supe entonces cuál debía haber sido su expresión al regresar de su viaje y encontrarse con que los españoles me habían capturado.

Era una vieja historia. El barco se había encontrado con otro más poderoso. No hacía falta decir que ese barco era español.

Había intentado apresarlo, pero por fortuna eso no había ocurrido. Aunque sufriendo heridas casi mortales, el *León Rampante* había resistido con bravura. Infligió tan mortíferos estragos a su enemigo, que el barco español tuvo que huir, permitiendo así que el *León* hiciera lo mismo.

Pese a quedar fatalmente herido, el capitán Girling había sobrevivido cuatro días al ataque. Noblemente había dirigido a su tripulación desde el jergón que hizo instalar en la cubierta. Sabiendo que agonizaba, su mayor preocupación había sido llevar al pobre *Léon* herido de vuelta junto a su dueño. No murió hasta que supo que esto era posible.

Uno de sus marineros repetía:

—Fue como si conservara sus fuerzas hasta entonces, capitán León. Fue como si se aferrara a la vida hasta que supo que la nave podía llegar a puerto.

Jake estaba más tranquilo de lo que yo preveía. Había imaginado que estallaría en recriminaciones, pero era marino y entendía exactamente lo sucedido.

El *León Rampante* no se había humillado, ni lo había humillado a él; había enfrentado noblemente a un adversario más fuerte. Había dado tanto como había recibido. Tal vez más, se decía Jake. Se consolaba imaginando el hundimiento del buque español. Estaba seguro de que este se había hundido.

Maldecía a la nave española y su tripulación... Pero más le preocupaba el *León Rampante*. Permaneció a bordo de él todo el resto del día y hasta muy entrada la noche, mientras procuraba comprobar si era posible reacondicionarla de nuevo para navegar.

Después volvió.

—Esto demuestra lo que es capaz de hacer, Cat —me dijo—. Siempre lo supe... Cualquier otro barco de su tipo se habría hundido, pero él retornó y en pocos meses volverá a ser el mismo. Yo me ocuparé de que así sea.

Fue esta, en verdad, una época de desastres.

Al día siguiente a la llegada del *León Rampante* comenzaron mis dolores de parto. Era demasiado pronto y mi hijo nació muerto.

La tragedia era más difícil de soportar por el hecho de que el niño habría sido varón.

Enfermé gravemente. El haber perdido mi anhelado hijo no ayudó en nada a mi recuperación; durante dos semanas se pensó que no lograría sobrevivir.

Jake llegó y se sentó junto a mi lecho. ¡Pobre Jake! En ese momento lo amé. Su *León Rampante* era un mero despojo, había perdido el hijo que tanto ansiaba. Y yo —a quién él amaba a su modo— estaba a punto de morir.

Más tarde supe que estuvo casi demente, amenazando a los médicos con matarlos si yo moría; que dividía su tiempo entre mi aposento de enferma y su nave; que no volvió a ser el mismo de antes hasta que, a fines de la segunda semana, se hizo evidente que yo tenía buenas posibilidades de reponerme y que el *León Rampante* volvería a navegar.

Con frecuencia deliraba, no estaba totalmente segura de dónde me hallaba. Durante ese período creí a menudo estar en la Hacienda, y que Felipe entraría pronto en la habitación. Una vez creí verlo de pie junto a la cama, sosteniendo la vela mientras me miraba. En otra ocasión yo sostenía a mi hijo en brazos y él nos miraba.

Una noche, al salir de mi delirio, vi que era Jake quien estaba junto a mi cama. Vi sus puños crispados, oí las palabras que murmuraba.

—Lo estás llamando *a él* . . . Le diste un hijo. Y sin embargo no puedes darme uno a mí.

De pronto tuve miedo; miedo por Roberto, porque en ese momento comprendí cuán violentos podían ser los sentimientos de Jake. Supe que el hecho de haber tenido yo un hijo de Felipe le carcomería el espíritu, y que este vehemente odio hacia Felipe, hacia España y todo lo español se concentraría en mi hijo.

Quise suplicarle.

—Jake, voy a morir . . . —dije.

Se arrodilló junto al lecho y tomándome la mano, la besó violenta, posesivamente.

—Vivirás —dijo como si lo ordenara—. Vivirás por mí y los hijos que tendremos.

Comprendí en parte sus sentimientos hacia mí. Me necesitaba en su vida; no podía soportar la idea de vivir sin mí. Sus labios tocaron mi mano.

—Ponte bien —dijo—. Sé fuerte. Ámame u odiame, pero quédate conmigo.

Entonces me sentí segura, pero cuando empecé a mejorar, mi ansiedad por Roberto volvió. Me preguntaba qué le habría ocurrido si yo hubiese muerto . . .

En tal estado de ánimo hice llamar a Manuela.

Desde su llegada a Inglaterra, Manuela no hacía notar su presencia; si sentía nostalgias por España, nunca lo había evidenciado. Además, ella y Roberto tenían algo en común, ya que ambos poseían sangre española.

Por eso, mientras yacía débil en mi lecho, la hice llamar y le pedí que se sentara a mi lado y comprobara que nadie podía oírnos.

—Dime, Manuela, ¿eres feliz en Inglaterra? —le pregunté.

—Ha pasado a ser mi hogar —repuso.

—Has sido bondadosa con Roberto. Él confía en ti más que en los otros.

—Nos hablamos en español. Es agradable hablar como si uno se encontrara en su país.

—Durante mi enfermedad he pensado mucho en él. Todavía es joven, Manuela, e incapaz de cuidarse solo.

—El capitán lo odia, señora. Es porque él es hijo de don Felipe, y usted su madre.

—Estuve a punto de morir, Manuela. Me aferré a la vida porque temía por Roberto.

—Su muerte estaría en manos de Dios Todopoderoso, señora —observó en tono de reproche.

—Aún estoy aquí, aunque débil. Quiero que me hagas una promesa... Si muero, deseo que partas de aquí enseguida con Roberto. Deseo que se lo lleves a mi madre. Le dirás que yo pedí que se hiciera cargo de él. Sin duda lo amará, ya que es mi hijo.

—¿Y el capitán, señora?

—Como bien sabes, el capitán no quiere a Roberto.

—Lo odia por ser español.

—Es un poco impaciente con él —mentí—. Roberto no se parece a Carlos ni a Jacko... Sé que antes querías mucho a Carlos. Recuerdo cuando llegaste a la Hacienda...

Se me quebró la voz y ella exclamó con vehemencia:

—Carlos se ha convertido en hechura del capitán. Grita. Se jacta de que degollará españoles. Ya no guarda la religión de su madre.

—Ahora pertenece a su padre, Manuela.

Vi en sus ojos lágrimas de cólera. Yo sabía que era ardorosamente fiel a su religión y que la practicaba con regularidad, aunque en secreto.

—Y Roberto es distinto —agregó ella con suavidad—. Roberto permanecerá fiel. Jamás olvidará que su padre fue un gentilhombre español.

—Amas a ese muchacho, ¿verdad, Manuela? Carlos

puede cuidarse ahora, pero si alguna vez me sucede algo, cuida a mi pequeño Roberto.

—Haré cualquier cosa por salvarlo —dijo ella con vehemencia.

Supe que era sincera, ya que en sus ojos brillaba un fiero fanatismo.

Al despertar vi a mi madre sentada junto a mi lecho.

—¿Realmente eres tú? —pregunté.

—Mi queridísima Cat... Jake envió en mi busca. Vine enseguida y me quedaré hasta que recobres la salud. Tu abuela te envió muchos remedios, y ya sabes que sus curas siempre dan resultado.

Desde el momento de su llegada, mi recuperación fue rápida. Yo sentía que debía sanarme si ella me cuidaba. Siempre había sentido eso cuando ella estaba junto a mí durante mis achaques infantiles. "Ya todo está bien. Aquí está tu madre", solía decir en esa época. Y yo lo creía ahora como antes.

Ella y mi abuela habían hecho ropas para mi hijo.

—Te los dejaremos para el próximo —me dijo.

Entonces sentí un maravilloso optimismo. "¡El próximo! ", pensaba. ¡Por supuesto! Lo que me había pasado era un percance que ocurría a muchas mujeres durante sus años de fertilidad. Yo había tenido un hijo; podía tener otro.

Mi madre trajo a la casa una sensación de paz. Me gustaba oírla hablar con los criados.

Le hablé de mi entrevista con Manuela.

—Mi querida Cat —dijo tranquilizándome—, no tienes por qué temer. Si nos hubiese acaecido tan terrible tragedia, yo habría venido a llevarme a Roberto. Pero, si Dios quiere, su madre vivirá hasta verlo hombre.

Me preguntó con seriedad si era feliz en mi matrimonio. No supe qué contestarle con sinceridad.

—Dudo de que alguna vez haya habido un matrimonio como el nuestro —le dije.

—Oí decir que encomendó su buque a otro hombre porque no podía abandonarte.

—Madre querida, no trates de entender lo que es mi matrimonio —reí—. Es algo que jamás podría sucederle a alguien tan dulce como tú. En mí hay una ferocidad que corresponde a la suya. Empero, en nosotros hay mucho odio.

—Pero ¿se aman?

—Yo no lo llamaría amor. Él estaba decidido a que yo le diera hijos. Me eligió para ese fin. Ahora le he fallado... ¡y cuando estuvo a punto de perder su barco! No logro compadecerlo, y eso me sorprende. Madre querida, no te muestres tan desconcertada. Nunca podrías entendernos. Eres demasiado bondadosa, demasiado amable.

—Mi querida hija, he vivido y amado, y con frecuencia la vida me ha parecido extraña.

—Pero ahora tienes a Rupert, y todo es como siempre anhelaste que fuera.

—Sin embargo, podría haber aceptado a Rupert hace años y no lo hice. Ya ves que nada es sencillo para ninguna de nosotras.

—Antes pensaba que para mí habría sido maravilloso casarme con Carey —comenté.

Con cierta impaciencia, me contestó:

—Te engañas. Todo eso es cosa del pasado. Tienes un hijo y tendrás otros. Aún vives obsesionada cuando tienes a Jake. Lo amas y sabes que lo amas. No pienses más en el pasado. Amabas a tu español, pero ahora tienes a Jake. Enfrenta la realidad, Cat.

¿Estaba en lo cierto esta sabia madre mía?

Entró Jake y se sentó a mi lado.

—Pronto estarás bien, ahora que tienes la mejor enfermera posible —declaró.

—Te agradezco por haberla hecho traer.

—Ahora que ella está aquí, me ausentaré por poco tiempo. Estuve pensando mucho en la familia de Girling...

—¿Quiénes forman parte de ella?

—Su mujer murió hace poco... creo que de la peste. Tiene hijos que quizás estén necesitados. Fue un buen servidor mío y no debo fallarle.

—Debes asegurarte de que no sufran penurias —repuse.

—Eso pensé. Iré a Saint Austell a ver con mis propios ojos lo que allí ocurre. Sé que te dejo en buenas manos.

Partió al día siguiente.

La casa parecía tranquila sin él. Pude levantarme. Sentada junto a la ventana, contemplé el puerto. Podía ver allí el *León Rampante*. Muchos hombres trabajaban en él. Se estaba reparando su velamen y sus aparejos. Los carpinteros navales iban y venían en sus pequeños botes; sin duda estaban ocupados reparando sus cuadernas averiadas.

Me pregunté cuánto tardaría en volver a navegar. Sabía que, cuando lo hiciera, Jake iría a bordo.

Bebí el caldo preparado para mí por mi madre; tragué los remedios especiales de mi abuela y pronto daba mis primeros pasos al aire libre. Era fines de abril y florecían los narcisos. Mi madre —a quien le encantaban las flores y que había sido bautizada con el nombre de la rosa damasquinada— las juntaba y las distribuía en vasijas que colmaban mi dormitorio. Juntas caminábamos bajo las ramas entrelazadas de los árboles, entre las cuales brillaba el sol, porque en esa época del año sólo crecían en ellas capullos y hojitas diminutas; nos sentábamos en el jardín junto al estanque y conversábamos.

Estando sentadas allí fue cuando me dio la noticia que

tanto debía estarle pesando. Comprendí que había estado esperando en el momento en que yo estuviese lo bastante repuesta como para recibirla.

Nos habíamos sentado cerca del estanque cuando me dijo:

—Cat, tengo que decirte algo. Debes ser valiente. Debes comprender. Tendrás que enterarte.

—¿Qué ocurre, madre?

—Se trata de Honey —replicó.

—¿Honey? ¿Está enferma?

—Nada de eso... La quieres bien, ¿verdad, Cat?

—Sabes que sí. Es como si fuera mi hermana.

—Así quise siempre que fueses.

Sabía ahora que ella estaba demorando el momento de la revelación.

—Por favor, dímelo pronto —imploré— ¿Qué le ha pasado a Honey?

—Se volvió a casar.

—Pero ¿y por qué no? Es tan hermosa. Muchos hombres quisieran casarse con ella. ¿No es una buena noticia acaso? ¿Por qué no iba a casarse?

Mi madre guardó de nuevo silencio. Yo me volví hacia ella asombrada.

Pareció acorazarse antes de decirme:

—Honey se casó con Carey.

Clavé la vista en la verde hierba, en el sol que brillaba sobre el estanque.

Los imaginé juntos. La hermosa Honey y Carey, mi Carey y... ¿Por qué sentiría esa repentina ira? No podía ser mío y era inevitable que se casara algún día. También yo lo había hecho... dos veces. Y si debía tener esposa, ¿por qué no iba a ser Honey, que lo había amado tanto tiempo?

Mi madre, que me había tomado la mano, la apretaba con afecto.

—Pedí a Manuela que nos trajese a Roberto —dijo—. Me parece oírla llegar.

Comprendí que me estaba diciendo: "Tienes un hijo. Olvida el sueño imposible. Eso es el pasado. El presente está aquí. A ti te toca construir el futuro".

Llegó Manuela conduciendo a mi hijo, que al verme corrió hacia mí.

—Madre, madre —gritaba. Supe que mientras yo yacía enferma y alejada de él, había sufrido profundamente.

—De nuevo estoy bien, Roberto. Aquí estoy. Vaya, cómo nos hemos echado de menos.

Y quedé consolada.

Mi madre solía hablar acerca de todo, salvo de Honey y su matrimonio, pero yo no podía olvidarlo. Los imaginaba en el castillo de Remus, riendo felices, hablando de otras épocas, haciendo el amor. ¿Alguna vez me nombrarían? , me pregunté. Y en tal caso, ¿qué sentiría Carey?

Honey era bella y adorable. En su serenidad había una belleza que, según creo, la hacía doblemente atractiva para los hombres. Nada tenía Honey de gata salvaje; era adaptable. Había sido buena esposa para Edward pese a que amaba a Carey; había aparentado olvidar a Edward dedicándose a Luis, y ahora los habría olvidado a los dos por Carey. Y tuve que confesar que ella siempre había amado a Carey.

Mi madre me hablaba de lo que ocurría en la familia. Que sus hermanastros mellizos anhelaban hacerse a la mar y que mi abuela procuraba disuadirlos; sobre las flores que mi abuela cultivaba y las muchas botellas que colmaban los estantes de su destilería.

—Se está volviendo toda una boticaria y la gente acude a pedirle curas.

Mi madre estaba un poco más tranquila porque había

menos temores de una rebelión católica. El matrimonio de la reina de Escocia con lord Darnley había sido conveniente para Inglaterra. El joven consorte era un hombre tan despótico, arrogante, disoluto y en general insatisfactorio, que causaba mucha disensión del otro lado de la frontera.

—Es preferible que disputen entre ellos y no que busquen pendencia con nosotros —declaró mi madre—. Eso dicen todos.

El tumulto había aumentado allá cuando tuvo lugar el escandaloso asesinato del secretario de la reina de Escocia en su mesa, durante la cena.

Mi madre se estremeció.

—La gente no habla de otra cosa. María está encinta y cenaba en privado, en Holyrod, cuando algunos de sus nobles irrumpieron y se llevaron a rastras al joven. Dicen que el pobre individuo se aferraba de las faldas de la reina implorándole que lo salvara. ¡Qué situación espantosa para una mujer con un embarazo de seis meses! Se dijo que el secretario Rizzio era su amante. Parece inverosímil. ¡Pobre mujer! Vaya, Cat, apenas tiene tu edad.

—Quizá deberíamos agradecer el no tener sangre real.

—Hay peligros suficientes para todos, sean o no de la realeza —comentó mi madre sobriamente—. Pero al parecer, este conflicto en Escocia disminuye las tensiones. Nuestra buena reina Isabel es altamente estimada, se rodea de estadistas hábiles, y lo que necesitamos es un reinado estable. Hay, por supuesto, conflictos religiosos. Dicen que la reina es protestante poque no podría ser otra cosa y que lo es por pura conveniencia. Pero eso debo decirlo en voz baja, Cat. Hay que cuidar la lengua. Somos afortunados de tener nuestra reina... Pero mientras viva la reina de Escocia, habrá peligro. Desear problemas a otros está mal, pero lo cierto es que cuanto más desastres ocurran en la corte escocesa, más tranquilamente dormirán en su lecho los hombres y mujeres ingleses.

Era un bello día de mayo, cuando los árboles frutales se hallaban en flor y los setos llenos de perejil silvestre y los pájaros cantaban en todas partes a pleno pulmón. Gloriosa época del año, cuando la naturaleza se renueva y siempre hay una canción de gratitud en el mirlo y el pinzón, los vencejos y las golondrinas.

Y en esa época Jake llevó a casa a Romilly Girling.

Cuando la trajo tenía doce años; era una pobre huerfanita, muy delgada, con ojos verdes demasiado grandes para su carita blanca.

Llegaron de noche, tarde, tras un viaje desde Saint Austell, y cuando entraron en la sala la niña estaba casi dormida.

—Esta es Romilly, la hija del capitán Girling —anunció Jake—. Vivirá con nosotros; este es ahora su hogar.

Comprendí enseguida. La muchacha había perdido a sus padres y no tendría casa. Me alegré de que Jake la hubiese traído. Ordené que se le preparase una habitación; después se le sirvió comida caliente y se la envió a la cama sin demora.

—Quedaba muy poco —explicó Jake—. Los dos ... ella y su hermano ... estaban solos en la casa. La criada se había ido. Estaban casi muertos de hambre. Una prima lejana del capitán se llevó al muchacho. No podía hacer otra cosa que traer aquí a la niña. Su padre fue un buen servidor mío.

—La cuidaremos —dije con calidez.

Fue maravilloso ver cómo reaccionaba la niña con buena comida y viviendo cómoda. Engordó un poco, pero seguía siendo delgaducha ... un ser parecido a un duende, de modales silenciosos. Lo más bello que tenía eran sus ojos, grandes y de un verde tan extraño que llamaban de inmediato la atención. Su cabello era oscuro, espeso y lacio. Tenía unas pestañas cortas y gruesas, más oscuras aún que su cabello.

Llegó junio y mi madre anunció que debía volver a su casa. Rupert era el más paciente de los maridos, pero, naturalmente, la echaba de menos. Nos despedimos y durante todo el tiempo que pude la vi alejarse con sus acompañantes en la primera etapa de su largo trayecto de regreso.

En agosto de ese año el *León Rampante* quedó listo para hacerse a la mar. Jake había estado en tierra demasiado tiempo. Por fin nos había llegado la noticia de que en junio la reina de Escocia había dado a luz un niño. Se lo bautizó Jaime y se diría que ese niño tenía derecho al trono de Inglaterra.

—Estos españoles importunos querían poner a su madre en el trono —dijo Jake—. Ya sabes lo que eso significa. Enseguida tendríamos aquí a los papistas. Las hogueras de Smithfield arderían antes de que lo advirtiésemos. Hay que expulsarlos de los mares, y a los marinos ingleses corresponde demostrarles quiénes mandan.

Yo sabía lo que eso significaba.

Ansiaba volver a navegar, y esta vez no confiaría el *León Rampante* a otro que no fuera él mismo.

Yo estaba de nuevo encinta.

Y en setiembre de ese año, Jake zarpó de Plymouth.

NACE UN NIÑO

P ocas semanas después de partir Jake, hice un descubrimiento inquietante. No lograba encontrar a Roberto. Cuando pregunté a los muchachos dónde estaba, no pudieron decírmelo. No me inquieté demasiado hasta unos días más tarde, cuando de nuevo apareció.

Sabiendo cuán allegado era a Manuela, decidí preguntarle si sabía dónde se hallaba y fui a la habitación que ella compartía con las criadas. No estaba allí, pero una de las otras dijo que la habían visto subir al torreón.

Subiendo la empinada escalera de caracol, fui a las habitaciones del torreón, pocas veces utilizadas. Al acercarme oí voces que murmuraban.

Abrí la puerta, y tan pronto como lo hice supe exactamente qué sucedía. Se había instalado un altar; en cada punta ardía una vela, frente a él se arrodillaban Manuela y Roberto.

Se incorporaron alarmados y Manuela rodeó a Roberto con un brazo en actitud protectora.

—Manuela, ¿qué haces? —exclamé.

Su tez olivácea se oscureció y sus ojos relampaguearon desafiantes.

—A mí me corresponde velar por Roberto —declaró.

Tuve miedo. Sabía que estaba instruyendo a Roberto en la religión católica, que era la de ella y la del padre de él. De haberse quedado en Tenerife, Roberto habría adoptado naturalmente esa religión, pero no estábamos en Tenerife y yo sabía qué ocurriría si Jake llegaba a enterarse de que bajo su techo se cobijaban los que él llamaría "papistas".

—Manuela, nunca interferí en tus convicciones —proseguí—. En cuanto a ti misma concierne, estás en libertad de obrar como gustes a este respecto, aunque debes cuidarte de no atraer la atención. Sabes que siempre creí en la tolerancia. Ojalá más personas creyeran en ella. Sé de tu honda fe. Pero si la practicas en esta casa, Manuela, debes hacerlo sola y en la intimidad. No arrastres contigo a mi hijo. Él debe seguir la religión de esta casa, en la cual lo instruye su tutor, junto a los demás niños.

—Me pide que vele por él, que lo cuide, que lo salve. Lo que importa es su alma.

Roberto evidenció asombro y yo dije:

—Sí, Roberto; cuando creí estar muriendo, pedí a Manuela que te llevara junto a mi madre, quien cuidaría de ti. Pero ya estoy bien y no se trata de que vaya a morir. Ahora estoy yo aquí para cuidarte.

Acercándome al altar, apagué las velas soplando. Manuela permaneció alejada, con los ojos bajos.

—Deseo seguir la religión de mi padre —manifestó Roberto.

¿Cuánto le habría dicho Manuela acerca de su padre... ese cortés caballero en quien aún pensaba yo tan a menudo? Vi la firme expresión de Roberto al mencionar a su padre. Jamás aceptaría a Jake en ese papel. Lo odiaba. Entre ellos había una violenta animosidad. Y ¿qué haría

Jake si llegaba a enterarse de que cobijaba a un católico bajo su techo?

Dios mío, pensé, ¿no hay modo de eludir esta intolerancia?

De una cosa estaba segura: no debía haber más sesiones secretas con Manuela. Cuando Jake regresara, Roberto tendría que ir a la iglesia con todos nosotros... como un buen súbdito protestante de nuestra protestante reina.

—Llévate estas cosas, Manuela —dije—. Y esto debe concluir. Ya no estás en España. El capitán Pennylon te echaría de casa si supiera lo que haces.

No me contestó y yo, tomando a Roberto de la mano, le dije:

—Ven conmigo —me volví hacia Manuela—. No dejes rastros de esto y jamás intentes hacer nada semejante.

Llevé a Roberto a mi dormitorio, donde traté de convencerlo. Le expliqué cuán peligroso era hacer lo que él había hecho.

—Soy español, no pertenezco a este país —respondió él con orgullo, y ¡cuánto se parecía a su padre!

Lo estreché en mis brazos. Le dije que debíamos ser tolerantes unos con los otros. Debíamos atenernos al verdadero cristianismo, que consiste en amar a nuestros semejantes. Repetí lo que me había dicho mi madre.

—Basta con ser bondadoso y amable, con amar a tu prójimo. Ser cristiano significa eso.

Me escuchó pensativo y tuve la esperanza de haberle hecho alguna impresión.

Poco después de eso aborté. Hacía cinco meses que Jake estaba ausente. Yo estaba inquieta desde que encontrara juntos a Manuela y Roberto, pero no creo que esto tuviera nada que ver con mi aborto.

357

Me preguntaba que ocurría conmigo. ¿Por qué, si había parido un hijo de Felipe, parecía incapaz de hacerlo para Jake?

Procuré olvidar mi desengaño y mi ansiedad por Roberto dedicándome a los niños. En ausencia de Jake, parecían diferentes. Carlos y Jacko se volvieron menos jactanciosos mientras Roberto perdía su temor. El tutor que empleé para ellos, un tal Merrimet, se manifestaba ansioso de cumplir su tarea con cierta alegría, y me encantaba que estuviese tan impresionado con Roberto.

El primo de Edward, Ennis, había llegado a Trewynd para administrar la finca, y tenerlos como vecinos a él y a su esposa Alice era agradable. Por ellos supe que Honey había dado a luz un niño.

Visitábamos Trewynd y los Ennis nos visitaban.

Por supuesto, se hablaba mucho de sucesos políticos, los más sensacionales de los cuales tenían lugar en Escocia.

Darnley, el esposo de la reina, había muerto violentamente en una casa de Kirk o Fields (indudablemente asesinado, según algunos, por el amante de la reina, el conde de Bothwell). Se sugería que la misma reina de Escocia había tenido que ver con este crimen. Constantemente llegaban noticias desde Escocia. La reina se había casado con Bothwell, el asesino de su marido, y según la opinión generalizada, al hacerlo había puesto en evidencia su culpabilidad. Tantas cosas ocurrían en el mundo exterior, y tan pocas en nuestro ámbito, que me sentía encerrada con mi pequeña familia de niños, pues también consideraba míos a Carlos y Jacko.

Roberto se estaba poniendo más alto, aunque no tenía la estatura de los otros dos. Cada vez se parecía más a Felipe y podía hablar con tanta fluidez en español como en inglés. Esto me inquietaba, especialmente porque sabía que pasaba mucho tiempo en compañía de Manuela. ¿Habrían prestado oídos a mi advertencia?

Creo que fui culpable de cerrar los ojos. No quería que Roberto se volviese contra mí. Convencida de que pensaba con frecuencia en su padre y en cómo podría haber vivido con él, me preguntaba si Manuela le habría dicho que Jake había matado a su padre.

Sí, fui culpable. Quise olvidar el pasado. No quería mirar el futuro. Traté de lograr que Roberto se interesara en los deportes al aire libre. Carlos se destacaba en el tiro con arco y yo sabía que esto lo alegraba, pues ansiaba alardear de su habilidad ante Jake cuando este volviera. Con un arco de dos metros y una flecha de un metro de largo podía tirar a casi doscientos metros, lo cual era una gran hazaña para un niño de su edad. En Pennylon teníamos una pista de tenis y los dos muchachos eran buenos jugadores. Sabían arrojar la barra y lanzar el martillo, y eran aficionados a luchar. A menudo venían visitantes desde el otro lado del Tamar para luchar con ellos, ya que los cornuallenses eran los mejores luchadores de Inglaterra.

Con frecuencia oí decir a los dos muchachos: "Cuando vuelva el capitán le mostraré esto o aquello". "Cuando vuelva el capitán . . .". También advertía cómo se ensombrecía el rostro de Roberto al pensar en el regreso de Jake.

Aubrey y Alice Ennis no tenían hijos. Me dijeron que a su debido tiempo Edwina vendría a Trewynd. La finca sería suya cuando cumpliera dieciocho años, ya que era la única hija de Edward.

—Dudo de que quiera venir a Devon después de la vida tan excitante como la que debe tener con su madre y con su padrastro cerca de la Corte.

—Habrá que esperar para ver —fue la respuesta. Mientras tanto pasaban los meses.

Hubo más noticias de Escocia. María y Bothwell habían intentado enfrentarse a los nobles de Carberry. Como resultado, Bothwell había huido y María, tomada prisionera. Estaba encarcelada en Lochleven donde, según nos enteramos, fue obligada a abdicar; su hijo Jaime fue declarado rey Jaime VI de Escocia, y James Stuart, conde de Moray, regente de ese desdichado país.

—Esto es bueno para Escocia —comentó Aubrey Ennis durante la cena—. Poco hay que temer ahora del demonio rubio de Escocia.

Una tarde me encontraba yo en el aula con los muchachos, el señor Merrimet y Romilly Girling, cuando Carlos, que pasó casualmente frente a la ventana, lanzó de pronto un grito de entusiasmo.

—Es el *León Rampante* —exclamó.

Acudimos todos a la ventana, y allí, en la lejanía del mar, vimos un barco.

—Podríamos equivocarnos —aduje.

—No, es el *León* —gritó Carlos.

Él y Jacko dieron brincos enloquecidos, abrazándose. Por mi parte, me inquietó la expresión de temor que vi en los ojos de Roberto. Para tranquilizarlo, le tomé la mano.

No cabían dudas de que era el *León Rampante*. Esta vez no navegaba trabajosamente, sino que se alzaba orgulloso sobre las tranquilas aguas, a la espera del viento.

Entrando en la casa, di órdenes en la cocina. Debía haber carne de vaca y de cordero, capones y perdices. Debían darse prisa con los postres, debían preparar un banquete como no habían presentado en dos años enteros. El amo había vuelto.

Toda la tarde permaneció la nave allí, a la vista, y sólo al crepúsculo penetró en el puerto.

Nosotros aguardábamos en la costa.

Vi cómo Jake era traído a tierra en bote. Más alto de lo que yo recordaba, con el rostro oscurecido por el sol, sus ojos de un azul más vívido que nunca.

De un salto bajó del bote y me abrazó. Yo reía. Sí, verdaderamente contenta de que hubiera regresado sano y salvo. Carlos y Jacko saltaban a nuestro alrededor como enloquecidos.

—El capitán volvió —canturreaba Carlos.

Se volvió hacia ellos para sacudirlos tomándolos de los hombros.

—Señor, ¡cómo han crecido!

Miraba en derredor suyo. Debía haber estado presente otro más para recibirlo: el niño que estaba en camino al partir él.

Nada dije, pues no deseaba estropear esos primeros minutos.

—¿De modo que se alegran de verme, eh? ¿De modo que me han echado de menos?

—Habíamos empezado a sentir que hacía mucho que estabas ausente. Sin duda has tenido buen viaje ...

—Fue provechoso. Ya te contaré ... pero a su tiempo. Déjame mirarte, Cat. He pensado en ti ... día y noche he pensado en ti.

Me sentí halagada, aunque experimentaba la antigua necesidad de reñir con él. Era como revivir de nuevo. No cabían dudas de que lo había echado de menos.

Carlos se acercó diciendo:

—Capitán, fue un buen viaje, ¿verdad? ¿Cuántos españoles mató?

¡Oh, Carlos —pensé yo—, has olvidado que eres medio español!

—Demasiados para contar, muchacho.

—Basta ya de matanzas —intervine—. El capitán ha vuelto a su hogar y quiere hablar de él.

—Por cierto que sí —repuso él, apretándome el brazo—. Quiero estar con mi esposa. Quiero pensar en mi hogar.

Miró la casa y pude advertir que estaba emocionado. Y no era para menos, después de dos años de ausencia.

—Estoy convencida de que volver al hogar es una de las mejores cosas que tiene el navegar —dije yo.

—El hogar —repitió él—. Sí. . . el hogar.

Y supe que se refería a mí.

Como Jake era Jake, lo primero que necesitaba era la satisfacción física de nuestra unión. Se encaminó directamente hacia el dormitorio, aferrándome con fuerza, como si temiera que intentara escapar de él.

—Cat... —dijo—. Siempre lo mismo. Tanto te he deseado que casi hice virar al *León* para volver a tu lado.

Me pregunté con cuántas mujeres había calmado su necesidad de una sola, pero no se lo pregunté.

Llenaban la casa aromas culinarios... ese delicioso olor a pan caliente y crocante, a dulces y carne asada.

Yo sabía que esa comida despertaría su apetito después de lo que habría tenido que comer durante tanto tiempo de navegación.

—¿Y nuestro hijo? —preguntó—. Quiero verlo.

Me miró con fijeza, pues había notado mi expresión de pesar.

—No hubo hijo —le contesté—. Tuve un aborto.

—¡Muerte de Dios! ¿Otra vez?

Guardé silencio.

En su amarga desilusión, se volvió contra mí.

—¿Cómo es posible que hayas podido dar un hijo a ese hispano pustulento y no a mí?

Seguí sin contestarle. Me sacudió diciendo:

—¿Qué ocurrió? No tuviste cuidado. Fuiste estúpida... descuidada...

—Ni una cosa ni la otra. Sucedió, nada más. No hubo motivos.

Se mordió los labios, uniendo las espesas cejas.

—¿Es que no tendré hijos?

—Sin duda tendrás muchos dispersos por el mundo —repliqué—. Bajo este mismo techo tienes dos.

Entonces me miró y su furia se disipó.

—Cat, ¡cómo te he deseado!

De pronto lo compadecí y dije con una ternura que nunca le había mostrado hasta entonces:

—Tendremos hijos. Claro que tendremos hijos.

Entonces recuperó su alegría, recordando que había vuelto después de dos años de ausencia.

En el vasto comedor, las mesas estaban cargadas de alimentos. Nos sentamos como en un banquete. Jake y yo ocupábamos la mesa situada sobre el estrado. También estaban allí los niños: Roberto a mi izquierda, Carlos a la derecha de Jake y Jacko a su lado. Del otro lado de Roberto se encontraba Romilly. Jake había dicho que sería como de la familia. En dos años había crecido mucho; era alta, esbelta, y atractiva debido a sus maravillosos ojos verdes.

Jake la había saludado con afecto, preguntándole cómo le iba. Ella le había hecho una rápida reverencia elevando hasta su rostro unos ojos respetuosos y admirativos. Siendo hija del capitán Girling, sin duda habría oído relatos emocionantes acerca del capitán Pennylon.

Los criados colmaban la mesa del centro, donde se bebía y se jaraneaba mucho.

El señor Merrimet se quejó de que resultaba difícil mantener a Carlos y Jacko interesados en sus lecciones desde el regreso del capitán. Romilly solía ir a ayudarlo en el aula, y como se estaba convirtiendo en una joven muy atractiva de sereno porte, pensé que tal vez llegarían al matrimonio. Ella debía tener casi quince años, y tarde o temprano sería necesario encontrarle marido.

Roberto estudiaba con más fervor que antes. Creo que

ansiaba desempeñarse bien en aquello para lo cual tenía habilidad. Sabía, además, que él vivía aterrado por Jake.

Cuando venían los Ennis, siempre se hablaba mucho acerca de los asuntos de estado, todos los cuales parecían girar alrededor de la reina de Escocia.

En ese momento, esta se hallaba en Inglaterra, ya que había escapado de Lochleven donde se hallaba encarcelada, y había perdido la batalla de Langside. Para eludir a los terratenientes escoceses había cruzado la frontera —estúpidamente, según se decía—, poniéndose así en manos de Isabel.

—Prisionera de nuestra soberana —comentó Jake con satisfacción—. Eso la pondrá en su sitio.

Al parecer, sin embargo, era tan peligrosa en Inglaterra como antes en Escocia. Se había hallado un cofre conteniendo cartas atribuidas a ella para Bothwell. Algunos opinaban que eran falsas; si no lo eran y en verdad habían sido escritas por ella, era una mujer culpable, adúltera y asesina.

En nuestra mesa se discutía la autenticidad de esas cartas. Yo sentía cierto temor. Aubrey Ennis se mostraba cauteloso pero Alice declaraba con fervor que eran falsificadas. Jake —para quien todos los papistas eran criminales de lo peor— tenía la certeza de que María había escrito las cartas, que había cometido adulterio con Bothwell estando casada con Darnley y que había tenido que ver con el asesinato.

—Es enemiga de nuestra reina y de nuestro país —declaró—. Cuanto antes su cabeza se separe de su cuerpo mejor será.

Muchas veces yo procuraba cambiar de tema. Había oído decir que se había introducido en el país un extraño juego, llamado lotería.

—Cada uno recibe un número —explicó Ennis—. Eso oí

decir. Si ese número es uno de los elegidos, tiene un premio.

—Dicen que la venta de billetes duró día y noche de enero a mayo —continué yo.

—Deben participar muchas personas para que los premios valgan la pena.

—Una lotería... —dije—. Cuánto me habría gustado verlos en la puerta de Saint Paul.

Pero no podíamos hablar mucho tiempo de la lotería, por novedosa que fuese, y la conversación volvió a referirse a esa dama que parecía tener el don de atraer problemas y partidarios, y de causar roces en las familias.

Los condes de Northumberland y Westmoreland habían suscitado una rebelión en el norte, pero esta había fracasado. Algunas cabezas habían rodado entre tanto. Otras las seguirían, sin duda, en los años venideros, ya que siempre habría problemas mientras la reina María viviera.

Después de tales conversaciones, Jake expresaba a menudo su sospecha de que nuestros vecinos eran papistas secretos. Yo siempre temía que hubiese disturbios.

De nuevo estaba encinta.

—Si no me das un hijo esta vez —declaró Jake—, te encadenaré y te haré recorrer el tablón.

Yo reí, pues tenía la sensación de que esa vez no podía fallar.

Debiendo efectuar un breve viaje a Southampton, relacionado con su próxima travesía, Jake se propuso llevarse a los niños. Sin decirme nada, entró en el aula donde estudiaban sus lecciones y les comunicó la propuesta. Carlos y Jacko enloquecieron de alegría. En cuanto a la reacción de Roberto, no necesitaba imaginarla.

Cuando Jake llegó a nuestro dormitorio, lo interpelé.

—¿Qué viaje es este del que he oído hablar?

365

—Será breve. Quiero que los niños prueben el mar.

—Llévate a Carlos y Jacko, si quieres.

—Me llevaré también a tu niño mimado.

—No harás tal cosa.

—Estás tonta con ese muchacho. ¿Quieres acaso que se convierta en un inútil?

—Es útil en muchas cosas. Es un estudioso capaz de avergonzar a tus bastardos en el aula.

—¡El aula! ¿Qué importancia tienen las aulas? Ese niño necesita endurecerse.

—Dejarás que eduque a mi hijo como quiera.

—Vive bajo mi techo. Por consiguiente, no permitiré que me humille con sus lloriqueos —contestó Jake, riéndose de mí.

Carlos y Jacko no podían prestar atención a sus lecciones. Constantemente andaban chillando por toda la casa. Se oían sus agudas voces:

—A la orden, capitán. ¿Cuándo zarpamos? Aguardamos la marea, capitán.

Jake se reía de ellos, los abofeteaba, les tironeaba del cabello y se burlaba de ellos . . . y ellos lo adoraban.

—Cuando crezcan, serán como tú —dije.

Llegó el día en que debían zarpar. Nada más se había hablado acerca de la partida de Roberto. Yo le había prometido que no iría.

Iban a zarpar de noche, ya que los vientos eran favorables. No estarían ausentes mucho tiempo. Jake haría sus negocios en Southampton y luego regresaría. Según él, sería una lección para los muchachos, ya que estaba seguro de que Carlos y Jacko serían marinos.

Esa tarde Carlos y Jacko se despidieron de mí antes de ser trasladados en bote a la nave. Desde la orilla, Jennet, Romilly y yo los despedimos agitando las manos.

Volví a la casa convencida de haber salvado a Roberto de una situación que le habría resultado intolerable.

Esa noche partió el *León Rampante*. Viéndolo alejarse desde mi dormitorio, sonreí al imaginarme el entusiasmo de los muchachos y el orgullo de Jake por ellos.

Debía haber supuesto que Jake se burlaría de mí. Por Jennet averigüé que Jake se había llevado a Roberto a bordo más temprano para que pudiese viajar con ellos.

Roberto volvió de su aventura sin haber sufrido ningún daño; yo disputé con Jake.

—Vaya, esto le hará bien al muchacho —rió Jake—. Aunque nunca será un buen marino, como Carlos y Jacko... Por Dios, de esos muchachos sí que se puede estar orgulloso.

El verano fue caluroso, y la carga que yo llevaba me dejaba exhausta. Ahora su presencia era muy perceptible. Era un niño más inquieto de lo que fue antes Roberto. Lo que se podía esperar de un hijo de Jake.

Jake partió en un corto viaje, esta vez a Londres, donde la reina había manifestado su deseo de verlo. Volvió muy animoso.

—¡Qué mujer! —exclamó—. Me habló con severidad acerca de los piratas del mar como yo... Dijo que estábamos causando problemas con el rey de España. Estábamos robando a los españoles, y el robo era algo que ella no podía tolerar. Y mientras me decía esto le brillaban los ojos...

—Recibió su parte del tesoro que trajiste al país —comenté.

—Es cierto, y lo recuerda... Pidió una entrevista privada conmigo, y allí rió poniendo en claro que aprobaba lo que yo hacía, lo aprobaba con entusiasmo. Ella es la reina, y en este momento es entretenido y necesario engañar a los hispanos. "No siempre lo será, mi buen capitán", dijo. "Algún día..." Y entre tanto me ordena continuar... tal como lo hice hasta ahora, y cuanto más españoles arroje al mar y más tesoros traiga a Inglaterra, más contenta estará ella. Vaya, Cat, ella ama a sus piratas aventureros y me hizo sentir que el capitán Jake Pennylon no era de ningún modo el menos importante de ellos.

No podía dejar de hablar sobre la reina.

—Cuando nació —dije—, hubo gran alboroto porque no era varón. Dicen que la reina Ana Bolena jamás habría perdido la cabeza si Isabel hubiera sido varón. Sin embargo, ¿podría haber habido un soberano mejor que ella?

Jake admitió que en el mundo no existía ni existiría rey que se pudiese comparar con nuestra señora Isabel.

Fue preparada mi sala de parto; yo estaba lista y a la espera. No fue un parto dificultoso. Al despertar de mañana, comprobé que mi hijo estaba a punto de nacer. La partera estaba en casa desde hacía dos semanas, ya que estábamos ansiosos porque todo anduviera bien.

En las primeras horas de la tarde de un día de agosto del año 1570 nació mi bebé.

Yacía exhausta cuando de pronto me llené de alegría, pues oí el grito —el potente grito— de un niño.

Cerré los ojos. Lo había conseguido. Mi hijo estaba vivo y bien.

Entró la partera, acompañada por Jake. Yo le sonreí, pero de inmediato vi su expresión de desencanto, casi de cólera.

—¿Nuestro hijo? —comencé a decir.

—Una niña —gritó él—. Nada más que una niña.

Y se marchó.

—Tráeme mi hija —dije a la partera.

Fue traída y depositada en mis brazos. Me encantó su carita roja y arrugada. Desde el momento en que la tuve en mis brazos, la quise tal como era.

La borrascosa ira de Jake continuaba. Había estado tan seguro de que nuestro hijo sería varón. Yo sabía que se había imaginado criando un niño que se le parecería, llevándolo con él al mar. Había anhelado ese hijo como pocas veces anhelaba algo.

Durante dos días no se me acercó. No me importaba: tenía a mi hijita.

—Es muy linda —declaró la partera—. Juraría que la conoce.

Pensé qué nombre dar a mi hijita. De haber sido varón se habría llamado Jake, por supuesto. En esos primeros días me recordaba una avecita anidada contra mí. La llamé mi pequeña Linnet, diciendo que ese sería su nombre.

Alrededor de un mes después del nacimiento de Linnet, Jake se dispuso a partir. Por cuanto yo sabía, era posible que estuviera ausente dos años.

Antes de que se marchara, decidí hablarle respecto de Romilly. La muchacha estaba creciendo y ya era casadera. Yo creía posible que ella y el señor Merrimet gustaran uno del otro. Romilly iba con frecuencia al aula, donde lo ayudaba, y hacían buena pareja. ¿Habría alguna objeción a que yo tratara de casarlos?

Jake se encogió de hombros al responder:

—Si eso desean, que lo hagan.

—Podrían seguir viviendo aquí. El señor Merrimet puede ocuparse de la educación de Linnet y de los demás hijos que tengamos.

—Es un plan excelente —aprobó Jake—. Cásalos, pues. Me siento en deuda con Girling y quisiera que su hija siguiera siendo miembro de esta familia. En la finca hay espacio de sobra para ellos.

Un hermoso día de octubre, en que un viento fresco

henchía las velas del *León Rampante* y de las otras dos naves que lo acompañaban, permanecimos en el puerto hasta que los navíos se perdieron de vista en el horizonte.

Casi de inmediato emprendí la tarea de casar a Romilly.

Antes que nada, hablé con ella.

Era una jovencita seria, que se había puesto muy linda. Sus ojos verdes habían cobrado nuevo brillo.

—Romilly, es tiempo de que pienses en casarte —le dije—. ¿Lo has hecho?

—Lo . . . lo he pensado —admitió ella.

—Bueno, ya no eres una niña —sonreí—. Te he visto en el aula y creo que tú y el señor Merrimet son muy buenos amigos . . .

Ella se ruborizó al responder:

—Sí, lo somos.

—Tal vez piensas que sería un buen marido para ti. No veo motivo para lo contrario . . .

Ella guardó silencio.

—Claro que si no lo deseas, abandonaremos el tema —continué.

—¿Dijo algo el capitán al respecto? —inquirió ella.

—A decir verdad, sí. Lo discutí con él antes de su partida. Como yo, él opina que es tiempo de que te cases, y piensa también que el señor Merrimet sería un marido aceptable. Si te casaras con él podrían seguir viviendo aquí, y el señor Merrimet podría seguir enseñando. Los muchachos lo necesitarán por un tiempo, y después tendrá que empezar con Linnet. El capitán se siente en deuda con tu padre y le hace feliz pensar que te quedarás bajo su techo.

Como seguía callada, continué:

—Tal vez me haya precipitado demasiado.

—Si pudiera tener tiempo para reflexionar . . .

—Pero, por supuesto. No hay prisa. A ti te corresponde decidir. Pero cuando estés resuelta, dímelo y podremos sondear al señor Merrimet.

Esto tuvo aparentemente su aprobación, de modo que abandonamos el tema.

Debe haber sido alrededor de un mes más tarde cuando comprobé algo que hizo imposible este plan.

Al no aparecer Jennet, que tenía la tarea de llevar agua a mi dormitorio, fui a la habitación de las criadas. Encontré allí a una sola doncella; todas las demás estaban cumpliendo sus obligaciones.

—¿Dónde está Jennet? —pregunté.

La muchacha se mostró asustada.

—No lo sé, señora.

—¿Se levantó a la hora habitual?

La joven se mostró turbada. Tardé un rato en sonsacarle la verdad: que Jennet pocas veces dormía en la habitación de las criadas. Casi siempre dormía con un amante. Esto no me sorprendió. Sabía que uno de los caballerizos era su amante, y ella siempre los tendría.

Supuse que se hallaba en una de las habitaciones situadas sobre los establos, donde no pensaba ir. Cuando la viese, la reprendería con severidad. Tal vez la enviara con mi madre, pero ella querría llevarse consigo a Jacko, y eso Jake no lo permitiría jamás. Tenía afecto a Jacko. Por eso yo no podía separar a una madre de su hijo.

No sé qué capricho del destino me condujo a la habitación del tutor. Hacía un tiempo que deseaba hablarle acerca de Roberto.

Llamé a su puerta con discreción. Como no tuve respuesta, entré. El sol iluminaba de lleno el arrugado jergón, y acostados en él dormían profundamente Jennet y el señor Merrimet, desnudos y abrazados.

—¡Señor Merrimet! ¡Jennet! —exclamé con brusquedad.

Él fue el primero en abrir los ojos; después oí un grito ahogado de Jennet.

—Más tarde hablaré con ustedes —me apresuré a decir antes de cerrar la puerta.

Como resultado, despedí de inmediato al señor Merrimet. Pensaba que un hombre capaz de permitirse tan descaradas aventuras sexuales con una de las criadas no era un tutor adecuado para los niños. Había sospechado en él cierta frivolidad, pero no en tan indecorosa medida, y había pensado que el matrimonio tendría un efecto tranquilizador en él. ¡Cuán equivocada había estado! Ahora, al imaginarlo iniciando a los niños en ciertas prácticas a una edad demasiado temprana, no vacilé.

Al día siguiente se marchó. Yo hice llamar a Jennet, que se mostró tan remilgada como de costumbre... tal como una jovencita sorprendida en su primera indiscreción.

Su respuesta fue la habitual: que "todo fue natural, ¿sabe?, y como el señor Merrimet era tan caballero..."

Le dije que era una mujerzuela, una desvergonzada; que yo estaba pensando en enviarla de vuelta a mi madre, cosa que haría si no me preocupara tanto mi madre y su familia. Si no se enmendaba, aún podía verse en los caminos mendigando para comer.

—Piense en Jacko —me dijo socarronamente.

—Irá contigo.

—Oh, señora, el capitán tiene mucho afecto a Jacko. Tendría que responder ante él si lo hiciera.

—No respondo ante nadie —exclamé—. Yo administro la casa.

Guardó silencio, recordando que el capitán estaba ausente y que no se me podía desafiar con ligereza.

Lloró diciendo que en ella había cierta perversidad que

no le permitía negarse à un caballero apuesto, que pensaba
no haber causado mucho daño y que me serviría fielmente
para siempre.

Como le tenía afecto, me contenté con librarme del
señor Merrimet y emplear un nuevo tutor para los muchachos. Este fue Robert Elmore, un gentilhombre de Plymouth, un erudito que pasaba por un mal momento y se
alegraba de tener hogar. Era un hombre maduro y muy
serio. Pensé que había efectuado un buen cambio.

Linnet florecía. Era una niñita satisfecha, de grandes
ojos maravillados y risa pronta.

En la casa todos la adoraban, en particular Romilly,
que era de gran ayuda con los niños.

Inquieta por la conducta del señor Merrimet, yo me
preguntaba qué efecto tendría esto en la joven que tan
poco tiempo antes sugería estar dispuesta a casarse con él.
Tenía la impresión de que había un cambio en ella. Debía
haber sufrido al comprobar que el hombre que posiblemente la hubiera cortejado, pasaba al mismo tiempo las
noches con una mujerzuela tan experta como Jennet.

Al principio no se mostró muy alterada. Luego, de
pronto, comprendí que algo pasaba, y de inmediato sospeché que su relación con el señor Merrimet no había sido
inocente. Y en verdad, ¿cómo podía haberlo sido con un
hombre así?

Tres meses después de la partida del tutor la interpelé
al respecto.

Ella estalló en lágrimas y me confesó que estaba encinta.

—¡Qué pillo es ese hombre! —exclamé yo—. Que se
acostara con Jennet, bueno... Es una mujer de lo más
experta en esas cuestiones, que sin duda durmió con otros

cien antes que él. Pero ¡una joven inocente... protegida mía y del capitán! Es un pillo y un villano.

Ella siguió sollozando.

—Debiste decírmelo antes —agregué.

—No me atrevía —repuso ella—. ¿Y ahora qué haré?

—Nada. Ya no puedo encontrarte marido. Tendrás que sobrellevar tu vergüenza y tener tu hijo —compadecida, la rodeé con un brazo—. Has sido muy tonta, Romilly. Sin duda prestaste oídos a promesas y ahora te ha sucedido esto.

Romilly asintió con la cabeza.

—Con todo, no es la primera vez que le sucede esto a una muchacha. Eres afortunada, ya que el capitán apreciaba a tu padre y deseaba retribuir sus servicios. Tendrás aquí tu hijo, que habitará en esta casa. Vamos, no te angusties. Eso es malo para el niño. Hiciste mal y debes soportar las consecuencias. Es el destino de las mujeres... El hombre deja su simiente sin pensar y se marcha. Esto ocurre en toda Inglaterra... en todo el mundo.

Compadecía a la joven. Era tan joven y me estaba tan agradecida por mi actitud. Pero era un ser adaptable, que en poco tiempo olvidó su desdicha. Se dedicó a preparar prendas para su bebé y a remendar las ropas de los muchachos, ya que era hábil costurera.

En junio nació su hijo. Yo había hecho venir a la partera que me había atendido, de modo que recibiera la mejor atención posible. Tuvo un hijo, un varón robusto y sano.

Entré a verla. Parecía muy joven y endeble; sus ojos verdes brillaban más que nunca.

Me agradeció afectuosamente por mi bondad y yo, inclinándome sobre su lecho, la besé.

—La vida de una mujer puede ser dura —dije—, y tenemos el deber de ayudarnos unas a otras.

—Qué lindo es mi hijo —dijo ella.

—La partera no cesa de alabarlo.

—Tengo tanto que agradecer. ¿Qué me hubiera sucedido si el capitán no hubiera ido a Saint Austell para traerme aquí?

—Estaba preocupado, ya que tu padre había muerto sirviéndolo.

—Quiero demostrarle mi gratitud... y también a usted. ¿Me permitiría llamar Penn a mi hijo?

—No me pides un gran favor —repuse.

Así fue bautizado el hermoso hijito de Romilly.

SOSPECHAS

F ue un año lleno de acontecimientos. En enero fue llevado a juicio el duque de Norfolk, que había estado intrigando con la reina de Escocia, en la esperanza de casarse con ella e instalarla en el trono una vez depuesta Isabel.

Si se le probaban tales acusaciones, pocas posibilidades tenía de salir con vida.

En mayo habían corrido rumores sobre otro complot para matar a la reina y su ministro Burleigh, en el cual participaba el embajador español. Como resultado, se ordenó a dicho embajador que abandonara el país.

La animosidad hacia los españoles iba en aumento. En los últimos años, cuando cada vez más los marinos ingleses recorrían el mundo, habían entrado una y otra vez en conflicto con los españoles. A menudo los ingleses se habían apoderado de oro español, llevándolo a puertos ingleses. Esto alegraba a la reina, aunque simulara mantener relaciones amistosas con Felipe de España, dando a entender que las acciones de los piratas ingleses eran algo que ella deploraba, pero que le resultaba difícil corregir. Por otro lado, los españoles lograban algunos éxitos. Había versiones sobre marineros ingleses capturados por los españoles que eran llevados a España, encarcelados y torturados —no por ser piratas, sino por ser protestantes—, y algunos de ellos hasta quemados en la hoguera.

John Gregory relataba los horrores de su encarcelamiento, y cómo para escapar a la muerte había tenido que actuar como espía para don Felipe.

El duque de Norfolk fue ajusticiado en junio de ese año. Al mismo tiempo, apareció en el cielo una nueva estrella. Carlos, que se había hecho experto en astronomía, llevó a Jacko a la parte más alta de la casa y allí se la señaló. Era más luminosa que el planeta Júpiter y se la podía ver en la silla de Casiopea.

Hubo muchas especulaciones con respecto a esa estrella. Era un presagio. Según la teoría, su repentina aparición significaba España, cuyo poderío había aumentado y que había conquistado gran parte del mundo. Su desaparición mientras las estrellas y planetas conocidos permanecían era un indicio de que el imperio español estaba a p nto de desintegrarse.

El 24 de agosto de ese año, víspera de San Bartolomé, tuvo lugar un acontecimiento que conmovió al mundo entero, y no pude creer que sólo al mundo protestante. Estaba segura que lo sucedido en París —y más tarde en toda Francia— habría sido una afrenta para Felipe y otros como él.

En las primeras horas de la mañana habían sonado en todo París las campanas de alarma. Esto había sido la señal para que salieran los católicos y mataran a todos los hugonotes que encontraban. La matanza fue horrenda. La sangre corría por las calles de París; el Sena estaba lleno de cadáveres mutilados y la matanza proseguía. Había comenzado la gran masacre de San Bartolomé; en todas las ciudades provinciales de Francia se repetía el grito de "a matar".

El efecto de esa matanza repercutió en toda Inglaterra. En Plymouth la gente se reunía en las esquinas, comentando los sucesos. Circulaba el rumor de que los franceses y los españoles se hallaban confabulados con el Papa y que se proponían asesinar protestantes en todo el mundo, tal como en Francia.

Muchos decían que era tiempo de administrar a los católicos de nuestro país algo de la medicina que ellos habían aplicado a otros. "Démosles un poco de justicia parisiense", gritaban.

Nos enteramos de que lord Burleigh, quien se hallaba en el campo, había vuelto a Londres a toda prisa. Temía que en Londres hubiera caos y se repitiera la matanza... aunque a la inversa. Allí serían los protestantes quienes se tomarían venganza de los católicos. La reina se presentó en público vestida de luto, y lord Burleigh declaró: "Este es el mayor crimen desde la Crucifixión".

No cabían dudas del efecto que este terrible suceso tendría sobre nuestras vidas. Tan trascendentales acontecimientos conmovían al mundo y ninguno de nosotros podía ignorar que se anunciaban tragedias inminentes.

Aumentó la cólera contra los católicos. Yo sabía que estos serían perseguidos con mayor severidad en países protestantes, y en los que eran manifiestamente católicos se intensificaría la persecución. Cada vez más personas serían llevadas a las cámaras de tormento de la Inquisición; habría más gritos de agonía cuando las llamas consumieran los cuerpos de los mártires.

Jake regresó al año siguiente. Su llegada fue similar a la anterior. Hubo banquete y vinieron los mimos a entretenernos.

Apenas si miró a Linnet, aunque esta era una hermosa niña, asombrosamente parecida a él; le divirtió el traspié de Romilly y mostró cierto interés en su hijo. Con todo, le complació ver a Carlos y Jacko, con quienes fue paciente cuando lo abrumaron con preguntas acerca de su viaje. Solía sentarse en el jardín mientras ellos, acurrucados a sus pies, lo contemplaban admirados y él les relataba sus hazañas en alta mar.

Si hubiera podido tener un hijo varón legítimo, Jake habría sido un hombre orgulloso y feliz; en cambio, se lo veía con frecuencia pensativo y resentido.

A menudo advertía cómo miraba ceñudo a Roberto. Su ira porque yo pudiera tener un hijo varón de Felipe y no suyo lo enfurecía tanto, que a veces tenía la sensación de que me odiaba.

Fue después de su regreso del siguiente viaje cuando tuvo lugar el primero de una serie de extraños acontecimientos.

Siempre había seguido yo la práctica de visitar personalmente a los pobres de los alrededores. Algunas mujeres de mi categoría enviaban a sus criados con alimentos y ropa abrigada, pero mi madre siempre había ido en persona, con frecuencia acompañada por mí. Decía ella que esas personas no debían ver nuestros regalos como caridad, sino como de un amigo a otro.

Una mañana, cuando me disponía a ir al jardín, se me acercó una criada diciéndome que Mary Lee había pedido especialmente que yo la visitase.

Era una anciana que había tenido tres hijos, todos ellos perdidos en el mar. Yo acostumbraba visitarla régularmente. Esto complacía a Jake, a quien siempre le gustaba que se cuidara de los marineros. Mary tenía más de sesenta años y estaba inválida por el reumatismo; cuando esperaba mi llegada solía sentarse junto a su ventana a mirar.

Reuní algunos alimentos en una cesta y salí esa misma

tarde, pero al llegar a su cabaña me sorprendió que no estuviera esperándome en la ventana.

Su cabaña era una de esas construidas en una noche, pues allí regía la costumbre de que si alguien podía erigir una cabaña en una noche, la tierra en que esta se alzaba podía considerarse suya. Consistía de una sóla habitación.

Viendo la puerta entreabierta, la empujé mientras decía:

—Mary, ¿estás aquí?

Entonces la vi tendida en un jergón. Tan mortecina era la luz, que al principio no le vi la cara.

—Mary, ¿te sientes bien?

—Márchese, señora —susurró ella jadeante.

Me adelanté y me arrodillé a su lado.

—¿Qué te pasa, Mary?

—Márchese. Márchese. Son los sudores.

La miré y entonces vi los temibles signos en su rostro. Dejando la cesta, me apresuré a salir.

Vi a Jake en el atrio. Más tarde me pregunté si me esperaba.

—Fui a la cabaña de Mary Lee. Está con los sudores —dije.

—¡Muerte de Dios! —exclamó él—. ¿Y tú estuviste en la cabaña?

—Sí.

—Ve a tu habitación. Llamaré a un médico. Tal vez te hayas contagiado. Él podrá ver si se puede hacer algo por Mary Lee.

Fui a mi habitación, pensando sin cesar en esa otra ocasión en que había fingido sufrir esa terrible enfermedad para mantener alejado a Jake.

Me miré en el espejo. Yo había estado cerca de Mary Lee. La enfermedad era sumamente contagiosa. Tal vez ya...

—Dios mío, protégeme de eso —oré.

Supe entonces cuánto ansiaba seguir viviendo, y en esa casa para ver cómo crecían mis hijos, tener nietos. Acaso uno de ellos daría un nieto varón a Jake. ¿Bastaría eso para reemplazar a un hijo?

Mary Lee murió tres días después de mi visita a su cabaña, pero el mal no arrasó los poblados rurales como lo hacía en la apiñada Londres.

Durante una semana aguardé, temerosa, algún signo de estar contagiada, pero no lo hubo.

—Te lo habrías merecido —declaró Jake—. Una vez simulaste esa enfermedad para burlarme. Debes haber estado de veras decidida a evitarme —rió.

—Vaya si era sensata.

—Si te hubiera llevado conmigo al mar, tal vez habrías tenido un hijo mío, en lugar del bastardo español.

—No te atrevas a hablar así de mi hijo.

—Hablaré como me plazca.

—De mi hijo, no.

—No insistas en que tienes un hijo de ese hispano o te arrepentirás. Me provocas demasiado.

—Bien lo sé —repliqué—. Tal vez sea de lamentar que no me haya contagiado de los sudores y muerto. Entonces podrías haber hallado una esposa que te diese hijos.

Fue como si lo hubiera abofeteado. En ese momento pensé que su expresión indicaba horror ante la idea de perderme. Más tarde —mucho más tarde— lo recordaría preguntándome si acaso habría acertado con la verdad.

Jake estaba muy ocupado preparándose para su próximo viaje. A veces se quedaba a bordo hasta las primeras horas de la mañana. Carlos y Jacko trabajaban junto a él. Le había prometido que lo acompañarían en su siguiente viaje.

Una de esas noches desperté de pronto, y durante

algunos segundos me pregunté qué me habría sobresaltado. Entonces vi —o creí ver—que la puerta se cerraba lentamente, como si alguien se propusiera hacerlo con el menor ruido posible.

Alguien había estado en la habitación.

Salté de la cama, y al hacerlo percibí un crepitar a mis pies. Miré hacia abajo. Las colgaduras que rodeaban el lecho ardían a fuego lento en cualquier momento estallarían en una llamarada.

Echando mano del grueso cubrecama, azoté las llamas hasta amortiguarlas. El humo comenzaba a flotar por la habitación y salir al corredor.

Se oyeron gritos en toda la casa. No tardaron en aparecer criados trayendo baldes de agua, que arrojaron sobre las colgaduras ardientes. El humo empezaba a molestar, pero el incendio se apagó.

Oí la voz de Jake:

—¿Qué ocurre?

Poco después apareció con un brillo más profundo que de costumbre en los ojos.

—Hubo un incendio —repuso Carlos.

—En nuestra habitación —comentó Jake en tono extraño, mientras acercándose a mí entrelazaba su brazo con el mío—. ¿Qué pasó?

—Algo me despertó —repuse.

—No fue grave, aunque pudo haberlo sido —manifestó Carlos.

Jake ordenó que se preparara otra habitación y que llevaran vino.

Después de beberlo, me sentí un poco mejor. Entonces él me llevó a esa otra habitación y me sostuvo dulcemente en sus brazos.

A la mañana siguiente, me apresuré a preguntar cómo podía haberse iniciado el fuego.

—Alguien se descuidó con una vela —repuso Jake—. La dejaste encendida mientras dormías. Se cayó y entonces quemó las colgaduras.

—No hice nada semejante. Algún ruido me despertó.

—Sí, la palmatoria al caer. Basta ya. Así aprenderás a tener más cuidado en el futuro —dijo riéndose de mí—. ¿Algún hechizo protege tu vida, Cat? Hace muy poco estuviste junto a una enferma de los sudores. Y ahora tu dormitorio se incendia y tú despiertas en el momento preciso para salvarte...

Un hechizo, pensé. Eso parece.

Hice llamar a Jennet.

—Jennet, ¿quién te dijo que Mary Lee quería verme? —le pregunté.

Se mostró perpleja.

—Pues, señora, no lo recuerdo con exactitud. Desde entonces han sucedido muchas cosas. El incendio y demás.

—Procura recordar, Jennet.

—No lo sé de cierto. En ese momento tenía prisa. Tal vez alguien lo haya gritado desde lo alto de las escaleras. Sí, así fue.

—Debes saber de quién era la voz.

Arrugó el entrecejo.

—Fue una de las criadas, ¿verdad? —insistí.

Supuso que debía haber sido así. No pude sonsacarle nada.

Pero los gérmenes de la sospecha quedaban sembrados.

Yo no podía darle un hijo varón. De haberse casado con otra, tal vez él habría podido tener el hijo que ansiaba. ¿Estaría pensando así? Yo sabía que antes él me había deseado como a ninguna otra mujer. Pero ya no era una novedad para él, ya no era un desafío. Tal vez ahora no me deseara como antes; en cambio, anhelaba un hijo tanto como siempre.

Procuré recordar exactamente lo sucedido. Él podía haber dicho a una de las criadas que dijera a Jennet que Mary Lee deseaba verme. Era posible. ¿Y el incendio? ¿Quién habría cerrado la puerta sin ruido? Quienquiera que fuese, debía haber estado en la habitación pocos instantes antes.

¿Qué ideas se me ocurrían? Era demasiado absurdo.

¿Acaso él quería librarse de mí? ¿Era posible que lo hubiese intentado y fracasado?

De ser así, mientras él estuviese ausente yo estaba a salvo.

Poco después partía. Carlos y Jacko iban con él, aunque no en el *León Rampante*. Debían servir bajo las órdenes de uno de sus capitanes, en otra de sus naves.

Unos tres meses más tarde, Jennet irrumpió en mi habitación para anunciarme que las naves regresaban. Di órdenes para que se preparase un banquete y bajé al puerto.

Pero no vi al *León Rampante*. Los dos barcos que lo habían acompañado estaban de regreso, pero ¿dónde se encontraba su jefe?

El relato de Carlos y Jacko me colmó de temor. Atacados por cuatro barcos españoles, habían resistido con entereza, logrando alejarlos. Desde el *Léon Rampante*, Jake ordenó a los demás quedarse y combatir mientras él perseguía al galeón más grande, que pretendía escapar. Fue esa la última vez que lo vieron a él y a su nave.

Habiendo quedado ellos mismos muy deteriorados, no habían podido ir en su busca, de modo que habían emprendido el regreso a Plymouth esperando encontrar allí al *León Rampante*.

Después de eso escudriñamos continuamente el horizonte, pero el *León Rampante* no llegó.

UNA LARGA AUSENCIA

Habían pasado dos años y empezamos a buscar al *León Rampante*. Día tras día yo despertaba con una sensación de expectativa, y cada día al ponerse el sol, sentía un pesado abatimiento.

Hoy no, solía decirme. Tal vez mañana.

Y Jake seguía sin volver.

Todos los días hablábamos de él. Pensábamos dónde se encontraría. Cuando llegaban barcos, íbamos al puerto para averiguar si había alguna noticia del *León Rampante*. Y gradualmente, con el trascurrir de los meses, tuve miedo.

¿Que podría haberle ocurrido a Jake? Era imposible imaginarlo cautivo en manos enemigas. Empero, ninguna otra cosa podía mantenerlo tanto tiempo alejado. A menos que estuviese muerto. Eso era más imposible todavía. No podía creerlo. Jamás había visto a nadie tan vivo como Jake.

A veces me dominaba una terrible tristeza. Solía pensar: si ha muerto, ¿ha terminado mi vida? ¿Es realmente posible que no vuelva a verlo nunca?

Entonces no sé qué certeza me recordaba que él era indestructible, y escrutaba el horizonte con renovada esperanza.

—Que regrese —rogaba—. Que disputemos como antes. Que trate incluso de matarme, pero que vuelva.

¿Habría adoptado este recurso para enseñarme cuánto significaba para mí? Yo me había pasado años pensando tristemente en Carey. Oh, sí, había amado a Carey con pasión juvenil, pero ¿lo había amado más al perderlo que cuando lo había creído mío? Sabía que había amado más a Felipe después de muerto que en vida. ¿Estaba en mi naturaleza hacer esto?

¡Y ahora Jake!

No hay para mí otro que Jake, pensé. Oh, Jake, regresa.

Pero pasaban los meses y él seguía ausente.

Linnet era mi gran consuelo. Era vivaz y notablemente parecida a Jake. Tenía los mismos ojos asombrosamente azules, el mismo color de tez; más aun, tenía la misma expresión empecinada cuando se la contrariaba. Yo solía pensar: si Jake pudiera verla ahora... él que tanto ansiaba verse reproducido, vería que esto había ocurrido con su hija. Se parecía más a él que Carlos o Jacko.

Constantemente oíamos hablar de los ricos tesoros que nuestros marinos traían a Inglaterra: oro español capturado en abundancia. Las rivalidades entre ambos países se intensificaban con los años.

Cada vez que oía relatos, pensaba en Jake. Lo imaginaba en toda clase de aventuras. Pero sabía que debía haber ocurrido algo terrible; de lo contrario ya habría vuelto.

Parecía reinar ahora en nuestra casa la sensación general de que nunca volveríamos a ver a Jake. Sin embargo, yo me negaba a aceptar esto, al igual que Carlos, Jacko y también Jennet.

—Le haya sucedido lo que le haya sucedido, volverá —repetía Carlos.

Se hablaba mucho acerca de Francis Drake, un hombre nacido en Devon no lejos de Plymouth, se decía que en Tavistock. Los españoles lo consideraban un ser sobrenatural, el demonio encarnado, que surcaba los mares con la finalidad de eliminar a los católicos y robarles sus tesoros. Lo llamaban "El Draque", el dragón.

Un día de diciembre del año 1577 tuvimos la oportunidad de verlo zarpar de Plymouth. ¡Qué espectáculo glorioso fue aquel! Drake venía preparándose desde hacía un tiempo para esta expedición. En ese momento ignorábamos que iba a circunnavegar el mundo.

Su propio navío, el *Pelícano*, se parecía bastante a nuestro *León*. (Más tarde le cambiaría el nombre, llamándolo *Cierva de Oro*). Con él partían el *Isabel*, el *Clavelón*, el *Cisne* y el *Cristóbal*. Además de las naves había botes, algunos desmontados para almacenarlos mejor; se los armaría cuando hicieran falta. A todos nos asombraban las provisiones que se habían llevado a tierra; parte de la vajilla para su mesa era de plata. También llevaba consigo su banda de músicos. Se había comprobado cuán importante era la música para quienes se encontraban lejos de su país y entristecidos por ello. Un concierto podía distraer a los hombres del hastío que encierra los gérmenes de un motín.

En cierta medida me vi arrastrada por el entusiasmo general, pero este me recordaba con intensidad las ocasiones en que Jake había partido de viaje.

—Jake, Jake, ¿cuándo volverás? —murmuraba.

Un día llegó Carlos rebosante de entusiasmo. Hablando con algunos marineros, como solía hacerlo, había conocido al gran hombre en persona. A Drake le había interesado saber que era hijo de Jake Pennylon.

Se le permitió ayudar a cargar pertrechos, y Jacko, abrumado de envidia, fue con él y rogó que se le permitiera ayudar también.

Como resultado, debido a su entusiasmo y a la circunstancia de ser hijos de Jake Pennylon, Drake en persona vino a casa a visitarme.

Un hombre así queda para siempre en la memoria. Aunque no era alto, irradiaba una sensación de poder. Tenía brazos y piernas vigorosos, y hombros anchos; era hombre de expresión alegre, en cuyos ojos azules, grandes y despejados, había lo que yo llamaba "mirada de marino" —tan notable en Jake—, penetrante como si pudieran ver más lejos que la mayoría. Su barba entera era rubia, al igual que su cabello, y había en él una cualidad humana. Me conmovió profundamente que un hombre que en ese momento tenía tantas preocupaciones pudiera disponer de algunas horas para venir a consolarme, ya que eso era lo que intentaba hacer.

—Me encontré una o dos veces con el capitán Pennylon —declaró—. Es un gran marino. Inglaterra necesita gente como él.

Yo resplandecí de orgullo y se me llenaron los ojos de lágrimas, cosa que él advirtió.

—A veces nos ausentamos durante años y la mayoría nos da por perdidos —continuó—. Pero algunos de nosotros no somos tan fáciles de eliminar, señora. El capitán Pennylon es uno de esos.

—Lo que más temo es que haya caído en manos de los españoles.

—Pues le diré que resistirá a pie firme.

—Estoy convencida de que regresará.

—Debe saberlo, ya que hay un vínculo entre ustedes. Eso suele ocurrir con las esposas de los marinos.

Dijo que encontraría sitio para Carlos y Jacko en su expedición, si yo así lo deseaba. En verdad había ido a preguntármelo antes.

Aunque me acongojaba la idea de que corrieran peligro, sabía que no debía impedirles marchar.

Fue así que, cuando Drake partió, Carlos y Jacko iban con él.

Fue un espectáculo glorioso verlos zarpar... un espectáculo regocijante, pero solemne.

Jennet, que estaba a mi lado, exclamó:

—Pensar que mi pequeño Jacko navega con el poderoso Drake... Pero yo habría preferido que fuese con el capitán.

Luego se apartó para enjugarse los ojos, pero estos volvieron a brillar casi inmediatamente.

—¡Pensar en lo que dirá cuando vuelva!

Sin duda ella, como yo, creía en la indestructibilidad de Jake.

Pasaron los días sin que hubiera noticias.

La siguiente primavera llegó Edwina a Trewynd Grange. Tenía diecisiete años; al cumplir dieciocho recibiría su herencia. Alice Ennis vino a Pennylon Court para decirme que la esperaban.

—Nos quedaremos aquí con ella —declaró—. Es lo que desea su madre. Una muchacha joven no debe vivir como ama de una mansión tan grande.

Edwina llegó con un séquito de criados a quienes había escogido en el castillo de Remus, hogar de su padrastro. Yo ansiaba verla, de modo que tan pronto como se me trajo la noticia de que había llegado, fui a Trewynd.

Nunca pude entrar en esa sala sin que los recuerdos acudieran en tropel a mi mente. Cuando levanté la vista hacia la mirilla, una larga práctica me indicó que alguien me observaba desde allí. Recordé cómo Honey y yo habíamos visto desde allí la entrada de Jake en la sala; recordé la noche en que había sido llevada al galeón. Pero eso había ocurrido mucho tiempo atrás; ahora era Edwina, la hija de Honey, quien estaba allí.

Cuando entró en la sala, le tendí las manos. Ella me las estrechó sonriendo.

Creo que desde ese momento nos quisimos.

Edwina visitaba con frecuencia Pennylon Court. Había pasado a ser como una hija para mí; ella y Linnet eran buenas amigas.

Yo no olvidaba a Jake. Soñaba con él a menudo, y cuando al despertar comprobaba que no estaba a mi lado, me dominaba un vacío abrumador.

Un día de noviembre del año 1580, llegó a puerto Francis Drake.

Reinó el entusiasmo. Drake había traído consigo una enorme cantidad de tesoros como nadie había traído antes. Había oro y plata, piedras preciosas y perlas, así como sedas y especias.

Traía también de vuelta a Carlos y Jacko.

¡Cuánto habían cambiado! Ahora eran hombres... marineros expertos.

El primero a quien buscaron al llegar a tierra fue a su padre. Yo meneé la cabeza tristemente, pero en Jake pensábamos durante las celebraciones por la llegada de Carlos y Jacko. Todos sentíamos con intensidad la ausencia del jefe de la casa... hasta Linnet, quien apenas podía recordarlo.

Carlos y Jacko hablaron mucho acerca de sus aventuras. Había habido tempestad y calma; habían visitado extrañas tierras y estado a punto de perder la vida. Habían crecido y tenían el mar en la sangre.

Esa expedición sería recordada durante años, porque si bien Drake no había sido el primero en comprobar que la Tierra era una esfera, sí había sido el primero en circundarla. En cambio Magallanes, aunque sabía que esto era posible, no había logrado completar el círculo, ya que murió en las Filipinas.

Drake era el gran héroe de la región. Poco después de su regreso recorrió el Támesis en la *Cierva de Oro,* y en Deptford la reina lo armó caballero.

Hombres como Drake, Carlos y Jacko habían llegado a ser los héroes de nuestra época porque serían los líderes cuando llegase el momento de hacer frente a los españoles.

Jake Pennylon era uno de esos hombres.

Ya hacía tanto que estaba ausente, que si yo aún abrigaba esperanzas era solamente por tratarse de Jake. Carlos y Jacko, Jennet, todos aquellos que lo habían conocido íntimamente, se negaban a creer en su muerte. Tal era el aura mágica que siempre nos había trasmitido.

A veces abría yo el armario donde se guardaban sus ropas y tocaba la tela de una chaqueta. Entonces creía oír su risa. "No la descartes, Cat. Aún me hará falta".

Una vez, al abrir un cajón, salió volando una polilla. Enseguida me inquieté. Debía cuidar de sus ropas y no quería que nadie más lo hiciese. Por consiguiente decidí sacarlas, doblarlas de nuevo y poner entre ellas un polvo de hierbas que me había dado mi abuela, quien estaba convencida de que protegería eternamente la ropa contra polillas e insectos.

Fue entonces cuando hice aquel horrendo hallazgo. En el bolsillo de una de sus chaquetas encontré una figura. Al tomarla me trasladé mentalmente a esa ocasión en que había hallado en mi cajón la imagen de Isabel.

No cabían dudas de a quien representaba. ¡A mí! Distinguí la cabeza del alfiler, un poco enmohecida ... en el sitio donde había perforado la tela de mi vestido.

¡Y en el bolsillo de Jake!

No era posible. Recordé cómo, en más de una ocasión, él había vociferado contra las brujas. Pero ¿por qué motivo? ¿Acaso porque creía en el mal que ellas podían hacer, porque las creía capaces de matar, porque las temía?

Y por qué estaba esa imagen en su bolsillo ...

La examiné. Había una semejanza. Cabello espeso y lacio, como el mío, y ojos pintados de un vívido color verde. No cabían dudas de a quien representaba.

¿Habría consultado con una bruja? ¿Habría estado ejecutando sus órdenes? ¡Imposible! Y sin embargo, tenía ese objeto en un bolsillo. Debía hacer años que se encontraba allí. ¿Por qué lo había dejado allí al marcharse? ¿Quizá con la esperanza de encontrar hecha la brujería al volver?

Decidí destruir esa figura.

Poniéndola en un bolsillo, salí al jardín. En las afueras de la finca había una choza. Pocas personas acudían allí. Sepulté la muñequita bajo unos helechos y les prendí fuego. La hierba estaba seca, al igual que los helechos; yo no había creído que ardieran tanto. Mientras la cera de la imagen chisporroteaba, Jennet y Manuela, que debían haber visto el humo, salieron corriendo de la choza.

—No es nada —dije—. Sólo un pequeño incendio.

—¿Cómo ocurrió esto? —preguntó Jennet; no le contesté.

Al amainar el fuego, Jennet apagó sus restos pisoteándolos. Arrodillándose, Manuela sacó un trozo de tela chamuscada. Era el trozo que tenía el alfiler clavado.

Nada dijo, pero cuando alzó la vista y me miró,

recordé cuando había entrado en mi habitación, en la Hacienda.

—Habría que cuidarse del fuego —comenté tratando de aparentar naturalidad—. El suelo está muy seco ahora.

Carlos y Edwina sintieron mutua atracción desde el instante en que se conocieron. Dos meses después del regreso de la expedición de Drake, Edwina llegó a mi casa diciendo que debía decirme algo.

Ella y Carlos querían casarse.

—Hace tan poco que se conocen —aduje.

—Es tiempo suficiente —replicó ella—. Además, él es marino, y los marinos no tienen tiempo que perder.

Pensé sonriendo que no era la primera vez que oía eso.

—Mira, tía Catharine, aunque nos hemos encontrado recién, debemos habernos conocido hace años. Estuvimos juntos siendo pequeños. Es notable que ambos hayamos nacido tan lejos... ambos en el mismo sitio; nuestro encuentro parece cosa del destino.

—Todo en la vida es destino.

—Pero ¡el modo en que nos criamos juntos! Tú capturada junto con mi madre y allí estaba Carlos... y tú lo encontraste y lo llevaste a la Hacienda. Mi madre me lo contó.

—¿Estás segura de amar a Carlos?

—Oh, tía Catharine, de eso no puede haber dudas.

—Ser esposa de un marino no es fácil. Habrá largos períodos en que estará ausente, y un día quizás...

No pude continuar; ella me estrechó en sus brazos.

—El padre de Carlos volverá —intentó tranquilizarme—. Carlos está seguro de ello.

—Y también yo —declaré con vehemencia—. Sé que un día miraré desde la ventana y veré su barco en la bahía.

Pero, oh, cómo pasan los años... y no hay noticias... no hay noticias...

Edwina tenía lágrimas en los ojos. Merced a su amor por Carlos, comprendía mi tragedia.

Entró Manuela en mi habitación. Sus ojos grandes y lúgubres brillaban de temor al posarse en mí.

—Señora, debo hablar con usted.

— ¿Qué deseas decirme, Manuela?

—Había cera. Era una imagen. Había restos de tela y aquí tengo el alfiler —declaró poniéndolo sobre la mesa—. Estaba clavado aquí —continuó tocándose el costado izquierdo—, como atravesando el corazón. Debe haber sido igual a la imagen que se hizo de doña Isabel. Esas imágenes son las mismas en todo el mundo. Hay brujas en todas partes... y ellas actúan juntas de igual manera.

— ¿Qué estás sugiriendo?

—Alguien quemó eso. Estaban quemando a la persona representada mediante la imagen.

—Yo quemé esa imagen, Manuela.

— ¡Usted, señora! ¡Usted desea que alguien muera!

—Esa imagen fue hecha a semejanza mía. La encontré en... la encontré. Como no quiero tener en mi casa tales cosas, la quemé.

—Pero, señora, alguien hizo una imagen de Isabel y esta murió...

—No doy crédito a tales disparates.

Ella me miró sacudiendo la cabeza tristemente.

Cuando se hubo marchado, me pregunté: ¿decía yo la verdad? ¿Hasta qué punto creía o no? Recordé cómo había sido enviada a casa de Mary Lee, y cómo supe que alguien había estado en el dormitorio, pues había visto cerrarse la puerta, y luego había comprobado que las cortinas de mi lecho ardían. Había hallado la imagen entre las ropas de Jake, y desde su partida no se había atentado más contra mi vida.

¿Era posible que hubiera intentado deshacerse de mí, y que al fracasar se hubiera marchado temporariamente, renunciando a sus planes hasta su regreso? No quería dar crédito a tales disparates. Y sin embargo... la sospecha quedaba sembrada y volvía con frecuencia a mi mente.

Habría boda en Trewynd.

Como es natural, Edwina estaba entusiasmada.

—Vendrá mi madre —decía—. Mi padrastro no iba a acompañarla, pero yo escribí diciendo que debía hacerlo. Al fin y al cabo, se trata de mi boda.

Entonces pensé: veré a Carey. Al cabo de tantos años, quién sabe cuáles serían mis emociones.

En Trewynd, los Ennis se preparaban para la boda. Había en todas partes olor a romero y laurel, quemados para aromatizar la mansión. Ordené que se hiciera lo mismo en Lyon Court, pues siempre era necesario aromatizar la casa periódicamente. Para ello solíamos trasladarnos a distintas partes de la casa mientras se aromatizaban las demás; con la llegada de tantos huéspedes, teníamos que aromatizarla toda. Me alegré de haber aprendido tanto sobre hierbas gracias a mi abuela, ya que eso me permitió utilizar toda clase de hierbas perfumadas.

El día en que llegó el grupo fue de regocijo. Habían viajado juntos para mutua protección. Mi madre y Rupert se alojarían en mi casa; Honey, Carey y sus hijos en Trewynd.

Ver a mi madre fue maravilloso. Aunque había envejecido un poco, en ella y en Rupert había un aire de serenidad que me indicó que ambos eran felices juntos.

Tarde o temprano, inevitablemente, me encontraría con Carey. La primera vez fue en la gran sala de Trewynd, donde se alojaba con Honey. En cuanto a esta, los años no habían estropeado su belleza. La de ella era indestructible. Aunque tal vez más tristes sus ojos violetas eran tan luminosos como siempre. De inmediato advertí que por estar más realizada que nunca en su vida, y por estar satisfecha y feliz, una nueva cualidad se mezclaba con su belleza, agregándole algo.

Tales encuentros eran necesariamente emotivos. Yo la besé con afecto mientras no dejaba de percibir la presencia de Carey. Después puse las manos en las suyas, él apoyó su mejilla en la mía. Sentí la firme presión de sus manos.

—¡Catharine!

—Vaya, Carey . . . hacía años que no nos veíamos.

—Has cambiado muy poco.

Él había cambiado mucho. Algo maciento estaba el enjuto rostro que yo tanto había amado y recordado durante años. Me pregunté si, de no haber sabido quién era, lo hubiese reconocido.

Hablamos acerca del viaje, de lo que ocurría en el país, y del placer que esta boda les daba.

Fue fácil, pasó sin contratiempos. Yo nunca habría creído posible evidenciar tan poca emoción al encontrarme con Carey.

Fue distinto cuando nos encontramos a solas junto al estanque del jardín. Allí podíamos hablar sin trabas.

—Oh, Catharine, he pensado en ti a menudo —dijo él.

—Y yo en ti —repuse.

—No hubo más remedio que separarnos . . .

Yo meneé la cabeza.

—Quise morir —agregó él.

—También yo. Pero vivimos, y ahora tú tienes hijos, y yo un hijo y una hija.

—Y bien, nos construimos una vida —prosiguió—.

Cuando me enteré de que te habían raptado los españoles me maldije por no estar contigo... por no haber desafiado a todos y a todo.

—Fue hace mucho. ¿Y eres feliz... con Honey?

Su expresión se suavizó.

—Nunca creí ser tan feliz desde que te perdí.

Después hablamos de Roberto; Carey dijo que en su opinión, debía ver mundo. Sin duda él podría hallarle un puesto en círculos diplomáticos.

Esto complació a Roberto: pocas veces lo había visto tan entusiasmado.

Fue celebrada la boda. Carlos fue a vivir a Trewynd y los Ennis partieron junto con Roberto, mi madre y Rupert, Carey, Honey y sus hijos.

Ayudé a los recién casados a instalarse.

Me alegraba de que todo hubiera salido así. Había vuelto a ver a Carey, no sin cierta emoción, mas ahora tenía la certeza de que era a Jake a quien quería.

Había amado a Carey; había amado a Felipe. Los había perdido a ambos. Jake era distinto. Era parte de mí. Estar sin Jake era como estar viva sólo a medias.

Por eso tenía que seguir creyendo que regresaría.

Era fines de febrero. Carlos se hallaba en el mar y Edwina había pasado la Navidad con nosotros. Habíamos adornado la casa con acebo y hiedra; habíamos jugado. El tiempo pasaba. Linnet tenía ya casi catorce años; yo había cumplido cuarenta.

La pobre Edwina anhelaba tener hijos, pero hasta ese momento no había señales de ellos. Me afectaba hondamente ver con qué frecuencia fijaba la mirada en el horizonte, soñando en el día en que aparecería un barco y Carlos regresaría a su lado.

En esos años había aumentado mucho la actividad en el mar. Existían seis o siete naves por cada una que había antes. En el mar se podían obtener riquezas y honores. El nombre de sir Francis Drake estaba en todas las bocas. Había logrado fortuna y honor... no sólo para sí mismo, sino para su país. Se hacían risueñas referencias al miedo que tenían los españoles a El Draque. Lo creían algún dios potente —o el Diablo— y vivían en cotidiano temor hacia él.

Un día llegó Edwina a Lyon Court, como lo hacía tan a menudo. Dijo que unos amigos de Carey, que se encaminaban hacia sus fincas campestres de Cornualles, habían permanecido una noche en Trewynd. Traían noticias de Londres.

Había habido otro complot, que bien pudo haber triunfado, en cuyo caso —decía Edwina— tal vez habríamos tenido otra reina en el trono.

—Eso es imposible —aduje—. El pueblo respalda con firmeza a nuestra soberana, Isabel.

—No obstante, el embajador español ha sido expulsado de la Corte y regresará a España sin demora. Francis Throckmorton ha sido arrestado y se encuentra ahora en la Torre.

—Ha habido estos complots desde que la reina de Escocia llegó a Inglaterra —comenté.

—Y los habrá, dicen algunos, hasta su muerte. Es de extrañar que la reina no la decrete. María está en su poder, y se dice que los ministros de la reina se lo aconsejan constantemente; sin embargo, ella se niega.

Esa visita de Edwina trastornó mi paz espiritual.

Era junio y los jardines rebosaban de rosas Damask, que me gustaban especialmente porque su nombre me recordaba el de mi madre. Sobre el estanque revoloteaban las moscas efímeras, junto a los arroyos había pirámides de salicaria, en los setos proliferaban moradas ortigas mezcladas con rosas, y en el aire había olor a madreselva.

Reinaba un tiempo excepcionalmente calmo, lo cual originaba en todas partes una quietud, como si la naturaleza estuviera aguardando que sucediera algo dramático.

Pronto volverá Jake, pensé. En un día como este miraré desde mi ventana y veré el *León Rampante* en el horizonte.

Llegada la noche me senté junto a mi ventana, como lo hacía a menudo, para contemplar el mar. Esa noche me sentía inquieta; fue casi como una premonición, ya que estando allí oí a la distancia un ruido de cascos que se acercaban cada vez más. No veía nada; de pronto el rumor cesó. Me preguntaba quién andaría a caballo a esa hora cuando vi abajo una figura que cruzaba furtivamente el atrio.

Era una figura conocida. ¡Roberto! , pensé.

Bajé de prisa, desatranqué la puerta y salí al patio.

—¡Roberto! —exclamé.

—¡Madre!

Cuando lo abracé, casi sollozaba.

—Querido —dije—. Has venido a casa . . . Pero ¿por qué tan sigilosamente?

—Nadie debe saber que estoy aquí —susurró él—. Tengo muchas cosas que contarte.

—¿Te hallas en aprietos, Roberto?

—No lo sé. Es muy posible que sí. .

Con terrible ansiedad le pedí que se quitara las botas. Debía ir a mi dormitorio con el menor ruido posible. Agradecí a Dios que Jake no estuviera en casa.

Llegamos a mi dormitorio sin contratiempos.

—¿Tienes hambre? —le pregunté.

—Comí en una posada cerca de Tavistock —repuso él.

—Dime qué ocurre . . .

—Madre, debemos poner en el trono a la verdadera reina —manifestó—. Tenemos que deponer a la bastarda Isabel.

—¡Oh, no! —exclamé—. Eso no, te lo imploro. Isabel es nuestra buena y verdadera reina.

—No tiene derecho. Te digo, madre, que no tiene derecho. ¿Quién es ella? La hija bastarda de Ana Bolena. María es hija de reyes.

—Isabel es hija de un gran rey.

—A través de su concubina. La reina María es la verdadera y legítima heredera. Ella restaurará en Inglaterra la verdadera religión.

—Ah, es un complot católico —dije.

—Es el deseo y la decisión de establecer la auténtica religión, madre. España nos respalda. Están listos para atacar. Sus arsenales trabajan día y noche. Están equipando la mejor Armada que se haya visto en el mundo. Nadie podrá hacerle frente.

—Mi querido Roberto, *nosotros* le haremos frente. ¿Crees acaso que hombre como tu padrastro, como Carlos y Jacko, podrían ser vencidos por los barcos más grandes del mundo?

—Todos son unos fanfarrones —replicó Roberto, y cómo se le deformaba el rostro de odio y desprecio al hablar de Jake—. Cuando vean que son atacados por las naves españolas comprenderán que han sido derrotados.

—Eso jamás.

—Tú no entiendes el poderío de esas naves, madre.

Yo recordaba, sí, la majestad de un galeón español.

—Llegará el día —continuó él—. Puede llegar ya en cualquier momento. Hemos fracasado... pero no siempre fracasaremos.

—¿Por qué viniste? —le pregunté con ansiedad—. ¿Corres peligro?

—Es muy posible que sí. No sé con certeza si mi

participación era conocida. Me pareció más sensato marcharme. Nadie sabe dónde he ido. Tal vez se enteren de mi participación. Throckmorton está en la Torre; si lo torturan...

—¡Throckmorton! —repetí—. ¿Y tú estás involucrado en eso? Oh, Roberto, Roberto, ¿qué has hecho?

—Se me dio mi puesto por recomendación de lord Remus, y quizás eso me haya salvado. Remus goza de confianza y fue fiador mío. Pero a causa de esto pensé que debía alejarme por un tiempo. Por eso vine aquí. Pero, madre, si vienen en mi busca . . .

—¿Cómo podemos mantener tu visita en secreto? —pregunté con rapidez.

—Es por poco tiempo, madre . . . hasta que tengamos la certeza.

—Gracias a Dios que tu padrastro no está en casa —comenté.

—Cuánto se alegraría de entregarme a Walshingham —rió él.

—¡Walshingham! —exclamé.

—Tiene espías en todas partes. Por su culpa hemos sido descubiertos.

—Esto parece una pesadilla hecha realidad. Es lo que siempre temí. Este conflicto está en la familia. Mi madre sufrió tanto por él. Y ahora . . .

Un resplandor de fanatismo brillaba en los ojos de Roberto cuando tomó mi mano.

—Madre, tenemos que restituir la verdadera religión para este pobre país —dijo.

—Dime cómo es que participas en esto. Cuéntame qué sucedió.

—Francis Throckmorton recorrió toda España. Allí habló con hombres muy influyentes, vio los esfuerzos que se están haciendo. Desde Madrid fue a París, donde se reunió con agentes de la reina María. La familia de la reina, los de Guisa, se proponen formar un ejército. De regreso en Londres, Throckmorton se instaló en una casa cercana al puerto. Allí recibía cartas de Madrid y París, que eran trasmitidas a la reina de Escocia.

—¡Dios mío, Roberto, en qué enredo estás!

—Procuro traer grandes beneficios a este país. Procuro que la gente recobre la cordura, la verdad y . . .

—Y causar tu propia destrucción.

—Si así fuera, madre, moriría por una gran causa, y ¿qué importancia tendría mi muerte si esa causa triunfara?

—La tendría para mí —repuse con ira—. ¡Qué me importan las causas! Me importa mi hijo . . . mi familia. ¿Qué me importa una u otra doctrina? Yo creo en la más sencilla: amaos los unos a los otros. Nada tiene que ver con el culto de cada uno, sólo con tener la conducta de un buen cristiano.

—Piensas como mujer.

—Si el mundo entero hiciera eso, sería un lugar más feliz.

—Los espías de Walshingham vieron que Throckmorton visitaba la casa del embajador español. Fue arrestado, y al registrar su casa se encontró una lista de católicos en Inglaterra dispuestos a tomar parte en el intento de restaurar la verdadera religión.

—¿Y tu nombre estaba entre esos?

—Es muy posible.

Aterrada, guardé silencio.

—Debemos ocultarte, Roberto —dije luego—. Pero ¿por cuánto tiempo? Hay que ocultarte antes de que todos despierten.

—Manuela nos ayudará —repuso él.

Comprendiendo que tenía razón, dije:

—La llamaré, pero nadie debe saber el motivo. Quédate

aquí. No te alejes de esta habitación. Cerraré la puerta durante mi ausencia.

Y bajé a la habitación donde Manuela dormía con Jennet. Agradecí entonces las promiscuidades de Jennet, ya que no estaba allí y Manuela estaba sola. De lo contrario, estaba preparada para pedirle un remedio contra el dolor de dientes, pero no fue necesario.

—Manuela, Roberto está aquí —susurré.

Se levantó de su jergón con rapidez, iluminado el rostro de alegría.

—¿Ha vuelto?

—Puede que esté en peligro.

Mientras se lo explicaba, ella movía la cabeza asintiendo.

—Debemos ocultarlo por un tiempo —finalicé—. Tienes que ayudarme.

No dudaba de que lo haría.

Regresamos a mi habitación y abrimos la puerta. Manuela estrechó a Roberto en sus brazos mientras le hablaba con suavidad y cariño en español. Le decía, en esencia, que estaba dispuesta a morir por él.

Luego se volvió hacia mí diciendo:

—En el límite de los jardines hay una choza donde se guardan nuestras herramientas de jardinería. Pocos son los que van allí.

—Tal vez lo hagan los jardineros —objeté.

—No, no van. Guardan cuanto necesitan en la casa del jardín. Las malezas crecen alrededor de la choza, que está obstruida por arbustos. Si logramos cerrarla, podríamos esconder allí a Roberto . . . por un tiempo.

—Debemos hacerlo hasta que podamos urdir otro plan mejor —repuse—. Manuela, nadie más que nosotras dos debe saber que Roberto está aquí.

Asintió con vehemencia y comprendí que podía confiar en ella.

—Llevaremos mantas para que esté abrigado, y comida caliente. ¿Puedes hacerlo, Manuela?

—Puede confiar en que cuidaré a Roberto —contestó ella.

Yo lo sabía. No solamente lo amaba, sino que como él era católica y deseaba ver depuesta a la reina y a María instalada en su lugar.

De pronto dije:

—Llegaste a caballo. ¿Dónde está?

—Lo até junto al bloque de montar.

Manuela y yo nos miramos.

—Debemos llevarlo a los establos —dije—. Que parezca haber llegado extraviado.

—¿Creerán eso? —preguntó Roberto.

—¿Qué otra cosa podemos hacer? No podemos dejarlo. Además, estaría listo por si lo necesitaras con rapidez.

—Me ocuparé de ello —dijo Manuela.

Así lo hizo, y aunque en los establos hablaron acerca del caballo desconocido que había aparecido de pronto, nadie se sorprendió demasiado. Todos dijeron que alguien lo reclamaría. Mientras tanto se lo cuidaría junto con los demás.

Siguieron luego dos semanas de espantoso temor.

No podía contenerme de merodear cerca de la choza. Teníamos el acuerdo de llamar a la puerta de un modo determinado; de lo contrario él no debía abrirla. Yo solía despertar de noche sudando de miedo, imaginando haber oído en el atrio a los soldados de la reina. No tenía un instante de paz. Aun durante las comidas me sobresaltaba al oír ruido de cascos.

—¿Qué te ocurre, madre? —preguntaba Linnet—. Cualquier ruido te hace saltar.

Tenía que agradecer la ausencia de Jake, pues tenía la certeza de que habría sido imposible ocultar a Roberto si él hubiese estado allí.

Linnet estaba preocupada por mí, creyéndome enferma.

Habría querido decir a mi hija que ocultábamos a su hermano, mas no me atrevía. Aunque confiaba en ella, estaba decidida a que no se viera complicada.

Mantuvimos a Roberto en la choza durante dos semanas. No entiendo cómo lo conseguimos. Manuela era un ser sigiloso. Habiendo encontrado la llave de la choza, encerró a Roberto adentro. En lo alto de la pared había una ventana por la cual él podría escapar hasta un matorral si era necesario. Manuela pensaba en todo. Trazaba planes excelentes y trabajaba con empeño por Roberto.

Llegó Edwina con la noticia de que Throckmorton había sido ejecutado en Tyburn. Atormentado tres veces, había confesado haber compilado las listas de católicos ingleses que apoyarían la causa de la reina de Escocia. Además, se habían hallado planos de puertos ingleses preparados por él.

De modo que Throckmorton estaba muerto... ¿y aquellos cuyos nombres habían sido hallados en la lista?

Walshingham solía actuar subrepticiamente. Sabiendo que alguien participaba en un complot, tal vez no lo arrestase de inmediato; tal vez lo hiciese vigilar con la esperanza de atraer otros a la red por intermedio suyo.

¿Cómo podíamos saber con certeza si Roberto no era uno de los hombres a quienes buscaba Walshingham?

Al menos nadie había ido a preguntar por él. Hacía un tiempo que había abandonado su puesto, y sin duda si sospechaban de él habrían empezado por buscarlo en su hogar.

También él, advirtiendo esto, comprendió que debía marcharse.

Una noche, cuando todos se habían acostado, Manuela y yo bajamos a los establos. Ensillamos el caballo roano y Roberto partió montado en él.

Por la mañana los criados dirían que el animal se había ido tal como llegara. Al menos eso esperábamos Manuela y yo.

—Ten cuidado, hijo mío —dije.

Unos meses después de la partida de Roberto, al despertar una mañana, vi en la bahía un barco desconocido.

Desde el puerto, una pequeña multitud observaba la nave. Nunca habían visto nada parecido. Era larga, con una sola vela donde se veían signos extraños. La nave parecía tripulada por numerosos galeotes.

—Es árabe —fue el veredicto.

Pero alguien dijo:

—No, es turca.

Yo bajaba invariablemente cuando había alboroto en el puerto, pues conservaba la esperanza de oír noticias de Jake.

Contemplé los botes que se acercaban a tierra y de pronto ocurrió el milagro. Vi a Jake. Permanecí un momento mirándolo con fijeza. Él me devolvió la mirada, y entonces fue como si miles de voces entonaran un cántico triunfal.

Jake había regresado.

CON LA MUERTE EN EL ALMA

A llí estaba ante mí ... cambiado, sí, cambiado. Tan flaco estaba que parecía más alto que nunca; tenía el cabello casi blanco de tan desteñido por el sol, el rostro profundamente bronceado y más surcado de arrugas, pero sus ojos eran tan asombrosamente azules como siempre.

Me arrojé en sus brazos dominada por una loca alegría.

Él me ciñó largo rato; después se apartó de mí para fijar en mi rostro una mirada larga y escrutadora.

—Siempre la misma Cat —dijo.

—Oh, Jake, cuánto tiempo ha pasado ... —respondí.

Entramos en la casa. Él la miró maravillado, tocando la piedra, admirándola, amándola. En tantos años, ¡cuánto habría soñado con ella, con nuestra vida allí, conmigo!

—No. hemos hecho preparativos para darte la bienvenida —comencé—. De haberlo sabido, qué banquete habríamos hecho ...

—No importa —replicó él—. Basta con estar en casa.

Había tanto de que hablar, tanto que contar, y sólo gradualmente averigüé todo lo sucedido a Jake durante esos largos años.

Supe así que se habían encontrado con los españoles, y que al perseguir uno de los galeones Jake se había separado del resto de su grupo.

El español había logrado alejarse y el *León Rampante* no había salido indemne. Sabiendo que su barco no podía emprender un largo trayecto, Jake había tenido que buscar un sitio donde pudiera reacondicionarlo. Eso no era fácil en una costa donde los españoles podían presentarse en cualquier momento. Jake conocía la costa de Berbería y pensó que podría convencer o amenazar a los nativos para que lo ayudaran a restaurar su navío.

¡Cuántas frustraciones, desdichas y penurias había sufrido!

Pude intuir la violencia de la furia que había experimentado cuando, después de abandonar su barco y recorrer unos sesenta kilómetros por tierra, él y sus hombres fueron capturados por un destacamento de españoles.

¡El altivo Jake cautivo en tales manos! Cómo debía haberlo enfurecido eso.

No me contó de una sola vez todo lo sucedido. Yo lo reconstruí a medida que me enteraba de uno u otro incidente. Me prometí que en el trascurso de los años averiguaría cada vez más y en detalle, toda la terrible historia de lo que le había impedido volver en tanto tiempo.

Oí fragmentos acerca de cómo habían sido encadenados y conducidos a través de la jungla, acerca de los mosquitos que los atormentaban y habían causado la muerte de algunos, de las sanguijuelas que se les adherían a las piernas cuando procuraban refrescarlas en los arroyos. Y lo peor de todo era saber que estaban a merced de los españoles.

Dos años debía haber pasado en la jungla antes de que zarparan rumbo a España. Jake iba prisionero con unos treinta miembros de su tripulación, que hasta entonces habían sobrevivido. Sabían hacia dónde iban... hacia España y la Inquisición. No habría clemencia para un hombre cuya razón principal para surcar los mares era robar y saquear a los españoles, y destruirlos.

Afortunadamente para Jake —aunque parece extraño decir "afortunadamente" en tales circunstancias—, el galeón que lo llevaba se encontró en el Mediterráneo con varios navíos piratas turcos, y en la escaramuza resultante el galeón fue derrotado. Jake y sus hombres, que iban encadenados en la bodega de la nave española, pasaron a ser prisioneros de los turcos.

¡Mi pobre Jake vendido como esclavo! Con todo, alguna buena suerte tuvieron, ya que él y los tripulantes suyos capturados como él fueron enviados a las galeras, donde juntos movieron los remos años tras año.

Aunque había perdido la cuenta del tiempo, seguía decidido a escapar algún día. Convenció de esto a sus hombres: alguna vez regresarían a Inglaterra.

Me contó cuánto había soñado con el regreso, sin permitirse dudar ni por un momento de que lo lograría.

Con cuánta vividez hablaba de las hediondas galeras, de la incesante faena, del tambor que redoblaba marcándoles el ritmo, del hombre que azotaba con un látigo a quienes desfallecían.

—Oh, Jake, ¿cómo pudiste sobrevivir? —exclamé.

Pero era el mismo de siempre. ¿Acaso no había vuelto? Cualquier marinero sabía, al salir de su casa, que corría un riesgo tremendo. Él había sido afortunado en toda su vida de marino hasta el malhadado día en que al perseguir a un galeón español, la mala suerte lo había enviado a tierra en busca de ayuda de los nativos en un sitio ya ocupado por el maldito enemigo.

—Yo esperaba siempre el momento propicio —manifestó—. Mientras estaba despierto, hacía planes. A veces nos quitaban las cadenas; tenían que mantenernos con vida. Mi gente es valerosa y leal, y aprovechamos al máximo esos momentos.

Más tarde me seguiría contando. Faltaban muchos horrendos detalles... Pero antes quise saber cómo había logrado volver.

Con unos cincuenta esclavos, él había vencido al capitán de la nave turca. Se habían apoderado de ella y, tras muchas aventuras en el mar, habían llegado a Plymouth.

Le dije que no debía irse en mucho tiempo, pues quería devolverle la salud con mis cuidados.

Al oír esto rió: estaba tan fuerte como siempre.

—Las penurias nunca hicieron daño a un hombre —declaró.

Pero parecía satisfecho de permanecer en tierra. Habiendo perdido el *León Rampante*, construiría una nueva embarcación. Quería verla crecer.

Quedó encantado al saber que los muchachos habían zarpado junto con Drake. Les dijo que podrían comandar sus propios barcos.

Por mi parte, creo que era más feliz que nunca. Estaba en paz conmigo misma. Era posible, empero, que durante su ausencia hubiera idealizado a Jake. Tenía que volver a aprender muchas cosas respecto de él. Había olvidado cuán grosero podía ser, cuán exigente, y él no había dejado de gustar de las reyertas. Aunque en mi fuero íntimo me alegraba su regreso, al mismo tiempo discutíamos sin cesar.

Él seguía reprochándome que no le diera un hijo varón, y yo estaba furiosa con él porque era propenso a no hacer caso de Linnet, aunque no podía haber una muchacha más atractiva ni más parecida a él. También ella le había tomado antipatía. Creo que al hablar de él yo había pintado un cuadro que ella ahora consideraba falso. Se contrariaban de manera constante.

Para mi gran alegría, poco después de regresar Jake concebí. Esta vez debía tener un varón.

Cuánto anhelaba yo este hijo que nacería de una nueva Catharine, una mujer que había pactado con la vida y sabía qué bueno había sido el destino para ella. Había recobrado a Jake, y pese a lo que nos decíamos en nuestras acaloradas discusiones, tenía yo la certeza de que no podría hallar la verdadera felicidad sin él.

Comprenderlo había sido maravilloso. Y ahora que él había vuelto, yo ansiaba desesperadamente darle el hijo que él deseaba.

Jake estaba muy ocupado en el armado de un nuevo buque. Disfrutaba con la compañía de Carlos y Jacko, y el hijo de Romilly, Penn —que ya tenía trece años—, lo adoraba. Pasaron los meses. Jake hablaba a menudo de sus aventuras, y el cuadro de esos años se presentaba con claridad cada vez mayor.

Una vez le dije:

—Ahora que estás de vuelta y a salvo, quizá nunca quieras volver a navegar.

Me miró atónito antes de estallar en risas.

—¿Has enloquecido? Cuando estoy construyendo mi bello navío... ¿Cómo podría un marino renunciar al mar? Aún mataré muchos españoles. Tengo que tomarme el desquite...

Poco había cambiado.

Con frecuencia hablaba del hijo que tendríamos.

—Nuestro hijo será el mejor de todos —decía—. Lo llamaremos Jake, como su padre.

413

Le contesté que no querría llamarlo de otro modo.

Tenía un nombre para su nuevo barco. Un *León*, por supuesto. El *León Triunfante*, porque ese joven león vengaría al anterior. Este sería más vigoroso, tendría garras más afiladas, dientes más fuertes. Barrería del mar a los españoles.

Todo estaba listo para mi parto. La partera vivía en mi casa desde una semana antes de que naciera el niño. No queríamos correr riesgos.

Y así nació mi hijo.

Tendida en mi lecho, experimentaba yo esa extraña mezcla de agotamiento y triunfo que toda madre sin duda conoce. Entonces supe la verdad. Mi retoño vivía y era perfecto en todo . . . salvo que era una niña.

Cuando entró Jake, vi su rostro fruncido y deformado.

—¡Una niña! —exclamó—. Otra niña.

Sentí en mis ojos lágrimas que luego corrieron por las mejillas. Tan débil me sentía después del trance sufrido que verlo allí tan enfurecido me resultaba insoportable.

Linnet, que acudió a mi lado, exclamó:

—Qué maravilla, madre. Tengo una hermana . . . una linda hermanita. No tardes en ponerte bien, madre querida.

Inclinándose, me besó, y cuando Jake abandonó la habitación a zancadas, salió en pos de él.

Oí la voz de Linnet:

—¡Eres malvado y cruel! No te importa que ella haya sufrido. Lo único que te importa es tener un varón. ¡Te odio!

Al oír el ruido de un resonante bofetón, pensé: la ha golpeado.

Intenté levantarme, pero no pude. La partera me sujetaba.

—Le traeré la pequeña. Es una niñita lindísima —dijo. Fue puesta en mis brazos y yo sentí amor hacia ella. Decidí llamarla Damask, como mi madre.

Más tarde, Jake se mostró arrepentido. Él, que nunca ocultaba sus sentimientos, había sido incapaz de contener su amargo desengaño junto a mi lecho.

Cuando vino a ver la recién nacida, no pudo disimular su desagrado al contemplar la arrugada cara rosada de mi segunda hija.

—Al parecer, tú y yo no estábamos destinados a tener hijos —comentó.

—Así parece —repuse—. El error fue tuyo. Tú dijiste haberme elegido para ser la madre de tus hijos. Es culpa tuya. No debiste haberme elegido.

De pronto rió.

—Es inútil llorar por lo que ya está hecho.

—Así es —admití—, cometemos errores y debemos sufrir por ellos.

—Muerte de Dios, por fin nos ponemos de acuerdo. De modo que tengo otra hija que sin duda al crecer se parecerá a su hermana... Esa joven diablesa me golpeó —agregó tocándose la mejilla—. Me regañó por haberte tratado mal y después, veloz como un rayo, levantó la mano y me abofeteó. Habrá que enseñar una o dos lecciones a esa jovencita.

—Cuídate de que no te las enseñe ella a ti.

—No sólo tengo una esposa que no puede darme hijos, sino que he engendrado una hija que es una fierecilla. Por Dios, mi familia se está volviendo contra mí. —De pronto crispó el puño derecho y se golpeó con él la mano izquierda, diciendo—: Quería un hijo varón. Lo quería más que ninguna otra cosa en el mundo.

En la casa había un niño —Penn, el hijo de Romilly—, y desde el nacimiento de Damask aumentó el interés de Jake por él. Penn era un pequeñuelo avispado, audaz, que evidenciaba gran interés por los barcos y el mar. Jake tenía un modelo del *León Rampante* y el niño había sido sorprendido desarmándolo, hecho que podía haberle costado un severo castigo. Pero Jake se mostró indulgente ante la trasgresión y mostró al niño cómo se manejaba la nave. Me divirtió verlos probando este valioso modelo en el estanque del jardín.

Romilly enrojecía de placer. La vi de pie junto al estanque, con las manos juntas en una especie de éxtasis, contemplando a Jake y al arrojado Penn juntos. Sin duda tenía la esperanza de que Jake hiciera por su hijo lo mismo que había hecho por Carlos y Jacko. Yo tenía la certeza de que lo haría. Penn tenía el mar en la sangre, ya que su abuelo había sido —como solía decir Jake— uno de los mejores capitanes que habían navegado con él.

Con el trascurso de cada mes, se hablaba cada vez más del creciente poderío español. La reina de Escocia, cautiva, era una amenaza perpetua. Había constantes rumores de complots para instalarla en el trono y restablecer la religión católica en Inglaterra.

La reina honraba a sus marinos. Constantemente se discutían las noticias acerca de la gran flota naviera que Felipe de España estaba formando. La gente aclamaba a las naves inglesas como si confiaran en que ellas nos salvarían de los terrores que los españoles pretendían desatar sobre nosotros.

En el puerto, los viejos marineros conversaban acerca de los españoles, algunos habían sido capturados por ellos. Un hombre había sido conducido ante la Inquisición, torturado, y de algún modo había logrado escapar antes de que pudieran quemarlo en la hoguera. Tenía muchas cosas que contar. La gente debía comprender que las naves de la Armada española traerían no sólo cañones y combatientes, sino instrumentos de tortura, frente a los cuales el potro de tormento y las empulgueras parecerían juguetes infantiles.

Evidentemente John Gregory, que aún estaba con nosotros, tenía miedo. Me pregunté qué le pasaría si era capturado por los españoles una vez más.

Ya entonces había casi una guerra declarada entre Inglaterra y España. Felipe anunció que se apoderaría de todas las embarcaciones que hallara en aguas españolas. Isabel replicó que se adoptarían represalias. Equipó veinticinco naves para vengar los perjuicios causados a ella y sus bravos marinos. Quién podía encabezar esta empresa sino el gran sir Francis, que partió en el *Buenaventura Isabelina* decidido a castigar a los españoles.

Nos llegaron relatos sobre sus hazañas: cómo había incursionado en puertos españoles, apoderándose de sus riquezas. Drake siguió camino hasta Virginia, donde tenía una entrevista con los colonizadores que fueron enviados allí por sir Raleigh.

Muy poco después fueron traídos a Inglaterra dos interesantes productos. Uno era la patata, que nos resultó muy sabrosa y que empezamos a servir junto con la carne, con grandes beneficios. El otro era el tabaco, una hierba cuyas hojas se enrollaban y fumaban. En ellas, cosa extraña, mucha gente empezó a encontrar cierto solaz.

Eran tiempos de intranquilidad. Nunca sabíamos con certeza cuándo, al asomarnos a nuestras ventanas, veríamos a la Armada española atacándonos. Según Jake, esto era disparatado: si se acercaban los españoles, seríamos advertidos. Sir Francis Drake y otros como él vigilaban constantemente. No teníamos por qué temer. Los españoles no estaban preparados todavía, y cuando vinieran,

¡muerte de Dios! , estaríamos listos para hacerles frente.

Jake había decidido no alejarse mucho hasta que se zanjara esta cuestión. Puso sus naves a disposición de la reina. Haría incursiones en los puertos españoles, pero estaría cerca cuando tuviera lugar el gran enfrentamiento.

Jake había cambiado un poco. Parecía gozar estando en casa. Se estaba volviendo más domesticado. No hacía caso de Damask, pero observaba mucho a Linnet, cuyo desprecio hacia él parecía divertirlo. Era el héroe de Penn, que lo seguía a discreta distancia hasta que Jake le gritaba que se alejara o le dirigía algunas palabras.

En mi opinión, Jake había madurado; parecía haberse dado por satisfecho, aceptando el hecho de que no tendríamos un hijo varón.

Para mi cumpleaños me regaló una cruz tachonada de rubíes. Era una joya bellísima. Pensé que acaso la habría tomado en algún hogar español, pero no se lo pregunté, pues no deseaba cuestionar un obsequio de cumpleaños.

Como le agradaba ver que me la ponía, lo hacía a menudo.

Pocas semanas después de haber recibido esa cruz comencé a sufrir algunos dolores de cabeza. Cuando esto ocurría, solía comer en mi habitación. Jennet me llevaba la comida, ya que pese a nuestras diferencias siempre había querido que fuese mi doncella personal.

Poca compasión tenía Jake para los achaques físicos. Por su parte, nunca los sufría, y su falta de imaginación le hacía imposible comprender los sentimientos ajenos.

Cuando no me sentía del todo bien prefería estar sola, y en estas ocasiones permanecía en mi habitación. Linnet iba entonces a conversar conmigo. Siempre era tierna conmigo y había adoptado una actitud protectora que me divertía, puesto que siempre había sido muy capaz de cuidarme sola.

En esta ocasión Jennet me trajo una especie de sopa

que contenía esa novedad, la patata, además de cierta clase de hongos y carne.

Era sabrosa y me gustó, pero a la noche comencé a sentirme mal. Me sentía muy enferma y afiebrada, y pensé si acaso algo en la comida me había caído mal.

Fui a ver a la cocinera, quien me dijo que otros habían comido lo mismo sin sufrir ningún malestar. Advertí que todos temían que hubiera contraído los sudores, después de todo.

Yo aduje que la comida contenía hongos, y que algunos hongos venenosos se asemejaban mucho a los comestibles. ¿Era posible que se hubiera utilizado uno de aquellos?

La cocinera se indignó. Hacía veinte años que cocinaba, y si no sabía distinguir un hongo venenoso de uno comestible merecía ser ahorcada y descuartizada, ¡claro que sí!

Tardé unos días en recobrar la salud, pero alrededor de una semana más tarde había olvidado el incidente... hasta que volvió a ocurrir.

Había comido en mi habitación medio pollo con un pan y un jarro de cerveza. Bebía la cerveza cuando percibí en ella un olor extraño.

Aunque había bebido poco, decidí no beber más, ya que en ese momento preciso se me ocurrió una idea aterradora.

Había comido aquella sopa. Otros también. Yo me había enfermado. Se me había llevado la comida a mi habitación. ¿Qué le había ocurrido en el trayecto?

Olfateando la cerveza, me convencí cada vez más de que había en ella algo raro.

Le habían echado algo cuando era llevada a mi habitación. ¿Quién?

Busqué un frasco y eché adentro un poco de cerveza. Arrojé el resto por la ventana.

Me sentía levemente indispuesta y tenía la certeza de que la cerveza había estado envenenada.

¿Era posible que alguno de los moradores de la casa estuviese tratando de envenenarme?

Sacando el frasco del cajón donde lo había ocultado, lo olfateé. Había un sedimento.

Dios mío, pensé; sí, alguien trata de envenenarme. Algún ocupante de esta casa. ¿Quién podría querer ha· r-lo?

¡Jake!

¿Por qué motivo se me ocurría inmediatamente su nombre? ¿Acaso porque cuando alguien deseaba eliminar a una mujer, ese alguien solía ser su marido? Jake me había elegido. Sí, para ser madre de sus hijos. Quizás ansiara tanto tener hijos que... No quería creerlo.

Para hombres como Jake, la vida tenía poco valor. Vi mentalmente la vívida escena del momento en que había atravesado con su espada el cuerpo de Felipe. ¿A cuántos hombres habría matado? ¿Y alguna vez lo importunaba la conciencia? Pero ellos eran enemigos. ¡Españoles! Yo, en cambio, era su esposa.

Con todo, si deseaba quitarme de en medio...

Me senté junto a la ventana, mirando hacia afuera. No podía mirarlo a la cara. Por primera vez me sentí capaz de hacerle frente. Hasta entonces, siempre había tenido conciencia de cuánto me necesitaba. Ahora lo dudaba.

Acercándome al espejo, me miré. Ya no era joven. Tenía más de cuarenta y cinco años y ya estaba poniéndome demasiado vieja para tener hijos. Cuando uno envejece, no lo advierte. Se siente igual que a los veinte años . . . a los veinticinco, digamos, e imagina tener todavía esa edad. Pero los años dejan señales. Las ansiedades de la vida marcan arrugas alrededor de los ojos y la boca.

Ya no era joven, ni él tampoco. Pero los hombres

como Jake nunca sienten su edad. Siguen deseando mujeres jóvenes, a las que creen suyas por derecho propio.

Volví junto a la ventana y me senté.

La puerta se abrió suavemente y entró Linnet.

—¿Qué haces aquí, madre? —preguntó.

—Miraba por la ventana.

—No te sientes bien —observó mientras se acercaba y me miraba inquisitivamente—. ¿Estás enferma?

—No, no. Un leve dolor de cabeza.

Llevé el frasco al boticario que había en una de las callejuelas cercanas al puerto.

Lo conocía bien. Mezclaba perfumes para mí y yo le compraba a menudo sus preparados de hierbas.

Cuando le pedí hablar con él en privado, me condujo a una pequeña habitación situada detrás de la tienda. De las vigas colgaban hierbas secándose, y se aspiraban agradables aromas que se intensificaban con el paso del tiempo.

—¿Podría decirme qué contiene esta cerveza? —le pregunté—. Me pareció que tenía algo raro y pensé que usted podría indicarme qué es —agregué al notar su sorpresa.

Tomando el frasco, lo olfateó.

—¿Quién es el cervecero de ustedes? —inquirió luego.

—No creo que esto tenga nada que ver con el cervecero. El resto del tonel estaba bien.

—Ha sido agregado algo —manifestó él—. Si me concede un poco de tiempo, tal vez logre averiguar qué es.

—Se lo ruego —asentí—. Vendré dentro de dos días.

—Creo que entonces tendré una respuesta para usted —finalizó el boticario.

De vuelta en Lyon Court, me pareció sentir una súbita amenaza en la casa. Los leones que custodiaban el pórtico parecían tan furtivos como fieros, tan siniestros como bellos. Tuve la sensación de que se me observaba desde una ventana, aunque no logré determinar cuál.

No cesaba de pensar: en esa casa hay alguien que quiere eliminarme.

Ahora tenía la certeza de que mi sopa había sido envenenada. Y ahora la cerveza.

Mucho dependía de lo que me dijera el boticario dos días más tarde.

Dormía mal, estaba pálida y tenía sombras oscuras bajo los ojos. Acostada en la cama, junto a Jake, solía pensar: ¿acaso quiere librarse de mí?

Pensando en vivir sin él, me sentí desdichada y sola. Quería tenerlo allí, quería que él siguiera deseándome más que yo a él. Quería disputar con él. En suma, quería volver a nuestra antigua relación.

Pero él había cambiado. Yo había creído que esto se debía a que le preocupaba la inminente guerra con España. Sin embargo, ¿sería así?

Comenzaron a ocurrir cosas extrañas.

Después del crepúsculo subía yo, con una vela en la mano, las escaleras que conducían al torreón donde había estado horas antes. Al notar que había perdido una cinta de mi vestido, pensé que acaso estuviese allí. Esa parte de la casa era desolada. Normalmente no se me habría ocurrido pensarlo, pero en los últimos tiempos me había vuelto nerviosa y el menor sonido me sobresaltaba. Y cuando subía por la escalera de caracol, creí oír un ruido encima de mí. Me detuve. La vela que sostenía lanzaba una sombra alargada sobre la pared. Noté allí algo que parecía una cara grotesca... pero no era más que la sombra causada por la forma de la palmatoria.

Me quedé inmóvil. Estaba segura de oír una respiración más arriba. El recodo de la escalera impedía ver sino unos pasos más adelante y yo sentí que un escalofrío me recorría la espina dorsal. Todos mis instintos me advertían que me hallaba en peligro.

—¿Quién está allí? —exclamé.

Aunque no hubo respuesta, me pareció oír que alguien contenía rápidamente el aliento

—Quien esté allí, que baje —continué.

Tampoco hubo respuesta.

Tuve la sensación de haber echado raíces en la escalera. Durante algunos segundos no pude moverme. Alguien me aguardaba allá arriba... alguien que me había enviado a la choza de Mary Lee, alguien que había envenenado mi sopa y mi cerveza.

El sentido común me decía: no subas. No trates de averiguarlo ahora. Este no es el momento. Si das un paso más, podría costarte la vida.

Creí oír que crujía una tabla, y entonces, dando media vuelta, eché a correr escaleras abajo con toda la rapidez posible.

Yendo a mi habitación, me tendí en la cama. El corazón me latía furiosamente. Estaba asustada. Esto no era habitual en mí, pero los sucesos recientes me habían conmovido más de lo que pensaba y además no estaba tan sana como de costumbre.

Pensé que debía ser fuerte. Debía averiguar qué pasaba. Debía saber si alguien me amenazaba en verdad.

"Lo sabes", dijo una voz en mi interior.

No puedo creerlo, me respondí. Él no sería capaz. Sé que ha matado muchas veces. Siempre se apoderó de lo que quiso. Oh, no, es imposible.

Pero ¿por qué no, si ya no me deseaba? ¿Por qué no, si me interponía entre él y algo que él quería? Tal vez una mujer joven, que pudiese darle hijos varones.

De pronto se abrió la puerta de mi habitación. Supe ue era Jake quien acababa de entrar.

¿Acaso llegaba desde el torreón? ¿Qué haría ahora?

¿Era realmente posible que quisiese deshacerse de mí? Antes me había deseado ardientemente, ¿acaso ahora deseaba a otra con el mismo ardor? Jake no permitía que nada ni nadie se interpusiese en el camino de sus anhelos. ¿Qué importancia tenían las vidas ajenas? No cesaba de pensar en Felipe, muerto en el suelo de la Hacienda.

Jake jamás había evidenciado remordimiento por haberlo matado.

De pie junto a mi lecho, me miraba. Susurró mi nombre muy quedo, no bramando como lo hacía con frecuencia.

No respondí. No podía hacerle frente ahora, con la mente llena de espantosas sospechas. No podía decirle: "Jake, ¿vas a matarme?"

Tuve miedo.

Por eso fingí dormir y él, al cabo de unos minutos, se marchó.

Fui a la tienda del boticario.

Al verme, este hizo una reverencia y me invitó a pasar a la habitación donde se secaban hierbas sobre las vigas de roble.

—En su cerveza hallé restos de ergot —declaró.

—¿Ergot?

—Es un parásito que crece en la hierba, muy a menudo en el centeno. Contiene un veneno llamado ergotoxina, ergometrin y ergotamina. Es muy ponzoñoso.

—¿Cómo pudo haber llegado a la cerveza?

—Pudo haber sido puesta en ella.

—¿Cómo es posible?

—Se podría hervir las hojas y agregar el líquido. Tengo entendido que algunos han muerto por comer pan hecho con centeno en el cual crecía este parásito.

—Comprendo. ¿Entonces la cerveza que le traje estaba envenenada?

—Contenía ergot.

Le agradecí y le pagué bien por sus molestias. Sugerí que no deseaba que comentara esta cuestión con nadie por el momento, y él, con mucho tacto, me dio a entender que comprendía mis deseos y los respetaría.

En el camino de vuelta a Lyon Court procuré recordar lo poco que había aprendido de mi abuela acerca de las cosas que crecían en los campos y que podían ser utilizadas para cocinar.

Recuerdo que ella decía: "Debes conocer la diferencia entre el bien y el mal. Ese es el secreto, Catharine. Y bien, los hongos... Muchos han muerto a causa de los hongos. Es el alimento más sabroso que se puede encontrar, pero en los campos, como entre las personas, hay excrecencias malignas que se disfrazan de buenas. Y no debes dejarte engañar por el aspecto. Está el agárico, cuyo aspecto es bastante amenazador; está el hediondo eléboro, que te ahuyenta con su olor... pero el hongo venenoso Seta de la Muerte y el Ángel Destructor son blancos y parecen tan inocentes como cualquier hongo comestible".

Me habían divertido tanto los nombres —Seta de la Muerte y Ángel Destructor— como la seriedad de mi abuela. Tal vez por eso recordara sus palabras.

Alguien había echado en mi sopa una Seta de la Muerte o un Ángel Destructor. Alguien había echado ergot en mi cerveza. Mucho tiempo atrás, alguien me había enviado a la cabaña de Mary Lee. Alguien quería verme muerta.

Para salvar mi vida, tenía que averiguar quién era el que se proponía asesinarme.

Riéndome de mí misma, me dije: "Lo sabes".

Pero no quería creerlo. No podía creerlo... todavía. Solo más tarde.

Qué extraño es cuando no vemos algo que nos concierne profundamente y sería obvio para muchos. Y después, repentinamente, nos enteramos de un hecho que puede vincularse con otras cosas y la verdad queda revelada.

Miraba desde mi ventana cuando vi a los tres junto al estanque: Romilly, Jake y Penn.

Penn tenía un modelo de barco y lo hacía navegar en el estanque. Arrodillado junto a él, Jake guiaba el barquito. Vi que indicaba algo a Penn.

Romilly estaba de pie, con los brazos cruzados, el sol resplandeciendo en su abundante cabellera. Algo en su actitud me lo dijo. Estaba complacida, satisfecha... Y entonces supe.

¡Romilly y Jake! Al traerla él a esta casa, ella era pequeña... ¿tenía doce o trece años? No le había importado cuando fue sorprendido el tutor en la cama de Jennet porque nada significaba para ella. Sin embargo, había estado dispuesta a casarse con él. Sí, porque sabía que iba a tener un hijo.

Jake había dicho: "Debemos cuidar de ella. Su padre fue uno de los mejores hombres con quienes navegué'
No agregó: "Y ella es mi amante".
Pero lo era, por supuesto.

Cuando Jake entró en nuestro dormitorio, le dije:
—Penn es tu hijo.
Ni siquiera intentó negarlo.
—De modo que bajo mi propio techo.
—Es mi techo —replicó él concisamente.
—Ella es tu amante.
—Ella me dio un hijo varón.
—Me has mentido.
—No te mentí. Tú no me lo preguntaste. Presumiste

que era del tutor. No parecía haber motivos para angustiarte con la verdad.

—Trajiste a esa muchacha aquí para que fuese tu amante.

—Eso es mentira. La traje porque necesitaba un hogar.

—Qué buen samaritano.

—¡Muerte de Dios! Cat, no podía dejar a la hija de un viejo marino librada a su suerte a esa edad.

—Por eso la trajiste aquí para que pariese tu bastardo. ¿Qué diría su padre si lo supiera?

—Quedaría encantado; era un hombre sensato.

—¿Como debería serlo yo, supongo?

—No, de ti no esperaría eso.

—Qué marido considerado eres.

—Oh, vamos Cat, lo hecho hecho está.

—Y la muchacha sigue estando aquí. ¿Hay otro en camino?

—Basta ya. La joven tuvo un hijo. Era mío. Ya está, lo sabes. ¿Qué importancia tiene? Acababa de volver a casa. Tú estabas embarazada. Poco tiempo tengo en tierra.

—Tienes que desquitarte de tu celibato en el mar, por supuesto, ya que violar jóvenes dignas y enloquecerlas no cuenta. Tienes muchas deudas que pagar, Jake Pennylon.

—Tanto como la mayoría de los hombres, sin duda. Oh, basta, Cat. Hice mía a la muchacha. Ningún mal se ha hecho. Ella tiene un hermoso hijo que la llena de alegría.

—Y también a ti.

—¿Por qué no? De ti no obtengo hijos. Puedes tener un hijo con un español, y para mí . . . hijas . . . solamente hijas.

—¡Ah, cómo te odio!

—Dios sabe que lo has dicho con bastante frecuencia. Pierde sentido el repetirlo.

—Había creído que podríamos vivir en paz. Imaginaba

a nuestros nietos . . . con nosotros en el jardín . . . y a ti satisfecho . . .

—No estoy descontento. Tengo tres hermosos hijos, por lo que sé. Y no querría renunciar a ninguno de ellos. Entiéndelo, Cat: a ninguno. Me enorgullece tenerlos. Me enorgullece, te digo.

—Sin duda te enorgullece el modo en que fueron engendrados . . . Uno violando a una niña inocente, el otro con una criada lujuriosa y otro con este furtivo... insecto que entra en mi casa arrastrándose... una pobre huerfanita que miente acerca del tutor mientras ríe porque tiene un hijo tuyo.

—Oh, vamos, Cat, eso fue hace mucho.

—¿Hace mucho, no? ¿Acaso no sigue siendo tu amante? Ya entiendo todo. Las cintas que se pone en el cabello, su modo de ponerte al niño por delante. ¿Qué planes tiene esa cosa furtiva y reptante? ¿Acaso espera ocupar mi sitio?

Me pareció que se alarmaba.

—¡Eso sería imposible! No digas necedades, Cat.

—¿Son necedades? —pregunté con lentitud—. ¿Qué sé yo de lo que ocurre en la casa? me engañan sin cesar. Mis hijas no son nada para ti, pero siempre diste mucha importancia a tus bastardos.

—Son mis hijos.

—Puede que esta mujer . . . esta Romilly pueda darte más hijos. Ya te dio uno. Empiezo a comprender. Veo tantas cosas . . .

—Ves lo que quieres ver. Eres una mujer arrogante. Te has burlado de mí como ninguna otra mujer. Fuiste de un español antes de ser mía. Le diste un hijo y ¿qué me has dado a mí?

—¿Fue culpa mía acaso? Todo lo sucedido ha sido por ti. Tú violaste a Isabel, la novia de Felipe. Él trató de vengarse de ti. Yo no he sido más que una ficha en los juegos de ustedes... sus juegos perversos y crueles. Ojalá no te hubiera visto nunca, Jake Pennylon. Mal día fue para mí cuando te conocí en el puerto.

—¿Eso sientes?

—Con todo mi corazón —exclamé—. Me chantajeaste por lo que viste a través de la mirilla.

—Jugabas conmigo. ¿Crees que no lo sabía? Me deseabas tanto como yo a ti.

—¿Por eso fingí tener los sudores para eludirte?

—Por Dios, eso no te lo perdonaré jamás.

—¿Que importa ahora que tienes a Romilly? Ella te dio un hijo. Puede darte hijos . . . hijos . . . hijos . . . durante todos los años de fertilidad que le queden.

—Es posible —repuso él.

—Serían tus bastardos, a menos que . . .

—¿Qué importa eso? —dijo el—. Tengo tres hermosos hijos y estoy orgulloso de ellos.

Yo ansiaba que me asiera, que me sacudiera brutalmente como tantas veces lo había hecho antes. Ansiaba que me ordenara no decir disparates. Penn era su hijo. Había acudido a ella cuando yo estaba enferma, acongojado por la desilusión de que yo no le hubiera dado un hijo varón. Ansiaba que me dijera que todo había terminado. Que había sido infiel como yo sabía que debía haberlo sido cien veces . . . mil veces durante sus prolongadas ausencias.

Pero esto era distinto. Se marchó abandonándome y no volví a verlo esa noche.

Entonces es cierto, me dije. Quiere deshacerse de mí. Quiere casarse con Romilly, que puede darle hijos . . . hijos legítimos.

Sabía instintivamente que mi vida estaba amenazada, y al parecer no cabían dudas de por quién. Mi marido quería casarse con otra mujer, y la razón era que esta podía darle hijos. El furtivo ser que se había introducido en mi hogar con fingida docilidad, ahora me amenazaba.

Romilly no significaba para él más que otros cientos de mujeres antes que ella. Pero había demostrado que era capaz de darle hijos... y los hombres como Jake querían hijos. Para ellos era una obsesión. Teníamos el ejemplo de un reciente monarca que había eliminado varias esposas... y durante toda su vida había repetido "Dadme hijos".

Era el lema de los hombres arrogantes. Debían continuar el linaje familiar. Las hijas de nada les servían.

Los niños adoraban a Jake, quien se interesaba por ellos; las niñas nada significaban para él hasta alcanzar la edad en que podían despertar sus apetitos sexuales. Jake era un hombre violento, indisciplinado, que siempre había sabido lo que quería y había ido en su busca.

Eso era lo que estaba ocurriendo ahora.

Yo no era ya deseable para él, porque no podía ofrecerle ninguna esperanza de darle hijos varones. Quería quitarme de en medio.

Entonces pensé en Isabel y recordé la serena intensidad de Felipe. Este me había deseado, había querido legitimar a nuestro hijo. Isabel había impedido que Felipe se casara conmigo, tal como ahora yo impedía que Jake se casara con Romilly.

Isabel había sido hallada al pie de la escalera. No era la primera en morir así. Según algunos, la reina se habría casado mucho tiempo antes con Robert Dudley. Pero él era casado, y su esposa había aparecido muerta al pie de una escalera.

Esposas rechazadas, cuídense.

¿Qué podía hacer yo? Podía acudir a mi madre. Podía decirle: "Madre, déjame vivir contigo porque mi esposo intenta matarme".

Tal vez pudiera decírselo a mi hija. Pero ¿cómo? Ella ya odiaba a su padre. Demasiado odio había en esa casa. Y en algún lugar, al fondo de mi mente, conservaba la idea —la esperanza— de estar equivocada. Una parte de mi ser decía: él no sería capaz de matarte. Antes te amaba... oh, sí, esa emoción que sentía por ti era amor. Eres la misma, salvo que estás envejeciendo y ya no puedes parir hijos. Él jamás te mataría. Aún conservas el poder de enfurecerlo, de encolerizarlo. Cómo podría él olvidar los años de pasión, el goce que se habían causado uno al otro... porque es cierto. Riñas hubo, pero ¿acaso esas riñas no han alegrado la vida de ambos?

Por eso era tan hiriente e imposible que Jake quisiera matarme.

Solía despertar de noche temblando por no sé qué vaga pesadilla.

Jake estaba mucho tiempo ausente y yo me quedaba sola con frecuencia. Él visitaba las poblaciones costeras, donde se efectuaban preparativos para la posible llegada de la Armada española.

En cierto modo, esto me alegraba. Me daba tiempo para pensar. Rememoraba muchos pequeños incidentes de nuestra vida en común. Recordaba vívidamente escenas del pasado. Y después, me decía siempre: no es cierto. No puedo creer esto de él... de Jake.

Me negaba a ver a Romilly, quien por supuesto estaba enterada de que yo sabía quién era el padre de Penn. Sin duda Jake se lo habría dicho.

Penn era apartado de mi camino, de modo que nunca lo veía. No soportaba mirarlo... robusto, sano, viviendo en mi casa, el hijo que otra mujer había dado a Jake cuando yo había fracasado en el intento de dárselo.

Linnet estaba inquieta por mí. Constantemente preguntaba: "Madre, ¿te sientes bien?" Me obligaba a acostarme y se sentaba a mi lado.

Comenzaron a suceder cosas extrañas. Una noche, en ausencia de Jake, desperté y vi en mi habitación una figura. Una sombría figura vestida de gris, inmóvil en el vano. No pude ver su rostro, ya que parecía estar envuelta en un sudario.

Lancé un grito y algunas criadas acudieron corriendo a mi habitación.

—¿Quién anda allí? —exclamé—. Alguien entró aquí. Averigüen quién era.

Buscaron, pero sin poder hallar a nadie. Algo más tarde apareció Jennet, semidormida. Yo sabía que venía de más lejos que las demás... de la cama que compartía con un amante.

—Fue una pesadilla —comentó Linnet—. Escribiré a mi abuela pidiéndole que envíe algo para curarte. No te encuentras bien.

¿Quién había entrado en mi habitación, y con qué fin? ¿Qué me ocurría? No era persona que me intimidara con facilidad. ¿Por qué me dominaba esa extraña lasitud, tan ajena a mi naturaleza?

Linnet declaró que yo debía quedarme un día en cama, ya que había sufrido una impresión desagradable. Me llevó la comida. Yo estaba muy soñolienta.

—Eso es bueno —aseveró mi hija—. Demuestra que necesitas descansar.

Dormí y desperté al crepúsculo. Al ver una figura entre las sombras, junto a mi lecho, lancé un grito. Linnet se inclinaba sobre mí diciendo:

—Todo está bien, madre. Estuve sentada a tu lado mientras dormías.

Sí, yo estaba distinta. Algo me estaba ocurriendo. No podía librarme de ese cansancio. Comprobé que me quedaba dormida durante el día.

¿Qué es lo que me está cambiando?, me pregunté, y una vez más pensé en mi abuela, que tanto sabía acerca de hierbas y plantas, y lo que ella solía decirme cuando era niña. Con frecuencia mi atención se distraía, pero mi madre decía:

—Cat querida, tienes que prestar oídos a tu abuela cuando habla. Sabe mucho de estas cosas, que son importantes para ella. Cuando le ocurría una tragedia terrible, iba a su jardín y hallaba solaz en él, y se enorgullece tanto de sus conocimientos como tú de tu habilidad ecuestre.

Para complacer a mi madre, yo procuraba escuchar, y como resultado aún recordaba algunas cosas dichas por ella.

—Aquí en la tierra hay de todo, Catharine. Hay vida y hay muerte. Hay cosas que curan y cosas que enferman. Hay cosas que reaniman y cosas que adormecen.

Cosas que adormecen... Sabía de la existencia del jugo de amapolas. Eso podía adormecer a una persona.

Alguien trata de trastornarme, pensé. ¿Quién habría entrado en mi habitación? ¿En qué parte de esta casa hay un sudario gris? ¿Quién se lo puso para detenerse en mi puerta?

¿Por qué yo —que me había enfrentado con Jake Pennylon, a veces venciéndolo—, por qué yo iba a convertirme gradualmente en una mujer letárgica y atemorizada?

Lo averiguaría.

Tenía la certeza de que alguien tocaba mi comida. Sin duda Romilly y Jake colaboraban. ¿Acaso se consultaban sobre cómo librarse de mí? ¿Se imaginaba Romilly como ama en esta casa? ¿Se preguntarían con impaciencia: "cuánto durará"?

Felipe nunca me había hablado de su deseo de que la

vida de Isabel terminara. No obstante, Isabel había muerto, y el día de su muerte todos los moradores de la finca habían ido al *auto da fe,* y ni Felipe ni yo nos encontrábamos en la Hacienda.

Jake estaba ausente. ¿Sería esto deliberado? ¿Tenía la esperanza de encontrarme muerta al volver... por ejemplo, al pie de una escalera?

¿Quién me empujaría? ¿Quién había empujado a Isabel? Ese tal Edmundo lo había hecho. Había confesado. Pero lo había hecho por Felipe, y esa era la culpa de este. ¿Quién lo haría por Jake? Sin duda este era un hombre capaz de cometer solo tales actos. ¿Se introduciría furtivamente en la casa cuando se lo suponía lejos? ¿Vendría a mi habitación, me arrastraría a lo alto de la escalera y me arrojaría abajo? ¿Me estrangularía antes? Según había oído decir, esto podía hacerse apretando la boca con un trapo mojado. Se decía que así se había hecho con Isabel.

Tenía que recobrar mi fortaleza y mi valor anteriores. Antes debía averiguar qué me estaba convirtiendo en un ser débil e indefenso.

Ya no era la gata salvaje de Jake, sino un ratón domesticado... asustado y atrapado. Era una mujer que permitía que otros planearan su muerte mientras ella aguardaba inactiva.

Ya no, me dije.

Nunca bebería nada en mi habitación. De ese modo nadie podría tocar mi comida, ya que si comía en la mesa tomaría los alimentos de la fuente compartida por todos.

Ese era el primer paso. Lo hice y mi mejoría fue asombrosa.

Me sentaba a la cabecera de la mesa, puesto que Jake se hallaba ausente. Romilly estaba presente, con los ojos bajos. No era de extrañar que no se atreviese a mirarme.

Linnet estaba encantada.

—Estás mejorando, madre —comentó.

Durante tres días recobré las fuerzas. Me reía de mí misma. Reía incluso al pensar que Jake quisiera casarse con Romilly. ¿Cómo podría ella conservar su cariño? En una semana Jake se cansaría de su mansedumbre. Yo era para Jake tal como Jake era para mí.

Para que yo comprendiera esto habían hecho falta más de veinte años y amenazas de asesinato.

Después comenzaron a suceder de nuevo cosas extrañas. Buscando en mi ropero una capa, no pude hallarla. Hice llamar a Jennet; no pudieron dar con ella.

—Qué mujer inútil —rabié yo.

Fui al jardín y allí la encontré entre las hierbas y vegetales que cultivábamos para ensaladas.

—Te hice llamar —le dije.

—Vaya, señora, ya ve que estaba aquí.

—No encuentro mi capa verde. ¿Dónde está?

—Pues allí mismo estaba esta mañana, señora. La vi cuando guardaba sus ropas.

—Bueno, ahora no está.

—¿Dónde puede estar entonces, señora?

Volví a mi habitación acompañada por Jennet.

Esta abrió el ropero y allí estaba mi capa.

—Siempre estuvo aquí, señora.

—No estaba —repuse.

—Pero, señora, está tal como la colgué yo.

—No estaba allí hace diez minutos.

Jennet meneó la cabeza con una incredulidad que no se atrevió a expresar.

Esto ocurría constantemente. Echaba algo de menos, anunciaba su desaparición y después la hallaba milagrosamente en su sitio.

Todos empezaban a notarlo y Linnet estaba inquieta.

Con frecuencia iba a la choza donde habíamos ocultado a Roberto. Desde la mañana de su partida estaba ansiosa por él. No tenía ninguna noticia suya. ¿Qué le estaría ocurriendo? Tenía la esperanza de que no estuviese involucrado en nada que lo pusiera en aprietos.

Roberto era joven e impetuoso. ¿Con qué recursos podría enfrentar a hombres como Walshingham?

Solía introducirme en la choza para comprobar que él no estaba oculto en alguna parte.

Tanto se hablaba ahora de complots y de la amenaza hispana, que mi ansiedad respecto de él había aumentado. No me habría sorprendido encontrarlo allí en cualquier momento.

Empero, me sentía mejor. De no haber sido por las comprobaciones del boticario, me habría dicho que mis temores no eran sino resultado de mi alocada imaginación. Ahora tenía la certeza de que Jake nada había tenido que ver en complot alguno contra mí. Sin duda Romilly había envenenado la cerveza y la sopa. Ella debía haber sido quien me había enviado a la cabaña de Mary Lee tantos años atrás. Tal vez Jake le habría contado cómo lo había eludido yo hacía mucho. ¿Acaso ella había pensado asesinarme de modo tal que nunca pudiera comprobarse su participación?

Y después Jake había partido, ausentándose por tantos años. Entonces no corrí peligro. ¿Acaso Romilly había hecho esa imagen mía de cera? En tal caso, ¿cómo fue que apareció en el bolsillo de Jake? ¿Lo habría puesto allí ella... y por qué?

Ahora Jake estaba de vuelta; el hijo suyo y de Romilly crecía. Jake deseaba un hijo varón legítimo; ella le había dado uno, había demostrado ser capaz de hacerlo. Podía darle su hijo varón legítimo... si yo era eliminada.

Todo cuadraba.

Procuré deducir lo ocurrido. Después de tomarme toda

la sopa, había sufrido un leve ataque. Es decir que quien la envenenó no deseaba matarme o no sabía cuál era la cantidad necesaria para ocasionar el efecto buscado. Lo mismo podía haber ocurrido con la cerveza. Pero ¿quién podía querer enfermarme sin que muriera?

¡Romilly! Ella sabía del efecto de esas plantas, pero ignoraba en qué medida eran mortíferas. ¿Qué podía hacer yo respecto de Romilly? Enviarla a mi madre. ¡Enviar a mi madre una asesina potencial! No podía hacer tal cosa. ¿Y Penn, qué? Ella no se iría sin él y Jake no le permitiría irse.

Tenía que tender yo misma la trampa. Pensando esto, mis pasos me llevaron hasta la choza. No se veían allí señales de nadie. Grande fue mi alivio, pues no imaginaba qué ocurriría si Jake sorprendía a Roberto escondido.

Permanecí unos instantes inmóvil en la choza, rememorando esas épocas de ansiedad. Cuando volví a la puerta, comprobé que no podía abrirla. Aunque la empujé con todas mis fuerzas, no logré moverla.

"Estoy encerrada", pensé, sintiendo que se me erizaban los cabellos.

¿Con qué fin? Me hallaba a cierta distancia de la casa. Si gritaba, nadie me oiría. Me venían ocurriendo cosas extrañas, y ahora alguien me había encerrado en aquella choza. ¿Qué me iba a suceder ahora?

Alcé la vista hacia la ventana por donde Roberto debía escapar hasta los matorrales si. era sorprendido. No me pareció posible llegar hasta ella. Después tendría que romperla y pasar por ella.

Volviendo a la puerta, la golpeé sin obtener respuesta.

Me apoyé en la pared preguntándome: "¿Qué me está ocurriendo?"

Esa puerta tenía una llave que Manuela había encontrado colgada adentro. Había dicho que encerraríamos a Roberto de modo que nadie pudiese molestarlo. Entonces, si los soldados de la reina llegaban en su busca, él debía saltar por la ventana.

Me dirigí al gancho que había en la pared: la llave no estaba. Alguien, que me había visto entrar con frecuencia en esa choza, se había llevado la llave para encerrarme.

Pero ¿por qué? ¿con qué propósito?

¿Acaso alguien acechaba afuera, aguardando antes de entrar a matarme? ¿Jake?

Jake estaba lejos.

¿Quién me habría encerrado? ¿Romilly? ¿Me dejaría allí hasta que regresara Jake... al anochecer, por ejemplo... y abriera la puerta? ¿Se introduciría él entonces sigilosamente, me mataría y luego volvería a marcharse? Un hombre no debía estar en casa cuando su esposa era asesinada. Felipe no había estado en casa y a mí se me había enviado lejos.

Si tan solo llegara alguien...cualquiera. Lo que crispaba los nervios era el silencio. Nadie andaba por allí. Estaba totalmente sola. Golpeé la puerta hasta que los puños me quedaron magullados. Pero ¿quién podía oírme? Si esa choza había proporcionado tan buen escondite a Roberto, era precisamente por encontrarse tan lejos de la casa.

Era de tarde. Me sentía enferma y asustada. Pero si mi asesino hubiera llegado yo lo habría enfrentado, habría defendido mi vida. Cualquier cosa era preferible a esa espera.

Grité, pero ¿quién podía oír mi voz tras las gruesas paredes de la choza? Procuré trepar y mirar por la ventana: no pude. Tenía las manos rasguñadas y sangrantes, y caí dos veces al intentarlo.

Pasaba la tarde. Pronto sería de noche.

¡La noche! , me dije. Por supuesto, esperan la noche.

Dios mío, imploré, ¿qué me está pasando? ¿qué ha ocurrido con mi vida? ¿Acaso no estaba satisfecha con ella? Tenía a Jake, que me deseaba y me amaba a su modo... tal como yo lo amaba al mío. Tenía a mis queridos hijos. ¿Qué más podía pedir?

Y ahora iba a perder cuanto valoraba. Alguien intentaba matarme.

Cayó el crepúsculo. Afuera no se oía nada; nada. Que alguien venga por aquí, rogué. Linnet estará inquieta. Yo debía haber estado con ella y Damask. Vendrán a buscarme. Dios mío, haz que la puerta se abra y venga Linnet en mi busca.

Me acerqué a la puerta y la golpeé con los puños. Para asombro mío, se movió. La empujé. Se abrió y salí al aire puro.

Corrí a la casa.

Al verme Linnet lanzó una exclamación.

—¿Qué ocurrió, madre? ¡Estábamos tan inquietas! ¿Dónde estuviste?

—Estuve encerrada en la choza —repuse mientras nos abrazábamos.

—¿En la choza? Madre... te refieres a ese lugar apartado... ¿qué estabas haciendo allí?

—Entré... y entonces se cerró la puerta —repuse.

—¿Quién la cerró?

—No lo sé.

—Han salido en tu busca. Envié dos grupos de hombres a buscarte. Estábamos tan ansiosas... Pero estás exhausta, madre querida. Te llevaré a la cama. Te llevaré algo para que bebas y te dé calor.

¡Qué ángel de la guarda era Linnet! ¡Cuánto la quería yo! ¿Cómo podía morir cuando tenía a mi amada hija?

No pude dormir. Tampoco quise beber la infusión caliente de hierbas que Linnet me llevó, y que quedó en una mesa, junto a mi lecho.

—Procura descansar —dijo ella.

—Quiero hablar. ¿Quién pudo haberme encerrado en esa choza?

Linnet me acarició los cabellos, mirándome de manera extraña, como si no me reconociese.

—Madre querida, no estabas encerrada —respondió—. La puerta estuvo siempre abierta.

—¡Qué disparate! Estaba cerrada. No pude abrirla. Y de pronto se abrió.

—Tal vez haya estado atascada.

—Imposible. Empujé y empujé, y depués se abrió con tanta facilidad. Alguien la abrió.

—Ya no tiene importancia. Debes haber creído que estaba cerrada. La llave estuvo siempre allí.

—¿Dónde estaba?

—Colgada en un gancho, dentro de la choza.

—Pero no estaba. Alguien me encerró y después puso la llave de nuevo adentro.

—No tiene importancia —repitió Linnet en tono tranquilizador.

Tal vez era mi cansancio que también pensé que no importaba. Tan exhausta estaba, y tan contenta de estar de vuelta, con Linnet sentada a mi lado.

Sólo más tarde, al despertar, advertí cuánto importaba en realidad.

Me estaban observando. Vi sus expresiones. Mi hija, Edwina, Manuela, Romilly, las criadas . . . todos.

Algo me estaba ocurriendo. Había cambiado. Imaginaba haber visto en mi habitación una figura amortajada. Me había pasado horas en la choza, creyendo estar encerrada, cuando la puerta estuvo abierta y la llave siempre colgada del gancho.

Los demonios comenzaban a poseerme, lo cual significaba que estaba siendo despojada de mi razón. Esto creían ellos, pero yo sabía que un algo maligno me amenazaba, que alguien procuraba quitarme la razón —o hacer creer que la había perdido— antes de matarme. No parecía imposible que mi marido deseara librarse de mí para poder casarse con una mujer joven, capaz de darle hijos. La Muerte me acechaba y con ella su acompañante, la Locura.

Nadie habría podido llamarme nunca una mujer débil. Siempre había sido capaz de defenderme e iba a defenderme ahora. No estaba loca. Tenía la certeza de haber sido encerrada en aquella choza, de que la puerta se había abierto de pronto y de que la llave había sido devuelta a su sitio después de salir yo. Alguien había estado acechando entre los matorrales cercanos a la choza. La puerta había sido sigilosamente abierta, y cuando yo escapé corriendo de la choza y volví a la casa, la llave había sido puesta de nuevo en su sitio.

Eso debía haber ocurrido. Eso sabía yo que había ocurrido.

Y yo lo demostraría.

Por extraño que parezca, ese incidente de la choza me había fortalecido. Iba a sacudirme ese letargo que, ahora lo sabía, era resultado de las hierbas malignas que alguien había agregado a mi comida y mi bebida.

Combatiría con todas mis fuerzas y confiaba en triunfar.

Ah, Romilly Girling —me aseguré—, comprobarás que soy una adversaria vigorosa. No me haré a un lado para que tú puedas casarte con mi marido. Y tú Jake, todavía no ganaste la última batalla.

Linnet ya se había marchado. "Voy a dormir", dije yo, pero tenía menos ganas de dormir que nunca.

Levanté el vaso que estaba junto a mi lecho y lo olfateé.

¿Cómo podía haberse contaminado una bebida traída por mi cariñosa hija?

Con todo, no la bebí. La dejé allí, junto a mi cama.

Debía idear un plan. Observaría lo que comía. Debía estar alerta. Debía estar preparada a toda hora de la noche. La próxima vez que el amortajado visitante llegara a mi habitación, no escaparía. Lo atraparía, le arrancaría la mortaja y comprobaría quién era el que hacía esas jugarretas.

Me quedaría unos días en mi habitación. Simularía estar enferma. Me haría llevar alimentos que no comería. Guardaría una parte y la llevaría al boticario, y cuando tuviera pruebas de que mi comida contenía veneno, las presentaría ante... ante... ¿ante quién? ¡Ante Jake! ¿Y si acertaba en mis sospechas y era él quien pretendía asesinarme? Cómo se reiría. ¿Ante Linnet? ¿Podía decirle: "alguien trata de matarme. Ayúdame a averiguar quién es"? Imposible... Y bien, lo mismo daba; esperaría a ver qué hacía. Mientras tanto, reuniría pruebas.

Me llevé de la cocina un trozo de carne y con él un buen pan de maíz. Me llevé también un jarro de moscatel, además de nueces, manzanas y mazapán.

Una vez había fingido sufrir de los sudores. Sin duda era bastante hábil para simular. Ahora fingí un letargo que estaba muy lejos de sentir. Me alimentaba en secreto, sin comer nada de lo que llegaba a mi habitación, aunque saqué varias muestras de lo que se me traía para llevárselo al boticario.

Me sentía reanimada. Por fin actuaba de un modo que consideraba acorde con mi naturaleza. Pasaba a la ofensiva.

Ni siquiera confié en Linnet, aunque muchas veces estuve a punto de hacerlo.

Quería estar lista cuando apareciera mi amortajado visitante. Y lo estuve.

Había simulado hallarme soñolienta todo el día. Había percibido que a la mayor parte de la comida que me fue llevada se le había echado jugo de amapolas, de modo que el objeto era embotar mi inteligencia. El instinto me anunció entonces que se estaba por poner en práctica algún plan.

Tenía razón. A las tres de la madrugada del tercer día me despertó una presencia en mi habitación.

Alguien retiraba suavemente las ropas de mi cama,

Abrí los ojos. A los pies de la cama se erguía la figura que yo había visto antes... envuelta en un sudario gris. Tenía la cabeza cubierta con una caperuza que le tapaba el rostro, dejando unas hendiduras para ver.

Permanecí inmóvil, a la espera. La figura se movió, no hacia mí, sino hacia la puerta. Allí se detuvo, y yo me preparé para saltar de la cama... tensa, al acecho. Tan pronto como se moviese, iría en pos de ella. Le arrancaría ese ropaje que la ocultaba. Averiguaría quién se escondía debajo.

Y de pronto se me ocurrió pensar: ¿y si en verdad era un espectro? ¿Y si el fantasma de Isabel había venido a perseguirme? ¿Qué papel había jugado yo en su repentina muerte? ¿Había sido un asesinato? Y en tal caso, ¿no era yo el motivo de ese asesinato?

Y ¿por qué pensaba en Isabel en semejante momento? Cómo saberlo... salvo que algo en esa figura amortajada me hizo recordarla.

Fantasma o no, lo averiguaría. La figura retrocedió. Después vi que aparecía una mano. Me hacía señas con un dedo.

Me disponía a saltar de la cama cuando mis instintos me previnieron. Si se ocultaba un asesino bajo ese sudario, era la misma persona que había estado envenenando mi comida. Yo había fingido una lasitud que no sentía. Debía conducirme como una persona influida por el jugo de amapolas.

Lentamente abandoné mi lecho.

La mano desapareció; la figura había salido al corredor.

La seguí. La figura estaba a pocos metros de distancia. El dedo me hizo señas de nuevo.

Procurando caminar como una sonámbula, la seguí.

La figura había desaparecido en un recodo. Me apresuré a seguirla. Así llegué a lo alto de la gran escalera que conducía a la sala.

No se veían signos de la figura amortajada.

Me detuve en lo alto de la escalera... y entonces supe. Alguien estaba detrás de mí, con las manos estiradas, disponiéndose a arrojarme escaleras abajo.

Me volví manoteando.

—Allá voy —oí gritar a alguien, y apareció mi hija Linnet.

Esta asió la mortaja. Por un instante, los tres nos aferramos. Me sentí levantada en el aire. Después, de pronto, se oyó un alarido enloquecido. Me encontré apretando un trozo de tela gris mientras una figura se desplomaba con estrépito al pie de la escalera.

Sin decir nada, Linnet y yo bajamos la escalera corriendo hasta aquella figura inerte, que yacía de bruces. Levanté la caperuza y la máscara que ocultaba el rostro.

—Es Manuela —dije.

No murió hasta tres días más tarde. ¡Pobre Manuela, tan trágica!

Estuvo lúcida y consciente un tiempo, hasta que le sobrevino la muerte. Yo estuve junto a su lecho y ella advirtió mi presencia. Dijo que le quedaba poco tiempo y tenía mucho que decir.

¡Pensar que esa española había podido vivir tantos años en mi propia morada sin que yo supiese nada de

444

ella! Qué extraño era que, pese a su devoción hacia Roberto, se hubiese propuesto matar a su madre.

Fue una venganza. Justa retribución, la llamó ella.

—Tan pronto como vi la cruz de rubíes, supe que la mataría —declaró—. Antes quise solamente hacerla sufrir.

—Pero no intentaste matarme hasta anoche —le hice notar—. Me diste pequeñas dosis de veneno y trataste de quitarme la razón.

—Eso fue lo que le ocurrió a Isabel. Enfermó, fue despojada de su razón y después, un día, fue arrojada por la escalera.

Relató su historia espasmódicamente, sin mucha lucidez y no de una sola vez. Yo tuve que reconstruirla para lograr un todo coherente. Aunque estaba muy débil, ella quiso contarla. Fue una especie de confesión. Quiso la extremaunción y decidí que la tuviera si yo lograba obtenerla. Para ello habría que correr algún riesgo, pero yo sabía de algunas familias católicas vecinas y preguntaría si podía venir un sacerdote a aliviar las últimas horas de Manuela.

Tendría que venir en secreto, pero yo desafiaría a Jake, si era necesario, a fin de llevar a Manuela este último consuelo.

Supe así que Manuela era hermanastra de Isabel, ya que su madre había trabajado como criada en la mansión que era el hogar de Isabel. Cuando Manuela tuvo la edad suficiente, se le dio un puesto en esa mansión, y se la envió a Tenerife cuando Isabel fue allá para casarse con don Felipe.

Pero el eje de su relato era Edmundo. Ella lo amaba y estaban a punto de casarse. Manuela admiraba mucho la cruz de rubí que Isabel lucía con frecuencia. Una vez hasta se la había puesto al ir a encontrarse con Edmundo en el jardín... un pecado por el cual había hecho penitencia.

Edmundo le había dicho: "Ojalá pudiera yo regalarte una cruz como esa".

Tal vez alguien lo había oído. Como quiera que sea, la cruz desapareció y Edmundo confesó haber estrangulado a Isabel para arrojarla luego escaleras abajo. Admitió haberlo hecho porque al robar la cruz lo había sorprendido Isabel, quien había amenazado con hacerlo arrestar por ladrón.

Manuela había aceptado esta versión porque sabía que él la amaba y la cruz había desaparecido... hasta que me vio con ella puesta. Entonces creyó que la joya estaba en mi poder desde entonces, que don Felipe me la había regalado y que, por consiguiente, yo debía estar enterada de que Edmundo no la había robado, y que no lo había admitido sino al ser torturado de un modo que pocos hombres podían soportar.

Le parecía evidente que Edmundo había matado a Isabel obedeciendo órdenes de su amo. Un sirviente pertenecía a su amo, y si se le exigía determinados actos, los llevaba a cabo, pero cualquier pecado cometido no pesaba sobre su conciencia.

Cuando Edmundo fue arrestado, don Felipe debía haberlo salvado, pero no lo hizo. No quería que nadie supiese que Edmundo había matado a Isabel obedeciendo órdenes suyas. Era una situación cargada de peligros, ya que don Felipe deseaba casarse conmigo y circulaban rumores de que yo era bruja y hereje. Por consiguiente, don Felipe no se atrevió a tomar ninguna actitud para salvar a Edmundo, ya que con ello podía atraer sospechas sobre sí mismo, y estaba yo de por medio. La cruz de rubíes proporcionaba un buen motivo para que Edmundo hubiera cometido el asesinato, y así don Felipe se contentó con que fuese esta la versión aceptada del asunto, aunque siempre tuvo la cruz en su poder, en tanto que el pobre Edmundo, torturado hasta admitir que él la había robado, fue condenado a muerte.

Al verme luciendo la cruz, Manuela creyó que yo la tenía en mi poder desde hacía muchos años. No se le había ocurrido pensar que era ese uno de los objetos valiosos robados por Jake al saquear la Hacienda, que estaba desde entonces en poder de *él*, y que él me lo había dado solo recientemente.

Siempre me había odiado. Me había culpado por lo sucedido. Estaba segura de que, de no haber sido por mí, nunca habría ocurrido lo que ocurrió. En su opinión yo era, por consiguiente, responsable por la muerte de Isabel. Ella era quien había incitado contra mí a Pilar; ella era quien había hecho la imagen de Isabel, poniéndola en mi gaveta. Se la había llevado a Pilar e iba a ser utilizada como prueba de que yo era bruja.

Y luego, sabiendo que yo abrigaba sospechas, había procurado estimularlas. Quería hacerme sospechar que mi esposo se proponía asesinarme. Ella había puesto la imagen entre las ropas de Jake, aguardando después a que yo la encontrase. Su venganza fue lenta y minuciosa. No tenía prisa y sí una paciencia infinita. Solo quería causarme inquietud... hasta que me vio lucir la cruz.

Entonces no le quedaron dudas de la culpabilidad de Felipe y mía. Pensaba tristemente en la vida feliz que pudo haber vivido; en los hijos que nunca habían nacido de su unión con Edmundo. Ardiente y apasionada, no podía hallar satisfacción sino en la venganza.

Por eso había decidido que yo sufriera como había sufrido Isabel. No deseaba asesinarme directamente; quería justicia. Yo debía enloquecer como había enloquecido Isabel. Debía sufrir por un largo período, tal como ella había sufrido. Y a su debido tiempo yo sería hallada muerta al pie de una escalera, tal como antes Isabel.

Vivía para esta venganza. Era lo único que podía compensarle la pérdida de Edmundo. Había echado en mi comida plantas venenosas... suficientes no para matarme, sino para deteriorar mi salud; me había encerrado en la choza, para luego abrir la puerta y colgar la llave adentro. Con un sudario hecho por ella, había tratado de atemorizarme. Su propósito era empujarme a la locura y después, cuando mis allegados comenzaran a dudar de mi cordura, atraerme a lo alto de la escalera —una víctima fácil, semidrogada como me creía ella— y arrojarme al pie de ella. La gente diría: "Estaba poseída por demonios. ¿Recuerdan qué extraña se puso?"

— ¡Mi pobre Manuela! —exclamé yo, y le aseguré que nunca había visto esa cruz hasta poco tiempo atrás. Ahora recordaba que se había mencionado una joya como esa al ser ejecutado Edmundo, pero no la había relacionado con el regalo que me había hecho mi segundo marido.

Oh, Jake —pensé—, tú tomaste la cruz cuando estuviste en la Hacienda. Te apoderaste de todo aquello de valor que encontraste. Y tú, Felipe... fuiste culpable del asesinato de Isabel, tan culpable como si tú mismo la hubieras estrangulado y arrojado escaleras abajo.

Me alivió que Manuela supiese ahora que yo era inocente de toda participación en la muerte de Isabel.

—Vele por Roberto —dijo ella—. Yo lo quería... mucho.

Le dije que no hacía falta pedir eso a una madre.

Fui en busca de una familia vecina que en tiempos de Edward, cuando los sacerdotes llegaban a Trewynd, los habían agasajado y protegido.

En ese momento se alojaba allí uno de ellos. Lo trajeron del escondite donde lo ocultaban cuando llegaban visitantes a la casa, y él, disfrazado de caballerizo, me acompañó de vuelta a Lyon Court.

Yo sabía que estaba haciendo algo muy audaz. No sé qué habría sucedido si Jake hubiera regresado en ese momento.

Cuando revelé mis temores al sacerdote, este me contestó que estaba habituado a correr riesgos y que jamás negaría a una moribunda su último solaz en este mundo.

Lo conduje a la habitación de Manuela, y mientras esta moría, él sostuvo la cruz ante sus ojos.

Creo que murió tranquila, ya que yo le había asegurado que la perdonaba. Se alegraba de no haber conseguido matarme y no tener que presentarse a su Creador con un crimen sobre su conciencia.

Murió apretando la cruz.

Volví a sentirme viva. Qué tonta había sido... Jake no iba a asesinarme, y de haberlo hecho, no habría sido con métodos tan tortuosos. Habría sacado su espada y me habría atravesado con ella. Rompí a reír: ¡qué bueno era vivir! Nadie me amenazaba. Jake era un marido infiel. ¿Acaso no lo había sido siempre, y había esperado yo otra cosa de él? Ya había acogido bajo mi techo a dos de sus bastardos. Penn no era sino el tercero. Ellos le daban satisfacción por los hijos que no podía obtener de mí.

Había recobrado la vitalidad; podía volver a pelear.

Linnet tenía que enterarse de lo sucedido. Debía haberle contado todo en algún momento... tal como mi madre me había relatado su extraña historia cuando yo tenía más o menos la edad de mi hija. Todos los moradores de la casa sabían, además, que la señora a quien se creía demente no lo estaba, pero Manuela sí lo había estado, y totalmente, ya que había envenenado mi comida y tratado de arrojarme escaleras abajo. No hacía falta que supieran por qué motivo lo había hecho. Bastaba con que aceptaran el hecho de que los demonios habían empezado a poseerla.

Manuela fue sepultada en la parte del cementerio reservada para los Pennylon, y yo puse romero sobre su tumba.

Yo, por lo menos, jamás la olvidaría.

EL FUGITIVO

T an hondamente inmersa había estado en mis problemas, que no había percibido lo que ocurría en el mundo exterior. Ahora oí hablar con excitación de lo que se denominaba el Complot Babington, que por la gracia de Dios —según decían todos los leales partidarios de nuestra reina Isabel— había sido descubierto. En su adolescencia, un joven llamado Anthony Babington había servido como paje a María Estuardo, y como solía ocurrirle a los hombres, se enamoró de ella. Había unido fuerzas con un grupo de fervorosos católicos, y juntos habían tramado un complot para instalar en el trono a la reina de Escocia y restablecer en Inglaterra la religión católica. Este plan tenía el apoyo de España y del Papa.

Los conspiradores se reunieron en tabernas cercanas a Saint Giles y en la casa de Babington, en Barbican, y allí urdieron su conspiración. Isabel debía ser asesinada, María puesta en libertad e instalada en el trono. En todo el país, los católicos acudirían en ayuda de ella. El Papa daba su

451

aprobación y Felipe de España colaboraría... si era necesario, con su Armada, que crecía rápidamente.

Mediante un método muy ingenioso, se habían introducido en la prisión cartas dirigidas a la reina de Escocia. Se habían fabricado tubos taponados donde se podía ocultar cartas, y estos tubos eran introducidos en los barriles de cerveza que se llevaba a los aposentos de dicha reina. Una vez leídas las cartas, esta podía introducir su respuesta en el tubo y ponerlo en los barriles vacíos que serían devueltos al cervecero. Parecía infalible, y lo habría sido si el cervecero no hubiese estado a sueldo de Walshingham, además de la reina de Escocia. De tal modo, tanto las cartas que se introducían en los barriles llenos como las respuestas que iban dentro de los barriles vacíos eran comunicados a Amyas Paulet (carcelero de la reina en ese momento) y trasmitidas a Walshingham. De este modo, el secretario de Estado de Isabel se enteró de cada detalle del complot Babington a medida que era elaborado.

No se había apresurado a efectuar arrestos porque deseaba atraer a la red a la mayor cantidad posible, y lo que más ansiaba era inculpar tan minuciosamente a la reina de Escocia, que Isabel no tuviese otra alternativa que enviarla al patíbulo.

Ahora se estaban llevando a cabo los arrestos y todo el país estaba alborotado, pues según se decía, la reina de Escocia estaba tan profundamente implicada que este complot sería el último.

Yo me encontraba en un estado de suma tensión, como siempre que se revelaban versiones sobre complots. Lo primero que pensé fue: ¿estará Roberto involucrado en esto?

Oíamos los nombres de los arrestados. Roberto no se encontraba entre ellos, pero cada día esperaba enterarme de que lo habían detenido.

Jake había regresado, lleno de excitación pues, según decía, los españoles atacarían ya en cualquier momento.

Sabía del atentado de Manuela contra mi vida, y me gratificó verlo alterado por ello.

—¡Españoles! —exclamó—. Nunca debí haberlos recibido en mi casa.

Luego me tomó por los hombros y mè miró con fijeza.

—¿Estás pensando acaso que pudiste haberte librado de mí? —pregunté.

—Es cierto, pude haberlo hecho —rió él—. Pero tengo la sensación de que no hay muchas personas capaces de vencerte.

—Salvo tú, quizás.

—Eso sin duda. ¡Por supuesto, yo! —rió estrechándome contra sí.

—En un momento dado pensé que planeabas deshacerte de mí para reemplazarme por una esposa más joven —dije, y él asintió, fingiendo pensar en esa idea—. Por ejemplo, Romilly... Ya te dio un hijo y es lo bastante joven como para parir otros.

—Ahora me estás poniendo tentaciones en el camino.

—No hace falta ponerlas. Y hombres como tú no se dan tiempo para ser tentados. Se apoderan de lo que ven y al demonio con las consecuencias.

—No hay otro modo de vivir, Cat...

—¿Ah, sí? ¿Traer bastardos a tu esposa legítima?

—Yo no te traje ninguno. Tú sí me trajiste dos, y Penn nació aquí. ¿No te permití acaso que trajeras los tuyos?

Pensar en Roberto me hizo desfallecer.

Jake me rodeó el cuello con las manos, riéndose de mí.

—Me bastaría con apretar un poco...

—Y bien, ¿por qué no lo haces?

—Porque aunque eres una fierecilla y madre de hijas, he decidido que todavía no te sustituiré por otra.

Y me besó con una ternura poco habitual que me emocionó un poco. Luego me tironeó del cabello como hacía a veces con los muchachos. Yo sabía que era un ademán de afecto.

—Estoy impaciente, Cat —declaró—. Aquí me tienes tascando el freno... aguardando... ¡aguardando al hispano! Tenemos que estar preparados para hacerle frente cuando llegue. ¡Muerte de Dios! Podría ser hoy. Podría ser mañana. ¿Por qué se demora? Y ahora este traidor, Babington. ¡Por Dios!, morirá como un traidor y ojalá lo hagan sufrir bastante. Habría matado a nuestra reina, habría instalado en el trono a la ramera escocesa. Es tiempo de que se le separe la cabeza del cuerpo. Yo ahorcaría y descuartizaría a cualquiera que aprobara semejante traición.

Oh, Roberto, pensé. ¿Dónde estás, Roberto?

—¿Atraparon a todos los conspiradores? —pregunté.

—¿Quién sabe? Puede que haya otros. Walshingham es ladino. Sabe cuándo dar el golpe. Les concede cierta libertad... para así atrapar a otros. Tenemos que exterminarlos, Cat. A todos... ¡esos traidores a Inglaterra, amigos de nuestra enemiga España! Me gustaría borrar ese país de la faz de la Tierra.

Qué vehemente era... sus ojos lanzaban fuego azul.

Oh, Roberto, ¿dónde estás? , pensé.

Sabía que vendría. Acaso fuera una premonición. Vendría de noche y acudiría a mí como antes. Yo aguardaba, tensa. Algún instinto maternal me advertía; por eso mi sueño debe haber sido liviano y estaba lista cuando oí alguien que arrojaba un terrón a la ventana.

En silencio abandoné la cama, temerosa de despertar a Jake.

Sabía, por supuesto, que Roberto había llegado. Cómo podía estar cerca de Londres y de la Corte cuando Babington era capturado, y cuando, de no haber sido por el ingenioso sistema de espionaje de Walshingham, la reina podía haber sido asesinada y una reina católica instalada en el trono.

Si el nombre de Roberto figuraba en la lista hallada en casa de Throckmorton, Walshingham lo tendría vigilado por sus espías. Aun cuando no hubiese participado en el Complot Babington —y al parecer no lo había hecho—, acaso estuviera formulando otros.

Abandoné la cama y miré hacia abajo. Entonces lo vi con claridad, a la luz de la luna, mirando hacia mi ventana.

Volví la vista hacia la cama. Agradecí a Dios que Jake tuviera el sueño pesado, y que en ese momento se hallara profundamente dormido. Hice señas a Roberto. Este entendió y señaló en dirección a la choza. Yo moví la cabeza asintiendo y volví a acostarme. Roberto comprendería que Jake estaba conmigo.

Volví a la cama temblando.

La choza no era tan segura como antes. Mi percance había llamado la atención hacia ella. Jake había dicho incluso que tal vez la hiciera reparar convirtiéndola en morada para algunos de los criados.

Aún estaba rodeada de arbustos que la ocultaban en cierta medida, y yo debía llegar hasta ella lo antes posible.

Estaba angustiada.

Carlos —quien, como Jake, no se alejaba mucho de Plymouth desde que arreciaban las amenazas provenientes de España— había venido a ver a Jake. Yo aguardaba un momento propicio para llevar alimentos a la choza. Pero debía asegurarme de que nadie lo advirtiese. Linnet podía haberme ayudado, pero no iba a permitir que mi hija se viese involucrada.

Carlos estaba diciendo que había sabido que Babington y Ballard habían sido ejecutados. Describió las agonías de esos hombres, ahorcados en un predio situado al extremo superior de Holborn, cerca del camino a Saint Giles, donde se había erigido un patíbulo. Ballard, el otro conspirador principal, había sido el primer ajusticiado. Se lo había ahorcado, derribado y destripado estando todavía vivo. Babington presenció esto antes de sufrir idéntico trato.

—Perezcan así todos los traidores —exclamó Jake.

Me sentí descompuesta.

Jake me miraba de manera extraña.

Tan pronto como pude, saqué algunos alimentos de la cocina y me dirigí a la choza.

Estreché a mi hijo en mis brazos, ciñéndolo contra mí.

—Oh, Roberto, dime qué ha sucedido.

—Cuando apresaron a Babington supe que no me convenía quedarme cerca de Londres. Tuve que alejarme.

—¿Estabas entre los conspiradores?

—No... con Babington, no. De haberlo estado...

Comprendí. No se habría permitido marcharse a nadie que hubiera participado en ese complot.

—Pero Walshingham está decidido a reunir más pruebas. Algunos amigos míos han desaparecido repentinamente. Sé que están arrestados. Si el Complot Babington no lleva a la reina de Escocia al patíbulo, ellos develarán nuevos complots. Están decididos a ello. Ningún católico está a salvo, ni tampoco aquel que haya tomado parte en algún plan. Nos están persiguiendo, madre.

—¡Y te persiguen a ti!

—Fueron al sitio donde me alojaba. Tuve suerte, ya

que fui advertido. Si regreso allá seré apresado. Ahora me están buscando.

—El capitán está aquí —dije.

—Vi su nave desde el puerto.

—Oh, Roberto, tendremos que tener sumo cuidado.

—Manuela nos ayudará.

—Manuela ha muerto.

Le conté brevemente cómo ella había intentado asesinarme, y por qué motivo.

Guardó silencio, profundamente conmovido.

—¡Qué cruel es la vida, madre! Y ahora la existencia de todos parece gobernada por este odio entre España e Inglaterra.

—Es la sombra que cae sobre nuestra época. La religión... católica o protestante. Lo ha sido durante muchos años. Ensombreció la vida de mi madre. Yo no la he podido eludir. Cuando Manuela murió, le traje un sacerdote. Ella lo pidió. Tengo la esperanza de que nadie se haya enterado. Nunca se puede tener la certeza.

Me besó la mano diciendo:

—Te quiero, madre. Durante toda la vida me he inspirado en ti, he confiado en ti.

—Aún puedes confiar en mí, hijo mío; no porque sea católica o protestante, sino porque soy madre. Poco sé de doctrinas, ni me importan. Pero sí sé de amor, que me parece lo más importante en el mundo.

—¿Permitirás que me quede aquí?

—No debe ser por mucho tiempo, Roberto. La choza ya no es un lugar tan seguro como antes. Desde que fui encerrada en ella, los demás parecen haber advertido su presencia. Antes casi nadie recordaba que estuviese aquí. Debes marcharte pronto.

—He pensado, madre, que si pudiera llegar a España tal vez podría encontrar a mi familia. Los parientes de mi padre sabrán de mi existencia, y yo debo tener propieda-

457

des allá, ¿verdad? ¿Acaso mi padre no me hizo heredero suyo?

—Sí, pero eso fue hace mucho. Otros se habrán apoderado ya de tu herencia.

—Pero sería un miembro de su familia, me recibirían.

—Roberto, ¿cómo podríamos lograr que llegaras a España?

—Debo irme de Inglaterra. Me buscan y Walshingham jamás me dejaría en libertad. Seré apresado como lo fue Babington...

Su rostro expresaba puro horror, y me pareció ver reflejado en sus ojos aquel espantoso predio cercano a Holborn, y en él aquel patíbulo donde Ballard y Babington sufrieron un atroz tormento.

Para Roberto no, pensé. No para el muchachito que había reposado en mis brazos, que tanta alegría diera a Felipe y que nos había unido.

Qué mundo cruel, donde los hombres podían hacer tales cosas a sus semejantes. A mi hijo no. Haría cualquier cosa menos permitir que eso ocurriera.

Era preciso salvarlo. Debía hallar algún medio para sacarlo del país. ¿Quién me ayudaría? ¿Carlos? ¿Jacko? ¿Jake? Qué ironía. Si yo decía: "Roberto está aquí. Se halla involucrado en complots, debe escapar", ¿qué harían ellos, que tanto odiaban a los españoles? En el mejor de los casos empuñarían sus espadas y lo atravesarían con ellas; más probable era que lo entregaran a quienes lo buscaban, a fin de que tuviera la terrible muerte de los traidores.

—Necesito tiempo para pensar —declaré—. Debo hallar algún modo. Lo cierto es que no puedes quedarte aquí mucho tiempo. Tengo que encontrar otro escondite para ti.

—No debes comprometerte, madre. Llaman traidores a quienes ayudan a los católicos.

—Que me llamen como les plazca. Yo protegeré a mi hijo. Ahora te dejo. Cuando salga debes cerrar la puerta con llave y no abrirla sino a mí. Come lo que te he traído; no debes debilitarte y veo que ya estás débil.

—He andado mucho, madre.

—Come y descansa; yo volveré —insistí mientras iba hacia la puerta—. Ciérrala cuando yo salga y no la abras para nadie. Recuerda que para ti es muy peligroso permanecer aquí.

Cuando abrí la puerta, el horror me dominó. Allí estaba Jake.

—En verdad, para los traidores es muy peligroso esconderse en mis tierras— declaró mientras entraba y cerraba la puerta.

Yo, sintiéndome desfallecer, me apoyé en la pared.

—Ajá, ¿huyes de la ley? —dijo Jake con ojos más brillantes y boca más cruel que nunca—. Además de traidor, eres un tonto al venir aquí.

Alzándose sobre Roberto, lo aferró por un hombro, sacudiéndolo, mientras llevaba la otra mano a la espada.

Me adelanté corriendo y le sujeté el brazo, apretándolo con todas mis fuerzas. Jake me miró con la durísima expresión que reservaba para los españoles.

—Jake, por amor de Dios —imploré—. Es mi hijo.

—Tu bastardo español— replicó él.

Había sacado la espada. Vi su reluciente acero. Traté de interponerme entre él y Roberto.

Haciéndome a un lado, Jake apoyó la punta en la garganta de Roberto.

—De modo que viniste aquí, perro.

Roberto no contestó. Permanecía inmóvil, pálido, con su dignidad hispana más manifiesta que nunca. Yo oraba con incoherencia, no al Dios protestante ni al católico, sino al Dios del amor. Salva a mi hijo. Deja que viva. No importa lo que me pase ahora, que él viva. Que huya y viva bien. Aunque yo nunca vuelva a verlo, que él viva y sea feliz.

—Jake —grité—. Jake... te lo imploro...

Jake vaciló. Fue un milagro que envainase la espada.

—Abandonaste tu morada —dijo—. Eres buscado. Te apresarán. Te espera la muerte de un traidor. Pero vienes aquí. Eres capaz de manchar a tu madre con tu traición. Eres capaz de hacerla sospechosa de complicidad en tus perversos crímenes. Si así fuera, ni siquiera yo podría salvarla. ¿Lo sabes, cobarde?

—No permitiría que se sospechara de ella. Juraría que nunca tuvo participación en mis planes. Diría que ella ignoraba mi presencia aquí.

—Cállate —ordenó Jake, mientras se balanceaba sobre los talones, meditando. Por fin sacó la llave del gancho—. Te quedarás aquí —le dijo, y a mí—: Ven, Cat. Déjalo.

Me arrastró fuera y cerró la choza con llave.

—¿Qué vas a hacer, Jake? —pregunté yo.

—Ya verás —fue su respuesta.

Sabía que se proponía mantenerlo prisionero hasta poder entregarlo a quienes lo llevarían a juicio y lo sentenciarían a morir como un traidor.

No sé cómo sobreviví a ese día. No conseguía pensar qué hacer.

Jake, ceñudo y silencioso, hacía planes; yo lo sabía. Me pregunté si Roberto intentaría escapar. Si lo hacía, no podría ir lejos. Estaba exhausto. ¿Lograría siquiera trepar hasta la ventanita, romperla y saltar por ella? No se hallaba en las mismas condiciones que antes, cuando Manuela y yo lo habíamos protegido.

Jake era vengativo, no sabía de sentimientos apacibles. De no haber estado yo presente, lo habría matado allí mismo. Al menos no había querido hacerlo ante mí.

Cuando salió, yo me quedé en mi habitación. No me atrevía a ir a la choza, pues temía lo que allí iba a encontrar.

Todo el día aguardé a que sucediese algo. Constantemente creía oír ruido de cascos... soldados que venían a llevarse a Roberto. Ese día cinco minutos fueron como una hora, una hora como veinticuatro.

Me sentí enferma y alterada; no lograba alejar de mi mente el terrible cuadro de hombres atormentados en el patíbulo. Eso no debía ocurrirle a Roberto... a mi hijo, el muchachito de quien Felipe y yo tanto nos habíamos enorgullecido.

Entrada la tarde, Jake regresó a casa y entró en nuestro dormitorio.

—¿Qué estás haciendo, Jake? —exclamé.

—¿Qué esperarías que hiciera?

—¿Lo entregarás?

—Aún está en la choza, amarrado para que no pueda moverse. Y yo tengo la llave.

—Te lo imploro, Jake... nunca te supliqué nada todavía, pero ahora sí... déjalo irse. Por favor, Jake, si tan solo haces esto...

—¿Qué harás?

—Si haces daño a mi hijo te odiaré toda mi vida.

—Durante años has hablado de odiarme.

—Eso era odio simulado. Este será verdadero. Si haces daño a Roberto...

—Qué dramática eres. Se trata de un traidor. ¿No lo entiendes, Cat? Muy pronto estaremos defendiendo nuestras vidas contra hombres como tu bastardo Roberto. Los españoles se preparan para venir aquí... para imponernos sus malvadas doctrinas, para establecer en este país la Inquisición. ¿Sabes lo que eso significa?

—Lo sé. . . lo sé muy bien. Y lo detesto. Contra ello combatiría con todas mis fuerzas, y lo haré.

—Entonces estás de nuestro lado, Cat, y quienes lo están no pueden permitir que nuestros enemigos escapen... sean quienes fueren.

—Déjalo ir, Jake. Ayúdalo. Tú podrías hacerlo. Podrías darle un caballo. Él podría internarse en Cornualles y vivir allí tranquilo.

—¡Vivir tranquilo! ¿Acaso lo aceptaría él? Dondequiera que estuviera, intentaría levantar ídolos.

—Jake, Jake, te lo suplico.

Hubo un silencio.

Jake salió, dejándome sola. Supe que fue lejos, ya que al regresar su caballo estaba exhausto.

Llegó la noche. No pude descansar. Sentada en mi silla, en silencio, lloré.

Acostado en la cama, Jake dormía o fingía dormir. Cuando despertó, yo aún estaba sentada en la silla.

Entonces se acercó a mí, me levantó y me llevó a la cama, donde me sostuvo en sus brazos.

—Te vas a enfermar —me dijo con ternura.

No le contesté. Sabía que las palabras serían ya inútiles. Él estaba resuelto. Intuí en él la decisión.

Por fin me dormí, agotada por mis emociones. Cuando desperté era de día y Jake se había marchado.

Pensé ir a la choza, pero Jake me había advertido con firmeza que no lo hiciese. En todo caso, debía aguardar hasta saber qué podía hacer.

Tenía que haber alguna alternativa.

—Dios mío, te lo ruego —oré—, dime qué puedo hacer. Ayúdame a salvar a mi hijo.

No vi a Jake en toda la mañana.

Llegó Jennet, muy parlanchina.

—Señora, el *Vellón de Oro* se dispone a zarpar. Dicen que saldrá con la marea.

Yo no quería escuchar. Pensaba: Roberto, ¿qué puedo hacer para salvarte?

Temía que Jennet dijera que alguien había estado en la choza, pero no lo mencionó. La tenía absorta la imprevista partida del *Vellón de Oro,* ya que había conocido a un tripulante de este.

Le ordené con brusquedad que se callara. No estaba de humor para pensar en los enredos emocionales de Jennet. Aunque perdiese a su marinero, pronto lo reemplazaría.

Por la tarde llegó Jake. Anunció que deseaba hablar conmigo y fuimos a nuestro dormitorio.

—Vienen hacia acá —dijo.

—¿Quieres decir que les avisaste?

—No, no les avisé. Lo estaban buscando. Se está persiguiendo a todos los sospechosos de traición. Tu hijo es uno de ellos. Es un tonto. Nunca debió haber venido aquí. El primer sitio donde lo buscarán es en su antiguo hogar.

—Dios mío, lo encontrarán aquí.

—Registrarán la casa.

—Irán a la choza —dije, cubriéndome el rostro con las manos.

Al hacerlo oí alboroto en el patio.

Jake me había puesto de pie y me había conducido a la ventana.

—Mira —me dijo—. ¿Ves al *Vellón de Oro?* Ya levó anclas. Está por zarpar con la marea. Sopla un viento regular, que lo llevará lejos antes de que anochezca.

No quise mirar.

Sacudí la cabeza tristemente, imaginándome a Roberto prisionero en la choza, amarrado por Jake, esperando a sus captores.

—Soy buen patriota —declaró Jake—. Todos lo saben. Ayudé a hostigar a los españoles en el mar. Todos saben que no acogería a un traidor en mi morada.

—Estarás a salvo —le dije con vehemencia.

—Y saldré fiador por mi esposa —repuso él.

—Te burlas de mí... en un momento así.

—Nada de eso —respondió—. No quieres mirar el *Vellón*. ¿Y si te digo cuál es su cargamento?

—No me interesa su cargamento.

—¿Ni siquiera tratándose de tu hijo Roberto?

Lo miré boquiabierta.

—¡Jake! ¿Qué significa esto? Tú...

Levantó el brazo, crispando el puño.

—Es un traidor. Jamás pensé que ayudaría a un traidor. Pero cuando mi despótica mujer me lo ordena...

Me estreché contra él. Después le miré el rostro.

—Oh, Jake, ¿es verdad? ¿No me estás atormentando?

—Irán a la choza. El pájaro ha volado, o alguien se lo llevó. Yo lo conduje al *Vellón de Oro* esta mañana.

¿Qué podía decirle a ese hombre? ¿Cómo podría demostrarle jamás lo que sentía?

Tomándole la mano, se la besé. Creo que se emocionó. Entonces oí golpes en la puerta.